De rest is stilte

Carla Guelfenbein

De rest is stilte

Vertaald door Arie van der Wal

Amsterdam 2010

Voor Micaela en Sebastián

De vertaler ontving voor deze vertaling een werkbeurs van de Stichting Fonds voor de Letteren

Oorspronkelijke titel *El resto es silencio*

Omslag Marlies Visser
Omslagbeeld Yolande de Kort / arcangel-images.com
Binnenwerk Image realize
Afbeeldingen binnenwerk Carolina Schutte, 2008
Foto auteur Julio Donoso
ISBN 978 90 895 3034 9 / NUR 302
www.ailantus.nl
www.clubvaneerlijkevinders.nl

So tell him, with the occurrents, more and less,
which have solicited. The rest is silence.

William Shakespeare

Eerste deel

Witte stilte, zwarte stilte

♋

1.♐

Woorden zijn soms als pijlen. Ze komen en gaan, verwonden en doden, net als in oorlogen. Daarom hou ik ervan de stemmen van volwassenen op te nemen. Vooral als ze over zichzelf praten en iedereen zomaar, alsof het toverij is, op hetzelfde moment begint te lachen.

Hier beneden wemelt het van de heen en weer bewegende benen. Er zijn een heleboel verschillende: benen van kamelen, van konijnen, van flamingo's, van apen, en van andere dieren waarvan ik de namen nog niet geleerd heb. Aan mijn tafel zijn drie dames gaan zitten met enkels zo dik als olifantenpoten, een man met golfschoenen en een giraffe die al snel haar gouden sandalen uittrekt. Hoewel iedereen door elkaar heen praat en het moeilijk zal worden iets op te nemen wat de moeite waard is, zet ik mijn mp3-speler aan: '*Tere en haar man zijn ieder in een eigen auto gekomen, heb je dat gezien?*'

'*Nee, maar dat verbaast me niets.*'

In het park, met de volière van opa als achtergrond, poseert het bruidspaar voor een fotograaf. Mijn neef Miguel glimlacht alsof hij een stokje dwars in zijn mond heeft. Tussen de kleurige jurken door zie ik Alma. Ze beweegt haar armen en tekent figuren in de lucht terwijl ze praat. Haar haar is rood en ze heeft dezelfde naam als de grootste radiotelescoop van de wereld. De belangrijkste taak van ALMA is het bestuderen van de sterrenformaties. Samen met Kájef, mijn beste vriend, heb ik ontdekt dat hij organische deeltjes zoals koolstof kan analyseren, wat wel eens de oplossing zou kunnen zijn voor het Grote Raadsel van hoe het leven is ontstaan. Het is ongelooflijk hoeveel dingen ALMA kan zien. Alma, de vrouw van papa, is eerder nogal warrig.

Maar mij maakt dat niet uit, omdat het haar niet stoort dat ik een beetje traag en een beetje onhandig ben. Soms doen we dingen die papa niet goed vindt. Vandaag heeft ze bijvoorbeeld tegen hem gezegd dat mijn neefjes en nichtjes me uit zouden lachen als ze me zagen in het pak dat ik altijd aan moet bij belangrijke gelegenheden en waarin ik eruitzie als een oud kind. Maar we weten allebei dat het niets uitmaakt welke kleren ik draag. Niet dat mijn neefjes en nichtjes niet aardig zijn, maar het is net of ze altijd haast hebben en ergens op een plek ver weg op zoek zijn naar een schat, een zoektocht waarvoor ik nooit word gevraagd.

'*Volgens mij niet, ze kennen elkaar niet eens.*'

De stem van de vrouw klinkt schor, als het geluid van een pad. Ik hou mijn mp3-speler een beetje hoger.

'*Ik dacht dat het vriendinnen waren. Kijk, daar staat ze, bij het bruidspaar, voor de volière.*'

Van alle vogels in de kooi van mijn grootvader vind ik de goudfazanten het mooist.

'*Je bent gek, nooit van z'n leven; je weet toch hoe Marisol is.*'

De zeebries tilt het tafellaken op. Een paar mannenschoenen blijven staan voor de tafel waar ik me onder heb verstopt.

'*Carmen, wat ben ik blij je te zien!*'

Het is papa, met die doktersstem die hij nooit thuislaat. Als hij me hier vindt terwijl ik de volwassenen zit op te nemen, wordt hij heel boos. Dan zegt hij dat ik 'de privacy van de mensen aantast'. Maar ik weet niet zo goed wat *De Privacy* eigenlijk is. Zoals ik het begrijp, is privé wat je doet en voelt als je alleen bent. Deze gesprekken lijken me niet privé.

Een van de vrouwen beweegt haar voet heen en weer, alsof ze een steentje in haar schoen heeft.

'*Alsjeblieft, blijven jullie toch zitten,*' zegt papa.

Ik hou mijn adem in en laat de mp3-speler niet los.

'*Dat is jaren geleden dat we elkaar voor het laatst gezien hebben,*' zegt de vrouw.

'*Vijf, zes?*'

'*Minstens.*'

'*Je ziet er fantastisch uit, Carmen. Wat goed dat je gekomen bent. En Jorge?*' Papa praat op kalme en ook opgewekte toon, net zoals wanneer iemand hem om raad vraagt.

'*Die is er twee jaar geleden met een ander wijf vandoor gegaan. Zijn secretaresse,*' legt de vrouw uit en ze begint hard te lachen. '*Maak je geen zorgen, ik ben gelukkig, ze heeft me een groot plezier gedaan. Het was een waardeloze zak.*'

'*Als jij het zegt,*' antwoordt papa.

'*Dat zeggen we allemaal,*' zegt een vrouw snel. Het lijkt wel of iemand haar met een speld heeft geprikt.

Na een tijdje gaan de schoenen van papa weer weg. Ik heb geluk gehad dat hij me niet heeft ontdekt. Papa en Alma blijven hier en ik moet terug naar Santiago met mijn oom en tante. 'We moeten een poosje uitrusten van jullie,' zei Alma met haar zachte stem en een brede glimlach. Maar ik vind het toch niet eerlijk.

'*Juan is toch hertrouwd?*'

'*Ja, met een jongere vrouw.*'

'*Een beetje mager en bleekjes naar mijn smaak,*' zeggen de golfschoenen.

Volwassenen hebben bordjes op hun voorhoofd, waar dingen op staan als: 'Je bent de saaiste die ik ken', of 'je stinkt', of 'wat zou ik je graag een kus willen geven'. Natuurlijk kan ik die hier, onder de tafel, niet zien. Ik heb geen zin meer om in deze ineengedoken houding te blijven zitten, maar het zou verdacht zijn als ik nu zomaar tevoorschijn kwam en wegliep.

'*De bruid ziet er echt schitterend uit,*' gaan ze weer verder met hun gesprek.

'*Je bedoelt Julia? Ja, het is een mooi donker meisje. Haar familie komt uit het zuiden. Niemand kent ze,*' merkt de giraffe op, die de woorden uitspreekt als een fret die ergens op zit te kauwen.

'*In elk geval is Juan gelukkig weer getrouwd; de ziekte van Soledad was zo treurig en zo acuut.*'

'*Ziekte? Het is ongelooflijk hoeveel leugens we slikken,*' zegt de olifantenvrouw.

'*Welke leugens bedoel je?*'

'*Ach, mijn god, dat had ik niet moeten zeggen. Het spijt me. Vraag alsjeblieft niet verder.*'

Omdat ik onder de tafel zit, kan ik het bordje op het voorhoofd van de olifante niet zien, maar volgens mij wil ze doorpraten.

'*Je kunt ons nu niet zomaar in onwetendheid laten.*'

De olifante zwijgt even en zegt dan: '*Soledad is niet overleden aan een ziekte. Ze heeft zelfmoord gepleegd.*'

'*Maar ze was toch overleden aan een hersenbloeding?*'

'*Dat is wat ze hebben gezegd om een schandaal te vermijden, maar Soledad heeft zelfmoord gepleegd, dat kan ik je verzekeren.*'

Ik voel een pijnlijke steek in mijn borst. De mp3-speler maakt een dof geluid als hij uit mijn handen glijdt en op de grond valt. Mama werd ziek toen ik drie was. Het ging heel snel, zeiden ze tegen me. En toen was ze dood.

'*Het is een van de best bewaarde geheimen van de familie Montes.*'

'*Maar Soledad was zo levenslustig en ze zag er altijd zo opgewekt en tevreden uit.*'

'*Pff! Schijn bedriegt. Dat Soledad eruitzag als een gelukkige vrouw, betekent nog niet dat ze dat ook was. Voordat ze zelfmoord pleegde, was ze zelfs een aantal maanden opgenomen in de Aguas-Claraskliniek.*'

'*Ik kan het nauwelijks geloven. Ik ben er een keer geweest, als vrijwilligster. Dat was geen plek voor Soledad. Ze hadden een mooie tuin, dat wel, maar de rest was een treurige bedoening.*'

In het begin moest ik de hele tijd aan mama denken. Maar op een dag ontdekte ik dat ik, al deed ik nog zo mijn best, niet zou kunnen ophouden met groeien, en ook niet met vergeten. Die twee dingen gaan samen en je kunt ze nooit van elkaar losmaken.

'*Ze wilden niet dat iemand het wist. Als ze haar in de Europese Kliniek hadden laten opnemen, waren ze daar vast iemand tegengekomen die ze kenden. Ik meen zelfs dat de zoon van María Elena daar in die periode was opgenomen.*'

Mijn herinneringen aan haar lijken net films. Er is een beeld dat steeds terugkeert. We liggen op de grond in een lege kamer, mama en ik. Ze omhelst me. In het plafond zit een raam waar we de lucht doorheen kunnen zien. Soms doe ik mijn ogen dicht en stel me voor dat ik daar ben, maar dan wil ik altijd dat het echt zo is.

'Arme Juan.'

'Hij zal toch ook wel voor een deel verantwoordelijk zijn, of niet soms? Ze was tenslotte zijn vrouw.'

'Doe niet zo belachelijk. Juan is een schat.'

'Over verantwoordelijkheden gesproken, wisten jullie dat van de exman van Toti?'

Als mama zelfmoord heeft gepleegd, betekent dat dat ze niet van me hield. Ik hou mijn adem in en tel: tien, negen, acht, zeven, ik weet zeker dat ik terug kan naar het moment voor ik me onder deze tafel verstopte, zes, vijf, vier, de mammoet kan wel van alles zeggen om indruk te maken op haar vriendinnen, vier, drie, twee... Mijn hoofd tolt en ik voel duizend steken in mijn maag, alsof er een schroef ronddraait in mijn ingewanden. Ik hou het niet meer uit. Ik kom uit mijn schuilplaats en begin te rennen. Ik glij uit en val. Ik schaaf mijn knieën en handen.

Ik ben achter in de tuin beland, waar de bodem steil afloopt naar de zee. Het licht is wit aan de hemel. Mijn neefjes en nichtjes zijn met een bal aan het spelen op het hoogste deel van het park. Ik ga in het gras zitten. Ik sla mijn armen om mijn benen en begraaf mijn hoofd ertussen. Ik stink heel erg. Ik weet niet wanneer mijn darmen het hebben begeven. Nu ben ik echt verloren.

Soms weet ik hoe het is om je ongelukkig te voelen, te wachten tot het donker wordt om je onder de lakens te verstoppen, je ogen dicht te doen en voor altijd in de boot van Kájef te vluchten. Is dat wat mama voelde?

2.♒

Op de dansvloer zijn de jongste kinderen aan het dansen. Ik trek mijn sandalen met hakken uit en loop over het grindpad de tuin in. Als ik bij het bos aankom, ga ik in het gras zitten. Het is een warme middag en de golven slaan traag stuk op de barrière van zeewier. Voorbij het huis, op het uitgestrekte terrein van de golfclub, zijn vaag de silhouetten van een aantal spelers te onderscheiden. Ik herinner me de eerste keer dat ik hier kwam, in het zomerhuis van de familie Montes. Nu, zeven jaar later, zijn de betovering en de angst die ik toen voelde verdwenen.

Ik kan Juans vader nog duidelijk zien zitten in zijn Lodewijk XV-stoel, met zijn hoge voorhoofd en de smalle neus van een verbeten aristocraat, en de lusteloze manier waarop hij zijn hoofd ophief om me aan te kijken. Op zijn gezicht lag een uitdrukking die, hoewel niet onvriendelijk, de afstandelijkheid had van iemand die de mensen om hem heen nooit helemaal zal erkennen. De baby van een paar maanden die ik in de kinderwagen bij me had, en die duidelijk niet de vrucht was van mijn recente verbintenis met zijn zoon, moet hem hebben geschokt. Toch veranderde dit niets aan zijn humeur. Die houding, tegelijk nonchalant en kil, vormde de volmaakte pantomime tegen de achtergrond van het huis en het meubilair. Het viel me zwaar om me op die in de tijd bevroren plek een hoekje voor te stellen waar ik me op mijn gemak zou kunnen voelen; toch was een ontmoeting met hem het enige waar ik vanaf het begin naar had uitgezien.

Na het eten maakten we een wandeling door het park. Juan duwde de kinderwagen met Lola, en samen met zijn vader liepen we over de door buxussen omzoomde paadjes en langs de vijvers, waarin de wisselende kleuren van de hemel weerspiegeld werden. Af en toe glimlachte Juan tegen me, mijn reacties peilend met zijn blik. Er was een eindeloos aantal dingen die ons van elkaar onderscheidden, die ons verschillend maakten, maar in die tijd wilde ik daar niet over nadenken.

Toen we weer binnen waren, wilde don Fernando me zijn bibliotheek laten zien. Juan moest een paar telefoontjes plegen en verontschuldigde zich dat hij niet meeging. Ik volgde don Fernando door de brede gang die vol stond met keramiek, totdat we – helemaal aan het eind – bij de bibliotheek kwamen: een vertrek met een hoog plafond, dikke balken en stenen muren. Na me zijn pijpenverzameling te hebben laten zien, klom don Fernando op een trapje en pakte van de bovenste plank een fotoalbum. Toen hij het aan me gaf, klonk zijn stem hol en dwingend.

'Sla maar open.'

Ik trof er tientallen foto's aan van Juan, vanaf zijn adolescentie tot zijn volwassen jaren. Zijn reizen, zijn vrienden, de sporten die hij had beoefend, zijn gedaanteverandering. Maar wat in mijn geheugen gegrift zou blijven, waren niet de beelden maar de witte ruimtes ertussen, de tientallen foto's die eruit gescheurd waren.

'Dat waren de foto's van Soledad,' zei don Fernando. 'Ze hebben elkaar van jongs af gekend.'

De zorgvuldigheid waarmee Juan de beelden van zijn vrouw had verwijderd, deed me huiveren. Ik sloeg de bladzijden van het album een voor een om, onder de aandachtige blik van don Fernando. Die middag stelde ik mezelf de vraag die steeds weer terug zou komen: wat zat er verborgen onder dat voorkomen van een beheerste, rechtschapen man? Zoals hij de foto's van zijn dode vrouw had weggehaald, zo moesten er ook andere aspecten van zijn leven zijn die ik nooit zou leren kennen: verborgen verlangens, angsten, obsessies. Misschien zou ik ooit zelf wel een witte ruimte in een fotoalbum worden.

De enige vraag die don Fernando me die middag stelde, en die ik opmerkelijk vond, was of ik joodse voorouders had. Ik antwoordde van niet. Met een glimlach merkte hij op dat hem dat heel goed leek. Toen voegde ik eraan toe dat ik, als ik maar lang genoeg in mijn verleden wroette, misschien wel een joodse voorouder zou tegenkomen, zoals in zoveel andere families. Don Fernando beschreef met zijn wandelstok met zilveren knop een cirkel in de lucht en merkte op dat de aarde al vóór Columbus rond was, maar dat de mensen tot die tijd prima hadden geleefd met het idee dat hij plat was. Zijn metafoor verwarde me. Misschien bedoelde hij dat ik, als ik joodse voorouders had, gewoon verder kon leven zolang ik dat maar niet wist.

Toen we ons later weer bij Juan voegden, zei ik niets tegen hem over het album. Ook daarna heb ik dat niet gedaan. Misschien omdat ik bang was iets te ontdekken wat me zou kwetsen of ons uit elkaar zou drijven. Jaren later heb ik hem, naar aanleiding van een of ander voorval dat ik me niet herinner, wel verteld over de vreemde vraag van don Fernando. Op bitse toon antwoordde hij dat zijn vader oud was en dat hij dat deed om aandacht te trekken. Ik vond zijn woorden niet overtuigend, maar besloot er verder niet over na te denken. Wat Soledad betreft, de enige foto die ik van haar heb gezien is de foto die Juan zorgvuldig bewaart in een van de laden van zijn bureau.

Voordat we teruggingen naar Santiago, ontkurkte don Fernando een fles champagne en bracht een toost op ons uit. Onze relatie zou zonder zijn toestemming niet mogelijk zijn geweest. Dat zei ik een keer tegen Juan, maar hij beweerde stellig dat er niets zou zijn veranderd, dat de mening van zijn vader geen enkele invloed op hem had, en dat onze gevoelens voor elkaar het enige was wat telde. Desondanks heb ik in de loop van de tijd ontdekt hoe bepalend de mening van zijn familie voor hem is. En ik heb ook begrepen dat de hartelijkheid van don Fernando tegenover mij, en derhalve die van de rest van de familie, geen toeval was. Mijn Slavische voorkomen en het culturele tintje dat ik in Europa had opgedaan werkten in mijn voordeel. Als ik donker, klein en provinciaals was geweest, hadden ze me veel moeilijker geaccepteerd. Ook de tijd speelde een rol. Tegenwoordig is het voor mensen die zichzelf als ontwikkeld beschouwen vanzelfsprekend om voorbij te gaan aan dat soort verschillen. Ook al vinden ze die heimelijk afkeurenswaardig. Don Fernando moest de voordelen van onze verbintenis hebben gezien. Door mij in de familie op te nemen, kon hij zich tegenover zijn tijdgenoten voordoen als een modern man, zonder grote risico's te lopen. Vanaf het eerste moment liet ik zien dat ik volgzaam genoeg was om me aan te passen aan hun gewoonten en hun manier van leven.

Op het grote terras lopen de oudere stellen heen en weer en groeten elkaar met een hoofdknikje. Onder luid gelach kloppen de mannen elkaar op de schouder, zich wellicht herinnerend dat ze samen zijn opgegroeid, op dezelfde school hebben gezeten en langs dezelfde weg volwassen zijn geworden. Aan een paar tafels zitten nog mensen met een bezweet gezicht een likeurtje te drinken en een gebakje te eten, vastbesloten zich hoe dan ook te vermaken. Juan, die met drie van zijn broers aan een tafel zit, laat zich een beetje onderuitzakken op de stoel om zijn benen te strekken. Opeens haalt hij zijn mobiel uit zijn zak en houdt hem bij zijn oor. Hij staat op en loopt een paar meter van de tafel vandaan. Hij knikt enkele keren. Even later komt hij bij het tuinpad en kijkt om zich heen; ik denk dat hij mij zoekt. Ik observeer hem een tijdje voordat ik me laat zien. Als hij me opmerkt, betekent dit dat onze band nog bestaat. Tommy en ik spelen vaak dat we elkaar zoeken via telepathie. Hij weet niet dat hij een onmiskenbare kindergeur heeft, net als Lola, maar dan sterker. Juan heeft me niet ontdekt. Ik ben niet van plan hem te helpen. Hij loopt op zijn vader af. Don Fernando zit alleen en kijkt aandachtig naar de ronddwalende gasten, zijn stok recht voor zich uit, wakend over het fatsoen van de anderen met een strengheid waardoor je je onmogelijk niet geïntimideerd kunt voelen. Juan legt een hand op zijn schouder en kust hem op zijn wang. Neemt hij soms afscheid? Dat is onmogelijk. We hadden afgesproken vannacht in Los Peumos te blijven. We hebben tijd voor onszelf nodig. We moeten vooral de dagelijkse routine doorbreken – al is het maar een klein beetje – en een opening creëren waardoor het verlangen naar elkaar kan terugkeren. Elke dag wordt het moeilijker dat gebaar te maken dat het mechanisme van de hartstocht in werking stelt. Ik heb mijn hoop gevestigd op deze nacht, maar als we falen kunnen we niet langer de schuld geven aan de kinderen, aan de dagelijkse beslommeringen of onze vermoeidheid. Juan brengt opnieuw zijn mobiel naar zijn oor. Hij loopt gebarend op en neer. Ik sta op om hem tegemoet te lopen en zie de kleine gestalte van Tommy aan de andere kant van de tuin. Hij is alleen, zoals altijd, en slaat met een tak in de lucht. Ik loop het heuveltje af en sla het grindpad naar de tuin in. Als ik bij hem aankom, neemt Juan net afscheid van een van zijn broers. Er ligt een bezorgde uitdrukking op zijn gezicht.

'Wat is er aan de hand?' vraag ik, terwijl ik mijn sandalen weer aantrek.

'Ze hebben een hart voor het kind. Het is al onderweg,' zegt hij, op zijn horloge kijkend.

'Maar Juan, je zei dat als dit zou gebeuren, Sergio het van je zou overnemen.'

'Het spijt me, Alma.'

Ik zoek in zijn ernstige gezichtsuitdrukking een oprecht gevoel van spijt maar vind het niet.

'Denk je dat je alleen maar "het spijt me" hoeft te zeggen?' zeg ik ironisch. 'Je hebt het me beloofd. We hebben dit al weken geleden gepland.'

'Ik moet er echt heen. Dat ben ik verplicht,' voert hij aan.

'Sergio wacht al twee jaar op het moment dat je hem eindelijk een kans geeft.'

'Niet deze keer.'

'Je zult hem nooit een kans geven. Want daar geniet je het

meest van, toch? De deuren van de operatiezaal open te doen en dan die gezichten te zien die naar je kijken alsof je God bent.' Ik pers mijn lippen op elkaar om mijn woede te bedwingen. 'Sorry, dat wilde ik niet zeggen.'

'Geeft niet,' zegt hij beheerst en kil, om een einde te maken aan de discussie.

Hij strijkt met een hand door zijn haar en onthult daarmee zijn hoge voorhoofd. Een weerbarstige lok valt over zijn wenkbrauwen. Hij haalt diep adem en zegt met ingehouden ergernis: 'Het is een jongetje van twaalf, net als Tommy.'

'Kom daar nou niet mee. Sergio is net zo bekwaam als jij om die operatie uit te voeren; anders zou hij het je niet gevraagd hebben. Ik wil dat je blijft omdat het belangrijk is voor ons.' Ik fluister, omdat hij dat graag heeft als er anderen bij zijn. Juan kijkt ongeduldig omhoog.

'Alma, alsjeblieft, zet me niet onder druk. Je maakt het alleen maar moeilijker voor me.' Zijn gezicht vertrekt in een grimas van ongeduld en woede.

'Dat is precies wat ik wil, snap je dat dan niet? Het moeilijk voor je maken. Daarmee lok ik tenminste een reactie bij je uit.'

'Ik moet weg. Heb je Tommy gezien?' hoor ik hem zeggen.

'Die is daar,' wijs ik. 'Ga hem maar vertellen dat je weg moet.'

'Ik heb mijn broer Rodrigo gevraagd jullie terug te brengen naar Santiago. Is dat goed?'

'Oké.'

Hij geeft me een kus en streelt mijn wang, als de redelijke en vriendelijke man die hij is. Terwijl ik hem nakijk, vang ik een glimp op van het broze silhouet van Tommy op het grasveld, zoals altijd vechtend tegen een denkbeeldige vijand.

3. ♐

De vijandelijke strijdkrachten hebben een boodschapper gestuurd die lijkt op mijn vader. Ik moet me verzetten, de wapens opnemen, maar er vooral op vertrouwen dat het Goede altijd wint van het Kwade.

'Hallo, kampioen,' hoor ik hem vanuit de verte zeggen.

Knap werk. Ze hebben hem zelfs onze gemeenschappelijke taal geleerd. Gelukkig is mijn vermogen om het gevaar te herkennen sterker. Ik hef mijn wapen en neem een waakzame houding aan.

'Ik moet naar Santiago, het ziekenhuis heeft gebeld. Je gaat terug naar huis met Alma en oom Rodrigo. Ik kom afscheid van je nemen, Tommy.'

Mij houdt hij niet voor de gek. Nooit meer. Natuurlijk wil ik hem omhelzen. Ik zou hem willen horen zeggen dat mama geen zelfmoord heeft gepleegd, dat het van die verhalen zijn die volwassenen elkaar vertellen en die als ze van mond tot mond gaan steeds monsterachtiger en enger worden. De man die eruitziet als mijn vader pakt een wapen van de grond en neemt een aanvalshouding aan.

'Oké. Als je dit wilt oplossen met een gevecht van man tegen man, dan moet dat maar,' zegt hij.

Ik hef mijn stok en sla ermee tegen die van hem. Ik heb nog nooit iemand aangevallen die niet in mijn hoofd zat. Ik val nog een paar keer uit naar papa. Gelukkig heb ik nog een spijkerbroek in mijn rugzakje, voor als mijn neefjes op het wonderbaarlijke idee zouden komen me te vragen mee te doen met een van hun avonturen. Maar dan nog ben ik bang dat de geur zit vastgeplakt aan mijn lichaam en dat papa het ruikt. Hij verdedigt zich niet.

'Genoeg nu, Tommy,' houdt hij me tegen met een glimlach die niet echt een glimlach is. 'Je weet dat je je niet mag opwinden.'

Op het bordje op zijn voorhoofd staat: 'Je weet dat je zwak bent en dat je me nooit zult kunnen verslaan.' Ik deel nog een klap uit. Ik ben ongehoorzaam geweest. De man heft zijn stok. Onze wapens kruisen elkaar in de lucht. We staan oog in oog. Ik adem moeilijk en kijk naar zijn vierkante kin, zijn gezicht vol lange lijnen en doe mijn best mijn onregelmatige ademhaling voor hem te verbergen. Ik kan zijn gezicht met mijn ogen dicht millimeter voor millimeter natekenen. Dan stel ik me altijd voor dat het het gezicht is van een geharde, wijze strijder. De strijder die ikzelf over een tijdje en met behulp van mijn vriend Kájef zal worden. Maar ik weet niet meer wat ik nu zie. Papa heeft tegen me gelogen. Mijn ogen prikken, ik knipper hevig. Ik moet blijven vechten.

'Tommy, we zullen een andere keer verder moeten gaan, ik moet nu weg.' Hij gooit zijn stok op de grond en komt naar me toe om afscheid te nemen.

'Wie moet je nu opereren?'

'Een jongetje, hij heet Cristóbal Waisbluth. We zaten op een hart voor hem te wachten en hebben er een gevonden. Het wordt nu naar het ziekenhuis gebracht.'

'Dat betekent dat er iemand in coma ligt, hè? Is dat ook een kind?'

'Dat weet ik nog niet. Het zou ook het hart van een volwassene kunnen zijn. Morgen vertel ik het je wel. Pas goed op Alma voor me. Beloof je dat?' Hij pakt me bij mijn kin, geeft me een kus op mijn voorhoofd en loopt snel weg met zijn colbertje over zijn schouder.

Als je een hart zoekt, hoop je eigenlijk dat er iemand doodgaat zodat je zelf kunt blijven leven. Dat vind ik niet vreemd. Mijn leven zou veel beter zijn als Lola, mijn stiefzus, zou verdwijnen. Toen ik van Alma begon te houden, moest ik mama ook een beetje laten doodgaan. Mijn hart kon niet op twee plaatsen tegelijk zijn.

Ik raap mijn stok van de grond en trap hem met mijn voet in stukken. Ik ben nog niet klaar met het kapot trappen van de stok als ik zie dat de zon op het punt staat in zee te verdwijnen. Terwijl hij snel, maar dan ook echt heel snel, ondergaat, bedenk ik dat dit het enige moment is waarop wij mensen de beweging van de aarde kunnen zien. Daarom vind ik het zo mooi, en door de groene flits. Alma zegt dat het optisch bedrog is, maar daar ben ik niet zo zeker van. We overtuigen onszelf ervan dat het voor onze ogen gebeurt, omdat we het graag willen zien. Ik ben daar goed in, ik verzin verhalen en zelfs herinneringen. Hoe zou je anders moeten verklaren dat ik me de dood van mijn moeder herinner?

Opgroeien is als het beklimmen van een berg met een groot bord om je nek waarop staat: VERGEET. Soms hou ik mijn adem in om de tijd te laten stilstaan. Als ik stappen voor- en achteruit kan doen, als ik van een naar honderd en daarna van honderd naar een kan tellen, snap ik niet waarom de tijd niet terug kan gaan naar toen mama nog niet dood was.

4.⧗

Door het vliegtuigraampje worden de hoofden steeds kleiner. Ik weet dat het onmogelijk is, maar ik zoek toch het rode haar van Alma. Het was niet mijn bedoeling ruzie met haar te maken. Mijn vertrek was niet van tevoren gepland, de dingen zijn gewoon zo gegaan. Vanuit de hoogte wordt alles onbelangrijk: het gekibbel met Alma, het vreemde gedrag van Tommy, mijn vader met zijn woede-uitbarstingen, mijn broers en hun zorgen. De hoogte – net als de tijd – laat ons zien wat we het aangenaamst vinden. Ik denk aan het gevecht met Tommy. Ik had hem nog nooit eerder zo onverschrokken meegemaakt als eigenlijk bij zijn leeftijd hoort. Hij wordt eindelijk groot.

Ik kan alleen maar denken dat er iets bijzonders is wat me met Cristóbal Waisbluth verbindt. Hij en Tommy zijn met dezelfde afwijking geboren: een zeldzame hartaandoening genaamd hypoplastisch linkerhartsyndroom. Het verschil is dat het hart van Cristóbal niet op dezelfde manier reageerde op de drie operaties van de Norwoodprocedure als dat van mijn zoon.

Emma, zijn moeder, doet me denken aan Soledad. Niet zoals ze eruitziet. Soledad was een vrouw met een bijna kinderlijk lichaam; Cristóbals moeder daarentegen is een vrouw die groot gebouwd is zonder grof te zijn, zo'n vrouw die gemaakt lijkt om tegenslagen te overwinnen. Allebei werden ze geconfronteerd met de geboorte van een kind van wie de linkerhartkamer kleiner was dan normaal, waardoor het hart niet in staat was de bloedsomloop van het hele lichaam te regelen. Een kind dat elke minuut zou kunnen sterven.

Soledad noch ik was voorbereid op wat er op ons afkwam. Maar in tegenstelling tot Soledad had ik een ontsnappingsmogelijkheid. Toen de ziekte van Tommy ontdekt werd, besloot ik me te gaan specialiseren in hartchirurgie. Er viel altijd wel een dilemma op te lossen, een procedure uit te voeren, informatie in te winnen. Op een of andere manier onthieven mijn werk en mijn praktische aard me van het wroeten in mijn gevoelens. Soledad kende die momenten wél, en misschien ontdekte ze toen hoe vruchteloos haar pogingen waren om zich eroverheen te zetten. De eerste levensmaanden van Tommy bracht Soledad het grootste deel van de tijd door naast zijn wieg in het ziekenhuis. Een keer zat ze drie dagen en nachten bewegingloos naast hem, zonder zelfs maar te douchen. Het was haar moeder die toen naar het ziekenhuis kwam om te eisen dat ze zichzelf verzorgde. 'Wil jij soms ook dood?' wierp ze haar schreeuwend voor de voeten. 'Mijn zoon gaat niet dood, mama, ik wil dat je dat goed in je hoofd prent. Niet zolang ik leef.' De woeste schittering in haar ogen maakte ons bang. Ze leek tot alles in staat om het leven van haar kind te redden. Hadden we toen maar geweten hoeveel duisternis er in haar woorden verborgen lag.

⧗

De ingreep staat gepland voor over een uur. Ik begin me onrustig te voelen. Een toestand waarin zulke uiteenlopende indrukken als zelfbeheersing en onzekerheid een rol spelen. Ik kan niet van me afzetten dat de situatie elk moment een onvoorziene wending kan nemen, de factor die gelovigen goddelijke voorzienigheid noemen, fatalisten het lot, en anderen toeval.

Ik nader de hoofdstad. De eerste straatlantaarns vormen rechte en gebogen lijnen op het donker wordende aardoppervlak. Santiago, dat overdag een nogal chaotische aanblik biedt, krijgt tegen het vallen van de avond de strakheid van een tekening. En tussen die regelmatige lijnen, ergens in deze stad, heeft minder dan twee uur geleden het meisje dat haar hart heeft afgestaan, zich te pletter gereden.

5.♒

Het vliegtuig van Juan dringt een paar rafelige wolken binnen, verandert in een punt in de ruimte en verdwijnt dan uit het zicht. Midden op de dansvloer dansen Miguel en Julia een zwierige wals, terwijl hun vrienden in een kring staan te applaudisseren. Een bleke jongen met scherpe gelaatstrekken loopt naar hen toe en begint om hen heen te draaien. Hij knipt met zijn vingers op het ritme van de muziek en tuit zijn lippen. Met een wanhopige uitdrukking slaat hij beide armen om het paar en laat zijn hoofd op Julia's schouder steunen. Miguel steekt zijn ellebogen uit in een poging zich los te maken, maar de jongen balt zijn vuisten en lijkt hen nog steviger tegen zich aan te drukken. Tussen de twee mannen tilt Julia haar hoofd op, snakkend naar lucht. De blinde kracht van het donderende applaus om hen heen gaat gewoon door. Een luidruchtig koor van vrouwelijke stemmen herhaalt: 'Zoenen, zoenen!' Plotseling loopt een man op hen af, pakt de jongen bij zijn armen en maakt hem los van het paar. Heel even denk ik dat mijn verbeelding me parten speelt. Het is niet de eerste keer dat ik iemand voor Leo aanzie. De jongen slaakt een kreet en loopt met geheven vuist slingerend weg. Leo volgt hem. Hij beweegt zich nog op dezelfde manier als vroeger: licht heen en weer zwaaiend met zijn schouders, met die soepelheid waarin zich op een merkwaardige manier zelfbewustheid en onzekerheid verenigen. Hij draagt een ruimvallend donker driedelig pak. De twee blijven voor de bar staan. Leo praat en brengt zijn handen naar zijn hoofd; de communicatie tussen hem en zijn gesprekspartner schijnt niet erg te vlotten. Van een afstand lijkt hij niet veel veranderd. Hij is nog altijd slank en heeft kort, krullend haar. Wat ik niet kan zien is of hij nog steeds die minachtende trek om zijn lippen heeft, dat gebruinde, norse gezicht, die grijzige ogen en die zwarte schelpjes die in zijn pupillen getekend lijken. Leo en de jongen verdwijnen uit mijn gezichtsveld. Ik kijk naar het strand. Uit de nabijgelegen rotsen straalt een zilverkleurig licht, alsof een felle lamp van binnenuit door het oppervlak heen schijnt.

De herinneringen dringen zich op. Alles wat er is gebeurd na de laatste keer dat we samen waren. Het abrupte einde van mijn jeugd.

≈

Tot mijn zestiende zag ik de wereld als een onbewoond huis vol water. Een weemoedig gebouw van twee verdiepingen met gesloten jaloezieën, midden op een braakliggend terrein. Ergens in een van de kamers, verborgen voor het licht en nieuwsgierige blikken, woonde een vis. Die vis was ik.

Ik woonde in die tijd bij mijn moeder in een klein, vervallen appartement in het centrum. Papa was net vertrokken voor zijn eerste tocht naar het zuiden om een plek te zoeken waar we naartoe konden verhuizen, en Maná – de naam die een goeroe mijn moeder had gegeven – en ik probeerden zo goed en zo kwaad als het ging het hoofd boven water te houden. Onze schaarse inkomsten kwamen uit de meditatielessen die Maná gaf aan rijke dames, en uit wat ik in de weekends verdiende als inpakster in een supermarkt. Dat weerhield Maná er niet van elke middag nieuwe vrienden mee te nemen naar ons appartement en tot diep in de nacht gitaar met hen te spelen, naar muziek te luisteren en joints te roken. Dan deed ik de deur van mijn kamer dicht, ging mijn waterhuis binnen en viel in slaap. Dat kostte me weinig moeite. De rook en de minnaars van Maná konden me daar niet bereiken. Ik zonk soms zo diep weg in de kamers van dat huis dat ik, als iemand me aansprak, niet verstond wat hij zei.

Op school was het niet veel anders. Ik zag hoe mijn klasgenotes zichzelf in de spiegel en in de ruiten van de lokalen en de gangen bekeken, hoe hun rokken steeds korter, hun monden roder en hun ogen dieper werden. Ik begreep al snel waaraan die betekenisvolle blikken beantwoordden, ik had ze duizenden keren gezien in de ogen van mijn moeder. Maar ik woonde in een huis van water en mijn huid was immuun voor die nieuwe dampen die hun lichamen uitwasemden.

Het was een klasgenote die me uitnodigde voor het feest. In ruil beloofde ik twee weken lang haar huiswerk te maken. Toen we aankwamen, was het feest in volle gang en ik verloor het meisje al snel uit het oog. Dat ze mij onder haar hoede zou nemen maakte geen deel uit van onze afspraak. Het was een modern huis, dat zich uitstrekte langs een glazen galerij. In elke kamer zaten jongens en meisjes in luie stoelen zachtjes met elkaar te praten en als volwassenen te roken. In de woonkamer dansten paartjes heel dicht tegen elkaar aan. Ik besloot in het vertrek te blijven waar een boekenkast stond. De gesprekken waren levendig en niemand zou mijn aanwezigheid daar opmerken. Ik vond een boek over vlinders en ging in een hoek zitten om het door te bladeren. Leo zat met een glas Coca-Cola in zijn hand in een leunstoel met donkerrode fluwelen bekleding. Hij had een romantisch gezicht, met een licht ironische blik in zijn half geloken ogen, en hoewel hij klein van postuur was, viel het meteen op dat hij ouder was dan de rest. De jongeren om hem heen zaten hartstochtelijk met elkaar te praten, maar hij scheen er niet naar te luisteren. Af en toe maakte hij een soort gebaar van instemming. Bij een van die zachte afdalingen naar de werkelijkheid moet hij me hebben gezien. Ik had mijn ogen strak op hem gericht. Toen onze blikken elkaar kruisten, glimlachte ik, intuïtief aanvoelend dat zijn afstand tot de wereld even groot was als die van mij. Ik kan zijn lichte aarzeling nog zien, zijn ogen die een fractie van een seconde in het niets bleven staren, en daarna de fantastische glimlach. Hij bracht zijn handen naar zijn hals en deed net alsof hij die dichtkneep, terwijl er een grimas verscheen op zijn nog glimlachende gezicht. Ik schoot in de lach en de verwarde blikken van de anderen richtten zich op mij. Leo sprong op uit zijn stoel.

'Hou je van vlinders?' vroeg hij, wijzend op het boek dat ik in mijn handen hield.

'Eerlijk gezegd wel, ja.'

'Ik heb er een hekel aan,' gaf hij lachend toe.

Opnieuw die glimlach, die het vermogen had zijn zwijgzame, zelfs vermoeide uitdrukking om te vormen tot een levendig gezicht vol energie, waarin een volwassen man en een kind leken samen te komen. Die plotselinge overgang tussen de twee was verwarrend maar tegelijk aantrekkelijk, en het maakte het moeilijk hem recht aan te kijken.

'Dit boek vind ik bijvoorbeeld erg goed,' verklaarde hij, terwijl hij een boek van de plank boven mijn hoofd pakte. Het was een exemplaar van *Lady Chatterley's Lover.*

'Daar is mijn moeder dol op!' riep ik met kinderlijk enthousiasme uit. Na die woorden te hebben uitgesproken, sloeg ik blozend mijn ogen neer. 'Ik trouwens ook,' voegde ik er zonder op te kijken aan toe. Instinctief citeerde ik een paar regels: 'Onze tijd is in wezen tragisch, daarom weigeren we die tragisch op te vatten.'

Hij sloeg de bladzijden ernstig en zorgvuldig om.

'Je hebt het inderdaad gelezen,' merkte hij op, zijn wenkbrauwen fronsend. 'Daarom viel je me op.'

'Is het zo duidelijk?'

'Nou ja, het is niet gebruikelijk dat een mooi meisje als jij in een hoekje zit met een saai vlinderboek, terwijl ze met iedereen zou kunnen dansen.'

Ik lachte.

'Hoe heet je?'

'Alma.'

'Niet te geloven. Dat moet een voorteken zijn.'

Het was het soort reactie dat mijn naam vaak opriep. Ik wendde mijn hoofd af.

'Neem me niet kwalijk, alsjeblieft, ik meen het,' zei hij. Hij pakte mijn gezicht en dwong me hem aan te kijken. 'Zie je? Ik bedoel het serieus. Ik kom niet elke dag iemand tegen die Alma heet en *Lady Chatterley's Lover* uit haar hoofd kent. Alsjeblieft, neem het me niet kwalijk.'

Door het contact met zijn vingers begonnen mijn wangen te gloeien. Hij liet zijn hand naar beneden glijden, kneep in mijn arm en streek met zijn duim door mijn bloes heen langs de zijkant van mijn borst. Ik voelde een hevige druk in mijn onderbuik. Ik had zin om op te staan. Een tinteling liep over mijn rug. Het was zo sterk dat ik nauwelijks kon ademhalen.

'Je drinkt helemaal niets, wil je iets?' vroeg hij met een flauwe glimlach.

We liepen samen naar de keuken. Hij pakte een biertje voor me en vulde zijn glas met Coca-Cola. Ik bood hem een slok uit mijn blikje aan.

'Ik mag geen alcohol drinken. Ik heb in een ontwenningskliniek gezeten.'

Zijn woorden maakten indruk op me, ze onthulden zijn tegenslagen en verbonden ons met elkaar; daarbuiten waren de anderen met hun gelukkige levens. We bleven een paar minuten in de keuken staan luisteren naar het geklets om ons heen, intussen samenzweerderige blikken wisselend. Onze sarcastische glimlach vormde een stilzwijgende erkenning van het feit dat wij als enigen in staat waren de stompzinnigheid van de mens te herkennen.

Na een tijdje liepen we de tuin in en gingen in het gras zitten om afstand te nemen van de drukte op het terras. Leo stak een sigaret op. Het was windstil en de rook kringelde loodrecht omhoog en loste op in het donker. Hij vertelde me over de ontwenningskliniek, over zijn kamer met een reproductie van Jeroen Bosch aan de muur, over een vriend die gestorven was aan alcoholvergiftiging. Hij vertelde ook over een gat dat hij achter in de tuin had gegraven. Elke middag groef hij een stukje dieper, totdat het gat breed en diep genoeg was om erin te kunnen zitten. Hij ging er elke middag naartoe, maar op een dag was het gat dichtgegooid met aarde.

'Waarom deed je dat?'

'Om een eigen plek te hebben,' verklaarde hij volkomen serieus. In zijn stem klonken de beklemming en het verlangen door die hem daartoe hadden gebracht.

Het leek me zo vanzelfsprekend dat ik spijt had dat ik de vraag had gesteld. Hij keek me zijdelings, enigszins verlegen aan, en ik bedacht dat zijn woorden nog maar een flauwe afspiegeling vormden van een veelomvattender gevoel. Hij nam een trek van zijn sigaret, gooide hem op het gras en trapte hem uit met zijn schoen. Daarna vroeg hij me iets over mezelf te vertellen. Ik zei dat mijn vader op zoek was naar een stuk grond in het zuiden waar we rustig zouden kunnen leven.

'Rustig. Ik weet niet wat hij daarmee bedoelt. Het klinkt als je levend begraven,' merkte ik op luchtige toon op, hoewel ik wel liet doorschemeren hoe benauwend ik de hachelijke toestand van ons gezinsleven vond.

Leo lachte. Het kostte me moeite me voor te stellen dat een jongen met zo'n lach stomdronken kon worden. We bleven doorpraten. Hij meer dan ik. Onder invloed van zijn stem leek alles eenvoudiger, stralender, zelfs de dingen die geen vorm hadden, zoals angst. Desondanks viel het niet mee om uit mijn waterhuis te komen. Maar heel geleidelijk nam het enthousiasme bezit van me. Plotseling zaten we allebei opgewekt te praten, onze mening te geven, elkaar vragen te stellen, misschien ontdekkend dat woorden het enige instrument waren dat we hadden om het vuur in onszelf naar boven te halen.

'Ik moet zo weg,' waarschuwde hij. 'Voor een uur 's nachts thuiskomen maakt deel uit van de afspraak met mijn ouders.' Er was een zweem van brutaliteit zichtbaar in zijn gezichtsuitdrukking.

Hij bood aan me thuis te brengen, maar ik zei dat dat niet

nodig was. Ik schaamde me voor de plek waar ik met mijn moeder woonde. We namen afscheid met een omhelzing.

Toen ik zeker wist dat Leo was vertrokken, ging ik de straat op. Ik liep urenlang; mijn richtinggevoel en mijn instinct hielpen me de weg naar huis te vinden. Ik was niet bang, het gevoel dat me in beslag nam was sterker dan angst. Toen ik thuiskwam, sliep Maná al, met de slaapkamerdeur open. Naast haar lag een man te snurken. Ik deed voorzichtig de deur dicht en ging mijn waterhuis binnen.

6.♐

Alma komt naar me toe. In haar ene hand heeft ze een bord met twee stukken taart en in de andere een fles Coca-Cola.

'Ik heb honger, jij niet? Dit heb ik uit de keuken gestolen,' zegt ze.

We gaan tegenover elkaar zitten met het bord en de fles tussen ons in. Een paartje is zonder schoenen aan het dansen in de tuin. Op de dansvloer lopen mijn neefjes voorop bij de polonaise.

'Ik ben de vorkjes vergeten,' verontschuldigt ze zich, terwijl ze haar wenkbrauwen optrekt en een hand naar haar mond brengt. We glimlachen allebei omdat we weten dat ze die niet echt vergeten is.

We kijken naar de zee. Rode en gele wolken maken zich los uit de golven, als watersoldaten op het punt om de hemel te veroveren. We eten met onze handen. Alma likt haar vingers af en ik ook.

'Papa is weer weggegaan.'

'Hij had een heel belangrijke operatie.'

Ik knik zonder haar aan te kijken. Ik wil niet dat ze mijn ogen ziet omdat ze dan zal merken dat ik niet blij ben. Alma ziet de dingen altijd.

'Het is zijn werk, Tommy. Kom.' Ze strekt een arm uit en pakt mijn hoofd zodat ik het in haar schoot kan leggen.

Ik ga op mijn rug liggen. We zwijgen, een van die stiltes die de ruimte vullen in plaats van leegmaken. De soldaten lossen op in het donkerblauw van de hemel. De strijd is verloren, de nacht rukt op en een bijna onzichtbaar schijfje maan maakt zich los van de wolken. Ik weet wel dat de maan waar we naar kijken gewoon heel is, we kunnen hem alleen niet zien. Dat is zo met de meeste dingen. We zien altijd maar een stukje. Zo hebben papa of Alma bijvoorbeeld nooit gemerkt dat Yerfa – mijn kindermeisje –, als ze denkt dat niemand naar haar kijkt, een slok neemt uit een flesje dat ze in haar zak heeft.

'Wist je dat het menselijk oog hoogstens drieduizend sterren kan zien en dat er alleen al in ons melkwegstelsel meer dan een miljard zijn?' vraag ik haar.

'Echt waar?'

'Zeker weten. Er zijn meer sterren in het universum dan zandkorrels op alle stranden van de wereld bij elkaar.'

'Dat is bijna niet voor te stellen.'

Ze rekt haar hals en kijkt naar boven, alsof ze een van die sterren zou kunnen zien. Ze kamt mijn haar met haar vingers, strijkt de langste lokken achter mijn oren en maakt mijn voorhoofd vrij. Kájef zal verbaasd staan als ik hem vertel dat ik met papa gevochten heb. Ik zal hem ook vertellen dat ik met Alma naar zijn zee heb gekeken. Dat zal hij leuk vinden. Ik zal niet zeggen dat ze me gestreeld heeft zoals je met kleine kinderen doet.

'Je haar is nog zachter dan dat van Lola.'

Ik had liever gehad dat ze haar niet noemde. Lola is zeven, lang en sterk, ze houdt van voetbal en als ze de bal heeft, kijkt iedereen naar haar snelle draaibewegingen. Gelukkig is ze in Santiago gebleven, bij haar oma – de moeder van Alma –, en ik wil niet dat de herinnering aan haar alles verpest. Zeker niet nu Alma met haar handen tegen me zegt:

 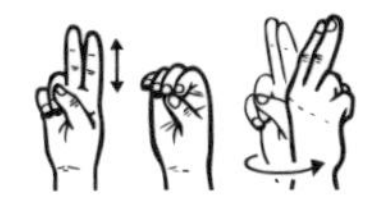  

Dat betekent IK HOU VAN JE in doofstommentaal.

Alma heeft die taal geleerd toen ze in Spanje woonde. We zijn er niet erg goed in, maar goed genoeg om elkaar geheime boodschappen door te geven zonder dat papa het merkt. Het is alleen jammer dat Alma het ook aan Lola geleerd heeft.

'Dus hier verstop je je,' zegt de stem van een man achter mijn rug.

Ik kijk op om te zien wie ons komt storen. Het is een vent met zijn schoenen in zijn hand.

'Hallo.' Hij buigt zich voorover als hij me begroet. 'Mag ik bij jullie komen zitten?'

Alma zegt ja. Ik zou hem met zijn schoenen en zijn glimlach naar de overkant van de zee hebben gestuurd. Alma's lichaam verstijft, alsof er een bal op haar hoofd is gevallen. De vent blijft haar aankijken en dan geeft hij haar een kus terwijl hij haar bij een arm pakt. Ik ga rechtop zitten en zet de mp3-speler in mijn zak aan.

'*Wat ben je veranderd, Alma. Je ziet er echt heel mooi uit.*'

Alma beweegt haar hoofd zoals kippen altijd doen. Wat zien volwassenen er weerloos uit als iemand iets aardigs tegen ze zegt.

'*Dit is Tommy.*'

'*Hallo, Tommy, ik ben Leo, een oude vriend van je moeder.*'

Niemand noemt Alma mijn moeder, omdat iedereen weet dat ze dat niet is.

'*Ik wist dat je hier zou zijn. Dat hoorde ik van Matías,*' zegt de man.

'*En wat hebben jullie met elkaar te maken?*'

'*Matías, de vader van de bruid en ik hebben op dezelfde school gezeten.*'

'*Ja, dat is waar ook, hij zei dat hij was uitgenodigd, maar hij haat bruiloften.*'

'*Hij vertelde me dat je een uitstekende filmeditor bent en zijn beste vriendin.*'

'*En wat zei hij nog meer?*'

'*Nou ja, bijna alles wat ik wilde weten.*'

'*Dan ben ik in het nadeel, want alles wat ik over jou weet, is wat er ooit in de pers heeft gestaan.*'

'*Dat is niet veel.*'

'*Niet over je persoonlijke leven tenminste. Ik heb ergens gelezen dat je in Bogotá woonde en dat je lesgeeft op een universiteit.*'

Alma heeft een glimlach op haar gezicht geplakt, net als die keer dat we de staart van een komeet zagen.

'En daar zit ik nog steeds.'

Nu doet ze haar mond open; het lijkt erop dat ze iets wil zeggen, maar in plaats daarvan wrijft ze met haar vlecht tegen haar wang.

'En jij, Tommy, in welke klas zit je?' vraagt de man.

'In de zesde.'

'En hoor je bij de besten of bij de minderen?'

'Dat is relatief.'

'Hoezo relatief?'

Ik trek mijn wenkbrauwen op om hem duidelijk te maken dat zijn vraag zo stom is dat die geen antwoord verdient.

'Ik begrijp het al, ik kan beter mijn mond houden.'

Ik knik. De man blijft glimlachen en kijkt Alma aan.

'Matías vertelde me over de film die jullie aan het maken zijn. Jullie hebben toch samen het script geschreven? Ik weet nog dat je graag las, dus je zult wel goed zijn in het vertellen van verhalen.'

'Heel erg goed, zelfs beter dan jij,' antwoordt Alma energiek, zonder haar ogen van hem af te houden, alsof ze hem uitdaagt oorlogje te spelen.

Ze glimlachen allebei. Ik heb de indruk dat ze het goed met elkaar kunnen vinden. Dat betekent dat hij langer bij ons zal blijven dan ik zou willen. Maar ik heb tenminste de troost dat ik hun stemmen opneem. Met een gebaar zegt Alma dat ik dichter bij haar moet komen zitten. Ik gehoorzaam. Ze wrijft herhaaldelijk over mijn borst, alsof ze tekens geeft aan mijn longen.

'Wat was er met die jongen met wie je daarstraks praatte?' vraagt Alma.

'Dus je had me gezien? En waarom ben je niet naar me toe gekomen?'

'Ik weet het niet. Wat was er met hem?'

'Hij is de zoon van mijn oudste broer. En jaar geleden had hij nog een relatie met Julia. Ik dacht dat hij het beter zou opnemen, maar de arme jongen is er kapot van.'

'*Hij heeft een gebroken hart,*' zeg ik om maar iets te zeggen. '*Dat moet behoorlijk pijn doen.*'

'*Heb jij dat dan ook wel eens gevoeld?*' vraagt de man me.

'*Een heleboel keer,*' antwoord ik op de toon van een expert.

'*En wat doe je dan om ertegen te kunnen?*'

'*Dan speel ik oorlogje.*'

'*Hou je van oorlog?*'

'*Ja, want als ik speel zit mijn hoofd alleen nog maar vol met oorlog.*'

'*Wist je dat het bij landen ook zo gaat?*'

Ik zeg dat ik dat niet weet.

'*Het is heel eenvoudig. Als een land heel ernstige problemen heeft en de regering niet weet hoe ze die moeten oplossen, verzint de president een oorlog met een ander land; op die manier vergeten de mensen hun eigen problemen.*'

'*Dat heb ik al een hele tijd geleden ontdekt, toen ik minstens drie was.*'

'*En jij, wat doe jij in dat soort gevallen?*' vraagt de man aan Alma.

Zonder te antwoorden kijkt ze hem aan met een uitdrukking die me niet erg vriendelijk lijkt.

'*Wat hebben jullie liever, lijden of doodgaan?*' vraag ik, denkend aan mama.

'*Lijden,*' antwoorden ze alle twee in koor.

Ze kijken elkaar aan. Alma pakt haar vlecht, knijpt haar ogen tot spleetjes en buigt daarna haar hoofd. Ik weet wel dat het details zijn, maar door details ontdek en begrijp je vaak belangrijke dingen. Vraag het maar aan Sherlock Holmes. Ik zou graag toverkrachten willen hebben om Alma in een marmot of een kever te veranderen, zodat die man afkeer voor haar voelt. Ik steek mijn hand omhoog zoals tovenaars doen. Ze kijken me allebei aan. Ik doe mijn hand weer naar beneden en zeg: '*Ik niet. In de oorlog kun je beter doodgaan. Lijden maakt van de soldaten lafaards.*'

Mama heeft ervoor gekozen dood te gaan. Haar graf is op het kerkhof van Los Peumos, niet ver hiervandaan. Er staat een gouden kruis op, dat niet echt van goud is, net als op alle graven van de familie Montes.

'*Of het maakt ze sterker,*' zegt Alma en ze woelt door mijn haar.

'*Heb je zin om te dansen?*' stelt de man voor, zich tot Alma richtend.

Ze kijkt naar mij. Misschien denkt ze dat ik deze kwestie kan oplossen, maar eigenlijk begin ik me behoorlijk te vervelen. Daarom zeg ik: '*Ik wil graag naar opa.*'

'*Weet je het zeker?*' vraagt ze.

'*Ik weet het zeker.*'

Onderweg zet ik mijn mp3-speler uit. Niet dat ik jaloers ben. Waarom zou ik? Maar terwijl ik naar het terras loop, bedenk ik dat ik ze niet alleen had moeten laten.

7. ♒

We lopen naar de dansvloer. De syncopische lampen die met tussenpozen steekvlammen lijken uit te spuwen en de bewegende silhouetten tegen de nachtelijke achtergrond geven het tafereel iets theatraals.

'Een leuke zoon heb je, ik weet niet, hij heeft zo'n volwassen blik, en de dingen die hij zegt; het moet fascinerend zijn met hem samen te leven.'

'Dat is het ook.'

'Ben je al lang getrouwd?'

'Acht jaar. En Tommy is de zoon van Juan, mijn man,' leg ik enigszins bits uit.

We komen langs de bar en ik bied hem een glas witte wijn aan.

'Ik drink niet meer. Ik blijf trouw aan mijn Coca-Cola,' bekent hij.

We banen ons een weg tussen de paartjes die hun heupen bij elkaar brengen op de klanken van de muziek. We laten onze glazen achter in een hoek van de dansvloer. Terwijl we dansen, volgt Leo me onhandig. Hij observeert me met een geconcentreerde en nieuwsgierige uitdrukking op zijn gezicht.

'En je man?'

'Hij moest weg voor een spoedoperatie.'

Na een tijdje vraag ik hem: 'En jij? Ben je getrouwd?'

'O nee. Tot nu toe heeft geen enkele vrouw genoeg geduld gehad om het met me uit te houden; bovendien...' zijn stem daalt een toon en klinkt nu zachter. Hij schudt zijn hoofd, alsof hij al te veel heeft gezegd.

'Bovendien wat?' vraag ik fel. Heel even houden onze blikken elkaar vast. De tijd heeft zijn trekken scherper maar ook dieper gemaakt. Bij zijn slapen schemeren de eerste grijze haren door.

'Bovendien deug ik daar niet voor, van lange periodes monogaam zijn word ik saai,' voegt hij eraan toe, de schertsende toon in zijn stem weer terugvindend. Hij slaat een arm om me heen. Zijn geopende hand drukt op mijn blote rug.

'Alma,' hoor ik hem onder het dansen in mijn oor zeggen.

Ik kijk op en ontmoet zijn felle ogen.

'Die avond op de berg heb ik me vreselijk gedragen, hè?'

In het knipperende licht van de dansvloer kan ik zijn gezichtsuitdrukking niet zien of beoordelen in hoeverre zijn woorden oprecht zijn. Toch verbaast het me dat hij het nog weet.

'Niets onherstelbaars,' antwoord ik op gespeeld zorgeloze toon.

'Als het wel zo was, dan vraag ik je me te vergeven. Ik weet dat het een beetje laat is, maar beter laat dan nooit. Ik... ik wist in die tijd niet wat ik deed.'

♒

Herinneringen nemen voorzichtig vorm aan tot ze een plaats krijgen in het geheugen; maar ook daar liggen ze niet vast, ze veranderen voortdurend, samen met de gevoelens die ermee gepaard gaan, totdat het op een dag moeilijk wordt het waarheidsgehalte ervan te onderscheiden. Bij de deur van mijn school zie ik Leo tegen de motorkap van een auto geleund staan. Hij brengt een sigaret naar zijn mond en drukt hem dan driftig op de grond uit, alsof er iets belangrijks op het spel staat. We begroeten elkaar en ik blijf naast hem staan wachten tot hij wat tegen me zegt. In mijn herinnering heeft Leo een gespannen blik en een frons op zijn voorhoofd.

'Het lijkt erop dat die klootzak niet komt. We waren van plan naar La Pirámide te gaan. Heb jij soms zin om mee te gaan?'

We stapten in zijn auto en reden de weg op naar de berg die praktisch in de stad ligt. Toen we op de top aankwamen, stopte

Leo. Hij haalde een meerdere keren dubbelgevouwen papiertje uit zijn zak, vouwde het open en legde het op zijn dij.

'Wil je een beetje?' bood hij me aan.

Ik stemde toe, ook al verafschuwde ik de drugs die mijn ouders gebruikten. Ik had een hekel aan hun marihuana- en alcoholgeur en was bang voor alles wat hun realiteitsbesef vervormde en hen van mij vervreemdde. Ik snoof het witte poeder twee keer op, een keer door elk neusgat. Hij deed hetzelfde. De laatste zonnestralen losten op in de duisternis toen ik zijn hand pakte en onder mijn T-shirt naar een van mijn borsten bracht. Ik herinner me het plakkerige oppervlak van de stoel in mijn rug, het gewicht van zijn lichaam op het mijne, zijn stoten, de pijn die ik met mijn lach verhulde, mijn vluchtige, heimelijke speuren naar het straaltje bloed dat gelukkig nooit vloeide. Daarna, de rook van zijn sigaret die mijn maag binnendrong en die een lichte misselijkheid veroorzaakte die ik verlichtte met een nieuw lijntje coke, ons stilzwijgen, zijn ogen die hij op het dak van de auto gericht hield, alsof zijn zintuigen waren afgestompt. Leo had niet door dat het mijn eerste keer was, en ik was niet in staat het tegen hem te zeggen. De angst hield me tegen, maar ook de overtuiging dat wat er was gebeurd voor hem volkomen onbelangrijk was. Na een tijdje stapten we uit de auto en gingen we langs de kant van de weg zitten kijken naar de steeds donker wordende stad.

'Je houdt van lezen, hè?' merkte hij op.

'Het is het liefste wat ik doe.'

'Dat heb ik ook.'

'Waarom?'

Leo dacht even na.

'Ik denk dat het is omdat ik tijdens het lezen een wereld binnenga die parallel loopt aan de mijne. Daarom hou ik ook van schrijven.'

Ik luisterde aandachtig naar hem, wachtend tot hij verder zou gaan. Plotseling keek hij me aan en boog zijn hoofd. Hij zuchtte diep en zei zonder op te kijken: 'Maak je alsjeblieft geen illusies over mij, Alma. Je bent nog maar een meisje en ik ben een erg gecompliceerd iemand.'

'Maar ik ben al zestien,' verklaarde ik. 'En geloof me, ik heb meer gezien dan je je kunt voorstellen.'

'En ik ben drieëntwintig en heb een relatie met een andere vrouw.'

Hij haalde zijn schouders op en stak een sigaret tussen zijn lippen. Ik voelde me duizelig. Toen ik mijn zelfbesef had hervonden, was alles veranderd. Ik ging opnieuw mijn waterhuis binnen en zijn stem bleef nagalmen aan de andere kant.

'Je wordt vast een geweldige schrijver,' zei ik vol overtuiging.

'Waarom ben je daar zo zeker van?' Er lag een ongelovige en tegelijk hoopvolle uitdrukking op zijn gezicht.

'Omdat je goed kunt liegen.'

♒

Terwijl ik beweeg op het ritme van de muziek, hoor ik Leo fluisteren: 'Op de berg. Misschien is daar wel alles misgelopen. Misschien had ik voor jou moeten kiezen, maar had ik dat toen niet door.'

'Haal je nou niet van alles in je hoofd, Leo,' waarschuw ik hem vrijmoedig. 'Ik ben getrouwd met een ongelooflijke man en ik heb twee kinderen van wie ik zielsveel hou.'

'Ben je gelukkig?' vraagt hij, als hij zich weer een houding weet te geven.

'Geloof je daar dan in?'

'Ik weet het niet. Gelukkig, wat je gelukkig noemt, ben ik nooit geweest, maar ik kan me voorstellen dat het anderen beter is vergaan dan mij.'

'Ja, ik ben gelukkig,' verzeker ik hem, en kijk hem daarbij onverschrokken aan, zodat er geen enkele twijfel over kan bestaan dat ik de waarheid spreek.

'Dan ben ik blij voor je, echt, al hoop ik toch dat het geluk niet helemaal compleet is.'

'Je bent pervers.'

'Nee, nee, integendeel. Je weet toch wat onze vriend Tolstoi zo mooi heeft gezegd, dat alle gelukkige gezinnen op elkaar lijken en saai zijn, terwijl je duizenden soorten ongelukkige gezinnen hebt.'

'Hij heeft niet gezegd dat ze saai zijn, alleen dat ze op elkaar lijken.'

'Dat is hetzelfde. Er is niets saaier dan gelijkvormigheid.'

'Zal ik je eens wat zeggen?' daag ik hem uit.

Leo knikt.

'Ik ben tevreden als ik zo weinig mogelijk het gevoel heb dat ik eenzaam ben, zoals de rest, en dat ik daar niets tegen kan doen. Dat klinkt niet erg groots, ik weet het, maar weet je, ik heb het vermoeden dat zelfs de meest uitzonderlijke mensen in laatste instantie door iets dergelijks gedreven worden.'

In een opwelling trekt Leo me naar zich toe en drukt me tegen zich aan.

'Wat heerlijk je tegen me aan te voelen,' zegt hij in mijn oor.

We blijven ritmisch bewegen, verzonken in onze omarming. Heel even lijken de rituele fijngevoeligheden te verdwijnen. Plotseling maakt hij zich van me los.

'Wil je nog een glaasje?' vraagt hij. Hij kijkt me enigszins laatdunkend aan; het is duidelijk dat het hem stoort wat er gebeurd is.

'Het is jammer dat je niet met me mee kunt drinken, dronken zouden we het vast leuker hebben,' zeg ik.

8.♐

Als ik wakker word, denk ik aan mama en ik krijg een hol gevoel in mijn maag. Een holte die lijkt op de krater van honderdzestig kilometer doorsnee, achtergelaten door de grootste meteoriet die ooit op aarde is gevallen.

Ik haal uit mijn Grote Opbergdoos de enige foto van mama die ik had toen papa alles wat van haar was heeft weggedaan. Ik weet niet waarom hij zo'n haast had haar te vergeten. Ik wil me dingen liever herinneren, omdat ik ze dan beter begrijp. Het probleem is dat ik soms niet goed weet waar ik mijn herinneringen moet laten, of hoe belangrijk ze precies zijn. Dat heb ik ook met mijn ontdekkingen. Deze keer weet ik het tenminste zeker. Dat mama zelfmoord heeft gepleegd is ernstig. Zo ernstig dat papa het voor me verborgen heeft gehouden. Ik denk aan de scheuren op Antarctica. Aan de ene kant van de scheur is alles achtergebleven wat ik ken, en aan de andere kant... Hoe dan ook, als je moeder dood is, is meteen de helft van de mensen van wie je het meeste houdt op de wereld dood, en dat zou een kind eigenlijk niet mogen overkomen. Ik neem op:

Ik denk dat als papa in het niets staart en naar niemand lijkt te luisteren, hij aan mama denkt.

Op de foto heeft mama een feestjurk aan. Haar donkere ogen herinneren me eraan dat pupillen gaatjes zijn die Buiten met Binnen verbinden. Ze heeft haar wenkbrauwen opgetrokken, alsof die iets zeggen, maar ik heb nooit kunnen ontdekken wat ze me precies willen zeggen, en ook niet of ze vrolijk of droevig kijkt. Soms stel ik haar onbelangrijke vragen, alleen maar om te zien of ze me op een dag een teken stuurt. Zoals bijvoorbeeld of het goed zal gaan met een proefwerk, of dat een jongen op school me zal vragen naar het vliegend hert dat op mijn rugzakje staat. Maar ze zegt nooit iets tegen me.

Ik hoor een deur dichtslaan. Dat is vast papa, die terugkomt van het ziekenhuis. Was ik maar het kind dat hij heeft geopereerd, dan zouden we deze zondag samen zijn. Ik spring uit bed en ga naar de badkamer. Ik herinner me niet dat ik mijn pyjama heb aangetrokken. Dat zal Alma wel gedaan hebben toen we 's avonds laat terugkwamen van de bruiloft. Ik trek mijn hemd omhoog. Mijn buik is bijna net zo wit als de tegels op de muur. Ik kijk naar het litteken dat over mijn borst loopt en laat mijn broek zakken. Het piepkleine worstje tussen mijn benen is ook niet erg bemoedigend. Ik heb niet graag dat Alma, of iemand anders, me bloot ziet. Als ik 's zomers ga zwemmen in het zwembad wacht ik dan ook tot de zon ondergaat en er niemand meer in de tuin is. Maar ik ben wel dol op water. In het water houdt mijn lichaam op te bestaan. Vanuit het midden van het zwembad zie ik mijn kleren op de rand liggen en ik stel me voor dat het mijn huid en mijn beenderen zijn. Soms duik ik naar de bodem en als ik dan naar boven kijk, kan ik de tekeningen zien die het licht maakt. In het water weergalmt de stilte in mijn oren en ben ik net zo machtig als Neptunus. Ik stel me voor dat Alma me vindt en dat ik haar de wereld op de bodem van het zwembad laat zien.

Toen Alma bij ons kwam, nam ze een opnameapparaat voor me mee en zei dat ik daarmee muziek kon maken. 'Hoezo muziek maken?' vroeg ik. 'Het is heel makkelijk, kijk maar.' Ze zette het apparaat aan en sloeg met haar vuist op de tafel, daarna tikte ze met een potlood tegen de bloemenvaas en vervolgens liet ze mij heel hard applaudisseren. We luisterden naar het resultaat en het klonk best aardig. 'Zo kun je muziek maken, geluiden opnemen, of woorden, net wat je wilt.' Toen ik haar vroeg of het apparaat gevoelig genoeg was om het geluid van een scheet op te nemen, schoot ze in de lach en galmde haar lach lang na in ons te stille huis. Toen rende ik de trap op om mijn Grote Opbergdoos te halen, voordat papa alles zou bederven, en spreidde mijn schatten uit op tafel. Hij had ze nooit eerder gezien, maar hij deed net alsof dat wel zo was. Ik hielp hem een handje, door dingen te zeggen als: weet je nog dat we deze vulkanische steen hebben gevonden bij het meer van Llanquihue? We waren nooit samen bij dat meer geweest – eigenlijk bij geen enkel meer – en de steen had Yerfa voor me meegebracht uit het zuiden, maar als Alma zou ontdekken dat papa en ik nauwelijks met elkaar praatten, zou ze vast bij ons zijn weggegaan. Ik weet dat de stilte, als je die niet kent, bang maakt. Ik zet mijn mp3-speler weer aan:

Manieren om zelfmoord te plegen:
Een, jezelf ophangen. Twee, rattengif eten. Drie, een kogel in je hoofd, je mond of je hart schieten. Vier, je door een auto laten overrijden. Vijf, naar de bodem van het zwembad duiken en inademen totdat je longen vol water zitten. Zes, van een gebouw of uit een heel hoge boom springen. Zeven, je neus en je mond dichthouden tot je stikt. Acht, ophouden met eten en water drinken. Negen, de slagaders in je polsen doorsnijden. Tien, in de sneeuw in slaap vallen. Elf, je hoofd in de oven stoppen en de gaskraan opendraaien.

Ik begon de gedachten op te nemen die vorig jaar door mijn hoofd zijn gegaan toen we op school Genesis lazen. Daar ontdekte ik dat God de week heeft geschapen om orde in de chaos te brengen. Hij verdeelde de tijd in zeven dagen, die hij allemaal een naam gaf, en besloot dat we op zondag zouden rusten. De dingen benoemen is ze een vorm geven die ons hoofd kan bevatten en verwerken. Nu weet ik al dat er minstens elf manieren zijn om zelfmoord te plegen en dat een daarvan die van mijn mama Soledad was.

Alma zal ons naar het huis van Maná brengen, de oma van Lola. Terwijl ze voor de laatste keer controleert of de deuren en ramen wel goed dicht zijn, staat Lola op en neer te springen om haar gezicht te kunnen zien in de spiegel in de hal. Bij elke sprong trekt ze een van haar afschuwelijke gekke bekken. Als we klaar zijn om te vertrekken, roep ik heel stoer: 'Ik blijf hier.'

'Vergeet het maar, je mag niet alleen blijven,' voert Alma aan.

'Vandaag komen de *SilverHawks* en Maná heeft geen televisie.'

'Verpest nou niet alles, Tommy,' vraagt Alma me met vermoeide stem.

'Ik beloof dat ik hier heel rustig op papa zal wachten. Ik ben al twaalf en ik kan een boterham met ham en kaas maken, spelen en naar de *SilverHawks* kijken.'

Alma kijkt me aan. Ze pakt een haarlok en wikkelt die om haar hand, terwijl ze me blijft aankijken. Ze weet dat papa het niet goed zou vinden. Dat weten we allebei. Hij is altijd bang dat mijn hart ophoudt met kloppen.

'Goed dan,' geeft ze toe. 'Maar je gaat het huis niet uit, beloof je dat? Ik ben voor zes uur weer thuis.'

Door het achterraam van de auto steekt Lola haar hand op en trekt een gek gezicht. Ik kan het niet geloven, het is gelukt, ik had nooit gedacht dat het zo makkelijk zou zijn! Zodra ze uit het zicht zijn verdwenen, ga ik weer naar binnen. Ik ben nog nooit eerder alleen geweest. Ik haal een zak chips uit de voorraadkast en ga naar mijn kamer. Ik kijk door het raam. Het Minderwaardige Babynijlpaard, mijn buurjongen, zoekt iets tussen de planten in de voortuin van hun huis. Hij krabt altijd aan zijn dikke pens, spuugt in de bloempotten en plast op het terras. Een keer heb ik hem een hamster uit het raam zien gooien. Hij heeft net zo'n rond en roze gezicht als een baby. Als hij me ziet, staat hij op en zwaait. Ik doe het raam open, maar ik weet niet wat ik tegen hem moet zeggen. Iemand roept hem vanuit het huis en hij verdwijnt. Drie maanden geleden is hij naar deze wijk verhuisd. Alma kent zijn moeder en we hebben afgesproken dat we op een dag bij ze op bezoek gaan. Ze heeft me ook zijn telefoonnummer gegeven voor als ik zin mocht hebben hem te bellen.

Ik ga op zoek naar Kájef. Papa heeft me verboden met hem te praten, daarom moeten we elkaar ontmoeten onder de lakens van mijn bed. Ik doe mijn ogen dicht. 'Kájef,' fluister ik. Kájef komt niet. Wat zal er met hem gebeurd zijn? Net nu we bij daglicht kunnen spelen en ik hem mijn lichtzwaarden kan laten zien, en mijn ruimteschepen en vooral mijn rode vliegtuig, een model dat ik van papa heb gekregen en dat de Japanners gebruikten in de Eerste Wereldoorlog.

Ik zet de computer aan en open mijn mail. Daar is het weer, net als altijd.

```
Kleine kloteflikker doe ons alemaal 1 plesier en rot op want
je verpest de hele boel met je meidehartje
```

Hoe ik er ook over nadenk, ik weet niet wat ik moet doen. Het tegen papa of tegen een leraar zeggen, zou het alleen maar erger maken. Ze zouden zeggen dat ik een klikspaan ben. Bovendien kun je een kind niet dwingen van een ander te houden. Daarom denk ik liever aan andere dingen, zoals bijvoorbeeld aan Mr. Thomas Bridge.

In ga naar zijn blog. Mr. Thomas Bridge is een Engelse zeeman die zes dagen geleden op het eiland Lennox bij Kaap Hoorn een meisje, een jongen en drie volwassenen heeft aangetroffen. Hun eilandje is zo klein dat het niet op kaarten voorkomt. Mr. Bridge zegt dat het vermoedelijk gaat om een Alacalufefamilie en dat ze op dezelfde manier leven als hun voorouders in het neolithicum. Voorlopig zijn de journalisten en wetenschappers die daar uit alle delen van de wereld naartoe zijn gekomen, nog niet aan land gegaan op het eilandje. Mr. Thomas Bridge staat met zijn lange haar en zijn blonde baard voor een camera te praten. Hij ziet er bezorgd uit. Hij zegt dat hij ze liever nooit had ontdekt, want als we ingrijpen in hun manier van leven brengen we het bestaan van de laatste alacalufe-indianen op aarde in gevaar.

De telefoon gaat. Het is Alma. 'Wat ben je aan het doen?' vraagt ze. 'Van alles en nog wat.' 'Ik heb Chinese kip met cashewnoten voor je gekocht, waar je zo gek op bent.' 'Lekker.' 'Ik ben gauw weer thuis.' 'Je hoeft je om mij geen zorgen te maken.' 'Je klinkt als in een film.' 'Dat is ook de bedoeling,' zeg ik, en we schieten allebei in de lach. 'Tot straks dan.' 'Goodbye, darling,' neemt ze afscheid, en we hangen op.

Ik zet de gesprekken die ik op de bruiloft van Miguel heb opgenomen op mijn computer en daarna ga ik naar beneden naar de werkkamer van papa. Ik herinner me de foto van mama die ik een tijdje geleden in zijn bureaula heb gevonden. Het is het enige wat hij van haar bewaart. Soms, als papa en Alma niet thuis zijn en Yerfa druk bezig is, haal ik hem uit de la om ernaar te kijken. Zoals nu. Mama zit op een bankje in het park, voor een heel grote boom, met een stuk papier in haar handen. Ze heeft een losse jurk aan, een soort schort, en ze heeft kort, warrig haar. Deze keer leg ik de foto niet terug, maar neem ik hem mee naar boven en stop hem bij de andere in de Grote Opbergdoos.

Nadat ik naar de acrobatische toeren van de *SilverHawks* heb gekeken, een tekening van een kasteel heb gemaakt en op Kájef heb gewacht, ga ik in een leunstoel in de woonkamer zitten. Ik mis Alma, papa, Yerfa en zelfs Lola. Ik geloof dat papa gelijk heeft. Ik zou een vriendje moeten hebben. Ik haal het papiertje tevoorschijn waar Alma het telefoonnummer van mijn buurjongen, H.M.B., heeft opgeschreven. Na het uit mijn hoofd te hebben geleerd, doe ik mijn ogen dicht en wacht tot Kájef me komt opzoeken.

9.⌛

Terug in het ziekenhuis zie ik Emma achter in de gang zitten. Haar man zal wel naar het café gegaan zijn om iets te halen voor het ontbijt. Ze hebben allebei de nacht hier doorgebracht. Haar gevouwen handen liggen in haar schoot en haar benen staan een beetje verloren uit elkaar.

'Ik heb je al bedankt, hè?' zegt ze zonder me aan te kijken.

In de vroege ochtend, na de operatie, trof ik de vader van Cristóbal aan terwijl hij met zijn vuist op zijn knie zat te slaan. Toen hij me zag, hield hij er meteen mee op, maar het lukte hem niet zijn machteloosheid te verbergen. Emma daarentegen had dezelfde ingespannen blik als nu, misschien omdat ze al haar energie wilde verzamelen om haar zoon in leven te houden.

'Je zou eigenlijk naar huis moeten gaan om te rusten,' opper ik, wetend dat ze dat niet zal doen, dat ze hier zal blijven, kijkend naar het heen-en-weergeloop van de verpleegsters, totdat haar zoon is bijgekomen. Ik pak haar hand en leg haar uit dat Cristóbal de komende uren in halfbewuste toestand aan de beademing zal liggen. 'Je bent heel sterk geweest, weet je dat?' voeg ik eraan toe.

Ik zie de plotselinge glinstering in haar ogen. Ze gebaart dat ik weg moet gaan en wendt haar gezicht naar het raam. Ik sta op, knijp even in haar schouder en loop de recovery in waar haar zoon ligt.

⌛

Nadat ik me ervan heb vergewist dat de postoperatieve toestand van Cristóbal normaal is, rij ik naar het vliegveld en stap in mijn sportvliegtuig. Even later vlieg ik boven de daken van de stad. Vliegen is een vorm van vrijheid, gecamoufleerd door de achtenswaardige aanwezigheid van een piloot. Ik ben van plan een korte rondvlucht te maken. Ik wil in het ziekenhuis zijn als Cristóbal bijkomt. Zodra ik hem zijn ogen heb zien openen, ga ik terug naar huis.

Ik herinner me nog glashelder het moment waarop Tommy bijkwam na zijn laatste operatie. Hij was toen drie. De aanblik van zijn gezicht was veranderd. Het leek wel of hij op zijn lange reis dingen had gezien die wij, wachtend op de andere oever, nooit zouden kunnen bevatten. Soledad zag zijn verandering ook, en de tranen begonnen langs haar wangen te stromen, ik vermoed omdat ze inzag dat ze haar kind onmogelijk kon vergezellen naar die plek waar hij was geweest. Ik herinner me dat ze haar gezicht tegen dat van Tommy legde en haar ogen sloot. Ik pakte haar bij haar schouders. De indruk die ik toen kreeg, dat ik niet in staat was haar verdriet te verlichten, werd met de tijd steeds sterker. Daarom probeer ik ook nooit familieleden te troosten met een omhelzing of een andere vorm van lichamelijk contact. Het was ongebruikelijk dat ik die morgen de hand van Emma vastpakte. Ik was ontroerd door haar houding – haar fiere bovenlichaam, haar naar het raam gewende hoofd –, waarin de tragedie en de waardigheid verenigd waren.

Terwijl ik het vliegveld nader, zie ik het voetbalveld in de wijk, waar kinderen en volwassenen achter een bal aan rennen. De vreedzaamheid van de omliggende straten brengt me terug naar de realiteit. Ik bereid me voor op de landing. Weer een zondagmiddag voorbij. Een meisje van achttien is omgekomen bij een verkeersongeluk en een jongetje heeft een nieuw hart. Voordat ik me al te voldaan voel over de verantwoordelijkheid die me in het mooiste deel van dit verhaal is toebedeeld, zoek ik in mijn geheugen naar een of andere spreuk met boeddhistische strekking over de vergankelijkheid van het leven en de nutteloosheid van onze pogingen eraan vast te houden.

10. ♒

Onderweg naar het huis van Maná ben ik even gestopt bij een Chinees afhaalrestaurant. Nu loop ik door de verlaten straten van de wijk waar ze de afgelopen twee jaar heeft gewoond. Een rustige wijk, met lage huizen en pleintjes waarop de hoge, bladerrijke bomen vechten tegen de verwaarlozing rondom. Mijn moeder doet de deur voor ons open in een rok waaronder vaag haar blote voeten te zien zijn, verweerd door haar trektochten over de wereld.

'Alma, Lola, wat een verrassing!' roept ze uit, zwaaiend met haar handen en rinkelend met haar armbanden.

Haar steile grijze haar, dat ze zelf heeft geknipt, zit op haar hoofd geplakt. Ze heeft nooit veel moeite gedaan haar kleindochter te veroveren, maar Lola rent toch op haar af om haar te omhelzen. Zelfs al vergeet Maná haar verjaardag en komt ze met moeite op tijd voor het kerstdiner, zelfs al heeft ze nooit haar meisjeswereld gedeeld en neemt ze haar maar zelden ergens mee naartoe, hoogstens naar een of andere beschouwelijke lezing, de liefde van Lola voor haar grootmoeder is onvoorwaardelijk. Niet veel anders dan mijn eigen jeugd. Ik zie mezelf nog achter haar aan lopen door het middenpad van een kerk, of misschien is het een droom, dat eeuwig achter mijn moeder aan rennen terwijl zij met grote stappen op haar redding afgaat.

'Ik heb Chinees meegebracht, vegetarisch, uiteraard.'

'Geweldig!' roept ze uit, haar ogen tot spleetjes knijpend.

We gaan naar binnen. Maná schenkt twee glazen thee in en een glas sap voor Lola. We gaan aan de houten tafel in de keuken zitten. Maná neemt ons op met een zich ontplooiende glimlach, waarbij er op haar gezicht een paar rimpels verschijnen.

Ze steekt een sigaret op en haar poes Malinche springt op haar schoot. Intussen verdeel ik het eten over schaaltjes die ik lukraak in de chaos van haar keuken aantref.

De huizen van Maná staan altijd boordevol nutteloze voorwerpen, zoals fossielen, wandelstokken met bewerkte knop of tangen voor een open haard die ze niet heeft. Ze vindt het nog altijd jammer dat ze niets heeft kunnen verzamelen in de loop van haar zigeunerleven. Daarom koopt ze spullen bij opruimingen en veilingen die eruitzien of ze ooit voor iemand waardevol zijn geweest en die in hun stilzwijgende aanwezigheid een of ander verhaal vertellen.

Maná rookt meer dan gewoonlijk. Ik zeg er wat van.

'Ik moet ergens aan doodgaan,' verklaart ze.

Ik geloof niet dat ik haar al eerder de dood heb horen noemen. Ze gedraagt zich altijd alsof ze nog dezelfde kansen heeft als op haar twintigste. Haar lijfspreuk: 'Alles is mogelijk.' En zo leeft ze ook: steeds klaar om aan een nieuw avontuur te beginnen, vooral als dit te maken heeft met de menselijke geest of met seks. Ik wil haar niet vragen naar haar laatste vriend, een schrijver met een dikke buik en een weelderige haardos die de wereld observeert met een zelfgenoegzaamheid die hij ontleent aan een paar romans die hij vijfentwintig jaar geleden heeft gepubliceerd. Ik weet niet wat hij met mijn moeder doet. Hoewel Maná veel leest, is ze niet bepaald het ik-verbaas-me-nergens-meer-over-type waar haar vriend toe behoort. Integendeel, haar vermogen zich overal over te verwonderen kan door iemand die haar niet kent makkelijk geïnterpreteerd worden als een teken van domheid. Ik neem aan dat hij bij haar is vanwege de seks. Daar weet Maná behoorlijk veel van.

Lola ontdekt een mand met vijf jonge poesjes onder de keukenkast. Ze hebben hun oogjes nog dicht.

'Mag ik er eentje pakken? vraagt ze enthousiast.

Malinche springt op en laat haar nagels zien. Maná lacht. We lopen de tuin in met een paar dienbladen met daarop ons feestmaal en gaan aan een afgebladderde tafel onder een notenboom zitten. Maná heeft een van de poesjes meegenomen in een gekleurde deken zodat Lola het kan vasthouden. Als de geschiedenis er niet was, de herinneringen die zich opdringen, zou alles perfect zijn.

Als kind zocht ik altijd vriendinnetjes die een leven hadden zoals ik dat vandaag leidt. Dat viel niet mee, want het grootste deel van de tijd woonden we op plekken ver van een stadscentrum vandaan. Op een daarvan kreeg ik voor het eerst een glimp te zien van de aard van mijn moeder.

Aan het eind van het jaar bereidden we als kinderen altijd een toneelstuk voor. We discussieerden over de inhoud en voerden het dan op voor de volwassenen. Koningen of koninginnen waren niet toegestaan; evenmin als gezagdragers die in de loop van de geschiedenis hun volk hadden onderdrukt. Gebruikmakend van de schaarse middelen die we in ons isolement hadden, hielden we met elk detail rekening: kostuums, decors, muziek, licht. Het was aan het eind van een van die stukken dat ik machteloosheid zag in de ogen van mijn vader, maar ook onderworpenheid en zelfs fatalisme. Mettertijd zou dit zo duidelijk worden dat ik niet meer op een andere manier naar hem kon kijken. Papa zat op de grond, op de eerste rij, naast Maná. Ik keek de hele voorstelling naar hem, in mijn rol als boom, achter op het geïmproviseerde toneel. Er ontstond zo een stilzwijgende dialoog tussen ons. Knipoogjes, glimlachjes, grimassen en hoofdknikjes. Een van de kinderen moest me van het toneel duwen toen het stuk afgelopen was, zo ging ik op in de communicatie met mijn vader. Die avond, onder het eten, spraken papa en ik enthousiast over het toneelstuk. Hij zei dat ik een uitstekende actrice was en dat ik, als we naar de stad verhuisden, naar een school zou kunnen gaan waar je toneel kon leren spelen. Maná keek niet op van haar bord.

'Je wilt dat we hier weggaan,' zei ze. Ze had een verslagen uitdrukking op haar gezicht en net als het licht van de lamp leek ze bijna uit te doven.

'Dat hangt van jou af,' merkte mijn vader op.

'Het is sterker dan ik,' zei mijn moeder, nog altijd met gebogen hoofd, in een houding die ze van tevoren leek te hebben gerepeteerd.

De huid van mijn vader kleurde op een absurde manier vuurrood. Hij bleef roerloos zitten, met uitpuilende ogen, misschien hopend dat Maná erop terug zou komen, dat ze een andere wending zou geven aan wat beiden wisten dat haar woorden inhielden. Plotseling schreeuwde hij driftig en wanhopig: 'Waar heb je het verdomme over? Dat is lulkoek. Je bent een volwassen vrouw, baas over je eigen daden, niet een of andere sloerie met een hete kut.'

'Praat niet zo waar Alma bij is,' zei mijn moeder met haperende stem.

'Beslis jij maar,' maakte mijn vader een einde aan het gesprek. Hij stond op met de traagheid van een oude man en ging naar buiten.

De volgende herinnering is die van mijn moeder die met gesloten ogen op het terras op de grond zit, haar gespreide benen voor zich uit, haar armen slap langs haar lichaam en een snik die opwelt uit haar keel. Ik herinner me mijn eigen beeld als kind, hoe ik naar haar keek, wetend dat ik geen onderdeel vormde van haar jammerklacht, dat haar verdriet te maken had met een man die niet mijn vader was. De week daarop logeerden we bij vrienden van papa.

Maná leert Lola hoe ze de Chinese stokjes moet vasthouden. Ze hebben een groot deel van het eten op tafel gemorst. Ze lachen. Diezelfde onverantwoordelijke lach die ik me van vroeger herinner en waar ik soms van genoot, maar waarvan ik andere keren wist dat het de voorbode was van een slapeloze nacht waarin ik lag te luisteren naar het geschater van mijn ouders, terwijl ze steeds weer een andere plaat op de platenspeler legden, zonder het ooit eens te worden, maar intussen genietend van dit verschil in muzikale smaak, dat steevast eindigde met gehijg, dat ik vanaf de plek waar ik lag duidelijk kon horen. Ik zou graag willen geloven dat die niet altijd aangename herinneringen een diepere betekenis geven aan het heden. Ook al doen ze af en toe pijn.

Maná neemt Lola mee naar de keuken om koffie te zetten. Ik ga op een deken liggen, op de minst kale plek van het gazon. De bries beweegt de bladeren van de notenboom en zorgt voor een verkoelend geruis boven mijn hoofd. Bluesmuziek uit het huis van de buren verstoort de middagrust. Als Maná terugkomt met de koffie lig ik half te dommelen. Lola klimt op mijn buik. Maná heeft een boek meegebracht. Daarin hebben we elkaar tenminste altijd gevonden: in het genot van een goed verteld verhaal. Het is een mooie uitgave van *Emma*.

'Gekregen van een vriend. Neem maar mee. Jij zult er vast meer van genieten dan ik. En Juan?' vraagt ze eindelijk.

'Hij had een spoedtransplantatie op een jongetje van dezelfde leeftijd als Tommy,' antwoord ik zonder haar aan te kijken. Ik zou willen dat ik de details wist om meer gewicht te geven aan zijn afwezigheid.

'Hij kwam gisteravond thuis toen we al sliepen en is vanmorgen weggegaan voordat we wakker waren,' mengt Lola zich in het gesprek.

Mijn moeder trekt vragend haar wenkbrauwen op.

'Dat is normaal. Het is zijn werk, Maná.'

Ik krijg zin haar 'mama' te noemen, om haar uit die gelukzalige toestand te halen waarmee ze haar ontevredenheid kleurt. Ze heeft er de pest aan als ik haar zo noem. 'Maná' geeft haar een tijdloze plek zonder banden. Ik kijk naar het onkruid dat overal langs de palissade groeit.

'In de koelkast staat een schoteltje melk, waarom ga je dat niet even aan de poes geven? Ze heeft vast honger,' merkt ze op, zich tot Lola richtend.

'Jullie willen me hier weg hebben. Ik ben heus niet dom. Ik doe het alleen omdat ik van poesjes hou,' zegt Lola verwijtend, met een van haar grimassen van een groot kind.

Zodra het nog min of meer ronde silhouet van Lola uit ons zicht is verdwenen, vraagt Maná: 'Is er iets?'

'Wat brengt je op die gedachte? En als ik al een probleem had, waarom zou ik dat dan aan jou vertellen?'

'Omdat je niemand anders hebt om mee te praten,' oppert ze voorzichtig, zonder er blijk van te geven dat ze mijn uitdagende houding heeft opgemerkt. Dat doet ze altijd: elke confrontatie uit de weg gaan.

'Wat weet jij daar nou van?'

'Dat weet ik, Alma, je bent mijn dochter, ook al kost het ons allebei moeite dat te geloven,' constateert ze, op dezelfde toon en met een charmante glimlach.

Ondanks haar leeftijd heeft mijn moeder nog altijd de verleidelijke gezichtsuitdrukkingen van vroeger, een bijna kinderlijke schittering die oplicht in het deel van haar pupillen dat wordt vrijgelaten door haar geloken oogleden en die bij mij allesbehalve kinderlijke gevoelens oproept. Dezelfde treurigheid die me er vijftien jaar geleden toe bracht van haar weg te vluchten.

'Het is al te laat om je nu nog mijn problemen te gaan vertellen.' Ik zorg ervoor dat in mijn stem geen verwijt doorschemert. 'We kunnen met elkaar bespreken wat we gelezen hebben, een zondagmiddag samen doorbrengen, Lola zien opgroeien. Dat is al veel meer dan menig moeder en dochter delen.'

'Veel meer,' geeft Maná toe.

De laatste zonnestralen schitteren achter de takken van de notenboom. Ik zou haar kunnen vertellen dat ik gisteren Leo heb gezien. Het zou – na al die jaren – de gelegenheid zijn de storm te laten losbarsten. Te praten. Maar het is een kans die ik haar niet zal geven.

♒

De derde keer dat ik Leo zag, was toen ik een glimp opving van zijn slapende gezicht op het kussen in het bed van mijn moeder.

Dat was na een van haar feestjes. Vanuit mijn kamer hoorde ik tot diep in de nacht mensen komen en gaan. Ik viel in slaap met hun stemmen en het dreunen van de muziek op de achtergrond. De volgende morgen stond ik vroeg op om naar school te gaan. Voordat ik wegging, keek ik nog even om de hoek van de kamer van mijn moeder. Zoals altijd stond de deur halfopen. Het eerste wat ik zag was de donkere, warrige haardos van Leo. Daarna zijn gezicht. De minachtende trek om zijn mond was verdwenen en op zijn bovenlip schemerden donkere haartjes door. Hij lag op zijn rug, met ontbloot bovenlijf en zijn armen onder zijn hoofd. Mijn moeder deed haar ogen open. Ze haalde diep adem, zoals ze altijd doet bij haar meditaties, misschien om na te denken over wat ze tegen me zou zeggen, want ik bleef daar zwijgend en met een kille blik in mijn ogen staan. Leo sliep nog. Mijn moeder stond naakt op van het bed, deed de deur achter zich dicht en omhelsde me. Ze bezwoer me huilend dat het nooit meer zou voorkomen.

Maná heeft nooit geweten dat ik Leo kende. En in de jaren daarna heb ik me steeds afgevraagd of hij op de hoogte was of er ooit achter is gekomen wat er toen gebeurd is.

Die dag begreep ik dat ik niet bij Maná kon blijven wonen. In een brief vroeg ik mijn vader me de schamele erfenis te sturen die mijn grootvader me had nagelaten. Ik wilde weg, het maakte niet uit waarheen. Ik moest wel. Papa antwoordde dat hij met dat geld het perceel had gekocht waar we binnenkort zouden gaan wonen. Ik sloot me op in mijn kamer en kwam er nauwelijks nog uit. Die zomer deed ik bijna niets anders dan slapen. De feesten van Maná in ons appartement hielden op. Haar leven begon zich daarbuiten af te spelen. Als ze thuiskwam, klopte ze op mijn deur en probeerde met me te praten, maar meestal deed ik net of ik sliep. Aan het eind van de zomer verhuisde ik met Maná naar het huisje van papa, net buiten een kustdorpje in het zuiden. Hun ruzies gingen door, evenals hun luidruchtige verzoeningen. Alles in mijn leven was tot stilstand gekomen, behalve de stiekeme en onverbiddelijke groei van mijn waterhuis. Die winter kregen we bezoek van een zus van mijn vader. Ik was acht kilo afgevallen. Haar conclusie moet wel zijn geweest dat daar weggaan voor mij de enige uitweg was. Ze kocht een ticket voor me en in augustus van dat jaar vertrok ik naar Barcelona.

De dag van mijn vertrek kwamen mijn vader en moeder me uitzwaaien op het vliegveld. Ik zie ze nog duidelijk voor me, zij druk heen en weer lopend, rinkelend met haar armbanden en een paar dikke tranen plengend, waardoor ze eruitzag als een actrice in een treurspel; terwijl papa intussen met mijn koffer zeulde, met gebogen rug, schuwe blik en zijn veel te grote wollen vest voor zijn steeds magerder wordende lichaam. Dat beeld bleef in mijn geheugen gegrift, als zo'n daguerrotypie die vaak het wezen van een familie laat zien. Ik kan ze naast elkaar zien staan zwaaien, me nakijkend in de wetenschap dat dit het einde was van onze groep. Ik, de eeuwige afwezige, was nu degene die het lef had een band door te snijden die bezig was ons te verstikken. Dat besef bleef me de hele reis bij en vervulde me met hoop. Ik verwijderde me van mijn ouders en vormde mezelf om tot een individu dat anders zou zijn dan zij. Het was duidelijk dat ik niet net zo karakterloos was als papa en dat ik het besluit had genomen nooit zo te worden als mijn moeder.

♒

En terwijl ik Maná, al in de vijftig en nog altijd aantrekkelijk, zie glimlachen naar Lola, die voor het raam staat met een poesje in haar armen, denk ik dat ik daarin ben geslaagd. Ik ben niet als zij. En toch voel ik dezelfde woede als toen ik haar die ochtend naast Leo zag liggen, want wat ik ook doe, Maná – met haar rinkelende armbanden, met haar op de smerigste veilingen aangeschafte spullen – is me uiteindelijk altijd weer de baas.

11.♐

Ik doe mijn ogen open. Papa, die voor me staat, kijkt me aan met een uitdrukking die ik niet kan ontcijferen. Uit zijn pupillen komen grijze stralen en hij bijt op zijn lip. Het bordje op zijn voorhoofd is geschreven in een onbegrijpelijke taal:

❑♎♌♑er◆♓❑♌♍♎er●

Ik nies. Ik zou net zo willen zijn als de kinderen in films die altijd op het juiste moment iets intelligents zeggen. 'Ik heb naar de *SilverHawks* gekeken,' zeg ik, en ik voel me het DKVDW (het Domste Kind Van De Wereld). Als ik hem vertel over de alacalufe-familie zal hij denken dat ik het over Kájef heb en dat ik werkelijkheid en fantasie door elkaar haal. Ik weet ook wel dat Kájef niet bestaat. Ik heb hem verzonnen om geen wroeging te voelen dat ik me van de wereld verwijder, zoals je soms zin hebt om te doen als je veel van iemand anders houdt.

'Ik zie het,' antwoordt hij, terwijl hij me blijft aankijken.

Het bordje lijkt nu te zeggen: 'Ik weet dat ik je een standje moet geven, maar ik kan het niet, om een reden die ik niet goed kan uitleggen.' Mijn vader moppert bijna nooit op me. Hij tuit alleen zijn lippen en daarna schudt hij zijn hoofd, waarmee hij me zonder woorden duidelijk wil maken dat hij niet van plan is speeksel of tijd te verspillen om mij te laten worden wat hij graag wil dat ik ben, dat wil zeggen, wat ik zou moeten zijn. Maar deze keer heeft hij niets van dat alles gedaan.

'En Cristóbal?' vraag ik.

'Daar gaat het goed mee.'

We horen de stemmen van Alma en Lola in de hal. Als ze de kamer binnenkomen zie ik dat papa en Alma elkaar aankijken zonder te glimlachen.

'Willen jullie niet weten hoe we het hebben gehad?' vraagt Alma, terwijl ze haar omslagdoek afdoet.

'Hoe hebben jullie het gehad?' vraag ik.

'Fantastisch!' roept Lola uit. 'Maná heeft vijf pasgeboren poesjes en ik mocht ze vasthouden; nou ja, niet allemaal, eentje, maar die was zooooooo lief,' zegt ze en ze wiegt haar armen alsof het poesje er nog in ligt, terwijl ze haar verwendemeisjesgezichtje trekt.

Even later zijn we in de keuken, zoals elke zondagavond; papa snijdt de worstjes voor de pizza, Lola laat ons haar laatste pirouettes zien en ik haat haar terwijl ik intussen iets vertel over wat ik op de televisie heb gezien of op internet heb gevonden. Deze keer heb ik het voorrecht dat ik papa mag vertellen over de *SilverHawks* en hun acrobatische toeren: de Cubaanse achten, de omgekeerde glijvluchten, de loopings. Ik ga met mijn handen door de lucht om de figuren te laten zien, maar ik weet dat papa aan iets anders denkt. Mijn oogleden beginnen open en dicht te gaan zonder dat ik er iets tegen kan doen. Alma vraagt of hij nog meer pizza wil, maar hij geeft geen antwoord. Als papa niets zegt, dan is het net of iemand plotseling het licht heeft uitgedaan en iedereen in het donker zit, verloren in zijn hoekje. Daarom zijn de stiltes van papa zwart, terwijl de witte stiltes vol zijn van licht. Op een papieren servetje teken ik een cirkel en een vierkant. Ik zet er geen namen bij, want dan zouden ze weten dat ik een zwarte en een witte stilte heb getekend.

'Als je boos bent op mama, dan moet je eigenlijk boos zijn op Tommy. Hij heeft haar gedwongen hem alleen thuis te laten,' verklaart Lola, en daarna kijkt ze ons onderzoekend aan met haar stomme glimlach, alsof ze nog een van haar sprongetjes heeft gemaakt en een staande ovatie verdient.

Alma en papa praten nog steeds niet met elkaar. En ik haat mijn stiefzus. Met dat zesde zintuig dat ze heeft voor buitenkansjes, zet ze de televisie aan. De volwassenen zeggen er niets van en we eten onze pizza bij een aflevering van *Avatar.*

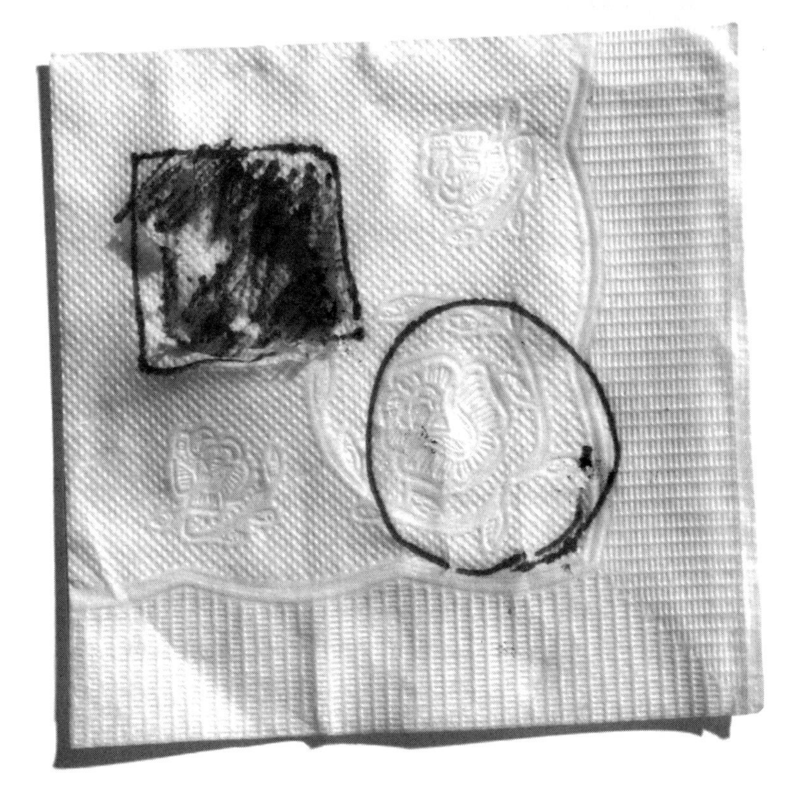

Als we klaar zijn met eten, gaat Alma met ons mee om er zeker van te zijn dat we onze pyjama aantrekken en onze tanden poetsen. Zodra ik in bed lig, geeft ze me een kus en zegt in gebarentaal: 'WELTERUSTEN.'

'Welterusten,' antwoord ik.

Nadat ik haar de trap af heb horen lopen, sluip ik naar de overloop. Alma heeft de deuren halfopen laten staan en als ik goed luister kan ik hun stemmen in de woonkamer horen.

'Wil je nu met me praten?' vraagt Alma.

'Hoezo? Je weet toch hoe ik erover denk.'

'Hij had het nodig, Juan. Tommy moest een keer alleen zijn.'

'Ik kan echt nauwelijks geloven wat je hebt gedaan. Je weet dat Tommy niet alleen mag blijven, nooit. Zijn hart kan het elk moment begeven. Natuurlijk weet je dat, maar jij...'

'Juan, alsjeblieft, luister naar me.'

'Je hebt geen idee.'

'Het is belangrijk voor hem dat hij zich onafhankelijk voelt. Er zijn honderden dingen die hij niet kan. Maar een paar uur alleen blijven, dat kan hij wél. Er zal hem heus niets overkomen; en er is hem ook niets overkomen. Jouw bezorgdheid belemmert hem in zijn ontwikkeling. Bovendien, samen de regels overtreden is een manier om hem te laten zien dat we van hem houden, dat we dicht bij hem staan.'

'Nu zit je me te bekritiseren. Ga je niet een beetje te ver? Luister, Alma, ik heb Tommy zo goed mogelijk opgevoed. Het had vast beter gekund, maar ik laat me door niemand, zelfs niet door jou, vertellen hoe ik het moet doen. De regels overtreden, zoals je zo luchtig zegt, kan hem het leven kosten. Dit is geen spelletje.'

'Dat weet ik.'

'Het lijkt er anders op dat je het niet weet. Soms ben je net je moeder en denk je dat als we maar doen wat ons onfeilbare hartje ons ingeeft, alles wel goed zal komen.'

'Als je me wilt aanvallen, kan ik beter gaan.'

Papa geeft geen antwoord, ik stel me voor dat hij een van zijn verwarde en vermoeide bewegingen met zijn hoofd maakt.

'En het kind, hoe is het daarmee?' vraagt Alma voordat ze over de drempel stapt.

'Dat vraag je nu pas.'

'Het spijt me.

Ik hoor de deur van de woonkamer dichtslaan. Ik ren snel weg voordat Alma weer naar boven komt. Ik kan haar voetstappen niet horen, maar wel als ze de kamer van Lola binnengaat. Ik had haar nooit moeten vragen me alleen thuis te laten. Ze wilde alleen maar dat ik me goed voelde. Terwijl ik niet eens zo dol ben op de *SilverHawks*.

12.⌛

Ik knip mijn bedlampje aan. Ik had liever geen ruziegemaakt met Alma, maar de vermoeidheid en de spanning tasten mijn zelfbeheersing aan. Vooral als het over Tommy gaat. Toen Alma bij ons kwam wonen, was mijn enige eis dat ik de zorg voor hem op me zou nemen, dat ik zou bepalen hoe hij zou worden opgevoed en wat hij wel en niet mocht doen. Het is heel onwaarschijnlijk dat ze de ware dimensie van zijn ziekte kan begrijpen, laat staan wat er in het diepst van zijn geheugen verborgen ligt. Hoe dan ook, het was niet nodig dat we ruziemaakten. Ik stel me voor hoe ze nu dicht tegen Lola aan ligt en heb zin haar in mijn armen te nemen. Ik heb me nooit afgevraagd hoe sterk de liefde is die ik voor haar voel, ik ga ervan uit dat die sterk genoeg is om bij elkaar te blijven en ik denk dat Alma dat ook zo voelt. Wat ik wél zeker weet is dat zonder een zekere mate van afzondering de aanwezigheid van de ander onverdraaglijk kan worden.

'Hoeveel hou je van me, Juan Montes?' vroeg ze me een paar maanden geleden, met een uitdagende glimlach.

We wandelden door het park van Los Peumos en keken naar de laatste innovaties van mijn vader. Alma had een bloem geplukt en de bloemblaadjes er zo snel afgetrokken dat het wel leek of ze gloeiend heet waren, waarbij ze het aftelversje prevelde dat we allemaal als kind hebben geleerd. Ik dacht dat het een van die vragen was waarvan het geen zin heeft ze te beantwoorden, zeker niet na al die jaren, als elke dag veelzeggender is dan welk woord ook. Zonder antwoord te geven keek ik haar in gedachten verzonken aan. Er gingen een paar seconden voorbij en toen hoorden we de stem van mijn vader die ons riep vanaf de volière. Het was al te laat om te antwoorden. Had mijn terughoudendheid een scheurtje in haar geest geopend, waardoor de twijfel naar binnen sloop? Ik voelde het verlangen haar tegen me aan te drukken, net als nu, maar ze liep al weg in de richting van de volière.

Ik kan de slaap niet vatten. Ik denk aan Tommy. Ik ben steeds weer onder de indruk van zijn directe en tegelijk afstandelijke blik, alsof hij ons door een kiertje observeert. Als ik hem zo in zichzelf gekeerd zie, ben ik bang voor zijn gedachten, voor die innerlijke wereld van hem die ik niet kan leren kennen of aanraken. Soms zou ik willen dat hij dezelfde ondeugende streken uithaalde als andere kinderen, zodat ik hem om iets concreets kan berispen en kan zien waar zijn grenzen liggen.

Ik hoor de stem van Soledad in mijn oor: 'Nu Tommy begint te groeien, zullen we een echt bed voor hem moeten kopen.' Het was zijn laatste operatie. Op zijn derde had hij het postuur van een eenjarige en hij sliep nog in de wieg die hij van Soledad had geërfd. Ik zie het licht van het middaguur naar binnen vallen door het raam van Tommy's kamer, zijn speelgoed onaangeroerd op de planken. Een stilstaande wereld, wachtend op het moment om weer tot leven te komen. Ik herinner me de blik van Soledad die bij mij een bevestiging zocht, een zwijgend 'kom op!' dat eindelijk alles in beweging zou zetten. Ik ben ook niet vergeten hoe ik haar ontweek, niet in staat haar de zekerheid te bieden waar ze om vroeg. Tommy zou nooit een normaal kind worden. Dat was de waarheid die Soledad door mij weerlegd wilde zien.

Na de operatie wijdde Soledad al haar energie aan Tommy. Ze ging zo op in zelfs zijn kleinste behoeften dat ze hem geen moment uit het oog verloor. Hoewel ik erop aandrong dat ze haar leven weer oppakte – ze had kunstgeschiedenis gestudeerd – en een bezigheid buitenshuis zocht, hield ze vol dat ze alleen maar aan de zijde van haar zoon wilde zijn. Voor de rest zou ze later nog wel tijd hebben. Eigenlijk vond ik haar houding alleszins redelijk, en zelfs als ik het niet met haar eens zou zijn geweest, dan kende ik haar goed genoeg om te weten dat ze niet van mening zou veranderen. Ik zeg dit niet om mezelf te rechtvaardigen, om me te bevrijden van de schuld die ik mogelijk zou kunnen hebben aan de gebeurtenissen die zich later hebben voorgedaan. Hoewel ze er breekbaar uitzag, is ze altijd een vrouw met karakter geweest. Ze was tot op zekere hoogte verantwoordelijk voor een groot deel van de belangrijke dingen die ons waren overkomen: dat we getrouwd waren, dat we in deze wijk woonden, dat ik in het meest gerenommeerde ziekenhuis van het land werkte, en zoveel andere dingen die ons leven bepaalden en waarover ik me nooit heb beklaagd.

Het herstel van Tommy ging langzaam maar gestaag. Dat jaar werd ik benoemd tot hoofd van de afdeling hartchirurgie. Dat betekende dat ik nog harder moest werken en dat we maar weinig samen waren. Toen Soledad dan ook met het voorstel kwam een galerie te openen, leek me dat een uitstekend idee; ze had er de opleiding voor en bezat een verfijnde smaak. Ze vond een pand niet ver van ons huis, huurde het en begon het met de hulp van een bevriende architect te verbouwen. Al die activiteiten ondernam ze samen met Tommy. Ze zette hem in zijn wandelwagen en ging dan, naar ze me vertelde, materiaal kopen, bekvechten met de architect of de aannemer, kunstenaars bezoeken en over esthetiek discussiëren met haar vroegere studiegenoten. Tommy, met zijn rustige karakter, hield haar zonder te protesteren gezelschap.

Het woord geluk heb ik altijd nogal vals gevonden, te sterk en te stellig, maar ook triviaal en weinig accuraat. Toch zou je, terugkijkend, kunnen zeggen dat we gelukkig waren. Althans tot het moment dat de alarmbellen begonnen te rinkelen.

De eerste was bijna onhoorbaar. Soledad kwam na elf uur 's avonds thuis, met Tommy slapend in haar armen. Ik zat in de woonkamer op haar te wachten, bijna ontploffend van bezorgdheid. Ze liep haastig de trap op en sloot zich op in Tommy's kamer. Toen ik even later op de deur klopte om met haar te praten, kwam er geen antwoord. Ik nam aan dat ze in slaap gevallen was en ging naar bed. Diep in de nacht hoorde ik geluiden uit de woonkamer. Ik liep naar de trap en vroeg wat ze aan het doen was. Ze zei dat alles in orde was en dat ze zo naar boven zou komen. De volgende dag had ik al mijn aandacht nodig voor een van mijn eerste openhartoperaties, zodat ik, zonder er verder over na te denken, weer naar bed ging.

's Morgens lag Soledad naast me te slapen. Ik stond op zonder haar wakker te maken, en toen ik beneden kwam, ontdekte ik dat ze alle meubels in de woonkamer had verplaatst. De ruimte was veranderd, maar er zat geen enkele logica in de nieuwe indeling. Toch schonk ik er verder geen aandacht aan. Ergens diep vanbinnen wist ik dat het formuleren van de noodzakelijke vragen me zou dwingen onder ogen te zien wat er schuilging achter onze fragiele façade.

Ik sta op en loop naar de gang. Sinds ik Cristóbal en zijn familie ken, heb ik de herinneringen niet kunnen tegenhouden. Ze wachten tot ik alleen ben om me te overvallen. Ik doe de deur van Lola's kamer open. In het schemerdonker zie ik het slapende gezicht van Alma, haar golvende haar op het kussen, en naast haar het profiel van Lola. Ik blijf even naar ze staan kijken en ga dan terug naar mijn kamer.

13. ♒

Toen ik de fosforescerende planeten op het plafond van Lola's kamer plakte, dacht ik dat ze, zodra ze het licht uitdeed, steeds de weg naar haar dromen zou kunnen vinden. Ik had nooit gedacht dat ik degene zou zijn die me in hun geschitter zou verliezen. Ik druk Lola's lichaam tegen me aan en breng mijn gezicht dicht bij haar haar om die zurige geur van een slapend klein meisje te ruiken. Geprevel welt op uit haar keel. Ze draait zich om, steekt haar arm uit en legt die over mijn borst. Heel even wordt het beklemmende gevoel minder. Ik doe mijn ogen dicht en besef dat ik niet zal kunnen slapen.

Tussen Juan en mij is een muur opgetrokken; we kunnen er wel doorheen kijken maar geen contact met elkaar maken. Zelfs nu nog, in het donker, zie ik zijn vertrokken gezicht, zijn driftige, geïrriteerde gebaren. Zwijgen heeft evenveel nuances als spreken, en ik heb zo'n gevoel dat die van Juan maar een klein onderdeel vormen van een woede waarvan ik de reikwijdte en oorsprong niet precies ken. Misschien is hij net als ik moe van al die herhaling, moe van het vooruitkijken en alleen een weg zien die allang van tevoren is uitgestippeld; misschien verlangt hij net als ik terug naar de tijd dat er van alles kon gebeuren, dat de toekomst nog onvoorspelbaar was. Of misschien ergert hij zich aan de dingen die hij in het begin juist aantrekkelijk aan me vond. De manier waarop ik me beweeg, me uitdruk, mijn kinderen liefkoos, drink of op mijn nagels bijt. Een gedachte die zich steeds hardnekkiger opdringt, omdat het is wat ik intussen voor hem ben gaan voelen. De apathie, de onvriendelijke woorden, de emotieloze gezichtsuitdrukkingen zijn een deel van ons leven geworden, zelfs zozeer dat ik op een avond, na een van onze ruzies, afkeer voelde voor zijn lichaam.

Zonder ons gemeenschappelijke leven komt de rest van de mensen me afstandelijk voor, alsof ik ze zie door een nevelsluier. Wat vroeger betekenis had, wordt banaal. Het is geen dramatisch gevoel, van ondergang of wanhoop. Integendeel, het is zo licht dat het op leegte lijkt. Die onverschillige blik op de dingen is altijd latent aanwezig, klaar om toe te slaan, en het zijn de genegenheid en het verlangen – of de illusie daarvan – die dit verhinderen. Ik denk zelfs wel eens dat het allemaal een product is van mijn geest: de affiniteit, de zekerheden... Misschien zie ik wat ik graag wil zien, om een leven dat anders zinloos zou zijn, samenhang en betekenis te geven; en dat heeft zich zo geleidelijk voltrokken dat ik ten slotte in mijn eigen sprookje ben gaan geloven.

Lola draait zich om in bed, ze doet haar ogen open en glimlacht.

'Ik wist dat je hier was,' zegt ze met een zucht die nog voortkomt uit haar dromen.

Ze kruipt tegen me aan, en een paar minuten later slaapt ze alweer. Ik leg mijn hoofd op haar rug.

Het enige wat ons terug zou kunnen voeren naar ons vredige bestaan, zou zijn nu alles op zijn beloop te laten, zonder twijfels op te werpen of het lot te tarten. 's Morgens opstaan en niets anders vragen dan dit universum dat we met Lola en Tommy delen. Dan zou ik – wat waarschijnlijk ook andere stellen doen als de hartstocht tanende is – mijn heimwee naar dat dwingende verlangen elkaar te strelen, gewoon zomaar tegen elkaar aan te kruipen, wat vroeger automatisch leidde tot seks, uit mijn hoofd moeten zetten. Waarschijnlijk zou dat genoeg zijn om het voorzichtige geluksgevoel terug te krijgen dat ik nog niet zo lang geleden ervoer. Maar dat wil ik niet. En dat is wat me het meest verontrust: die onverstoorbare vrouw die van een afstand toekijkt hoe dat waarvan ze dacht dat het de rest van haar leven zou zijn, wordt vernietigd.

14.⌛

Er zijn bijna tweeënzeventig uur verstreken sinds de operatie van Cristóbal Waisbluth. Vanmorgen hebben we hem eindelijk van de beademing gehaald en de dosis pijnstillers verminderd. Ik heb hem net een controlebezoek gebracht en hij maakt een opgewekte indruk. Emma zat aan het voeteneind van zijn bed de berichten voor te lezen die zijn vriendjes hem gestuurd hebben. Ze vroeg me wat ze moest doen als het moment gekomen was om Cristóbal mee naar huis te nemen. Ze keek me zijdelings aan en voegde er toen aan toe: 'Ik weet dat je je zoon erdoor hebt geholpen. Ik wil weten hoe je dat gedaan hebt.'

'Ja, natuurlijk, ik zal erover nadenken en dan kunnen we het bespreken,' zei ik.

'Ik vraag je meer dan dat. Ik wil graag dat je alles opschrijft wat je gedaan hebt om hem te redden.'

Haar gezicht verschoot van kleur, maar ze hervond zichzelf meteen weer. Ze boog haar hoofd en ging verder met voorlezen. Ik beloofde haar een lijst met aanbevelingen op te stellen die meestal niet in de handboeken voorkomen.

'Dank je,' voegde ze er zonder op te kijken aan toe.

Het is niet gebruikelijk dat iemand zo direct en dwingend tegen me praat. De patiënten en hun familieleden zijn over het algemeen minzaam en bejegenen me zelfs met een zeker respect, dat ik overigens absoluut niet van ze verwacht, ook al ben ik er, denk ik, inmiddels aan gewend geraakt. Ik vermoed dat Emma voordat ze me aansprak een hele tijd heeft zitten nadenken en dat ze niet de juiste toon heeft gevonden om haar ongerustheid uit te drukken. Iets wat vaak voorkomt als we een ander een kwestie moeten voorleggen die belangrijk voor ons is.

Daar ben ik nu op mijn spreekkamer mee bezig. Met het opstellen van een lijst voor Emma van de details die mijn leven de afgelopen twaalf jaar hebben bepaald. En terwijl ik de toetsen van mijn computer aansla, komen de beelden weer boven, de spot drijvend met mijn pogingen net te doen alsof ze niet bestaan, alsof ze er nooit zijn geweest, alsof ik uiteindelijk geen vat vol herinneringen ben.

⌛

Na die nacht van het verplaatsen van de meubels in de woonkamer, begon er iets hermetisch te groeien in Soledads innerlijk. Toen ze daarna aankondigde dat ze een groep kunstenaars, critici en kunsttheoretici zou uitnodigen voor de lunch, zag ik dat als een goed teken. In de loop van de week bereidde ze het samenzijn voor tot in het kleinste detail. Op de dag zelf, een zondag in de winter, was ze al vanaf vroeg in de ochtend bezig. Ik kan haar kleine, soepele lichaam nog met hernieuwde daadkracht heen en weer zien lopen, terwijl ze het eten klaarmaakte, de tafel dekte en de vazen met wintertakken neerzette.

Haar eerste gasten kwamen om klokslag een uur. Een vrouw die laag na laag haar kleren uittrok tot ze bijna naakt was, en haar metgezel, een man die er maar niet toe kwam zijn zwarte overjas uit te trekken. Zij ging op de rand van een leunstoel zitten, met haar ellebogen op haar knieën, en deed niets anders dan rondkijken, terwijl hij zijn benen strekte en met zijn handen in zijn zakken door het raam naar buiten keek, alsof hij nadacht over een hoogstbelangrijke kwestie. Gelukkig aten ze beiden gretig van de overdadige hapjes bij het aperitief. Er lag een tevreden glimlach op Soledads lippen en ze toonde zich geen moment bezorgd om het wegblijven van de andere gasten. Ik wenste dat onze blikken elkaar zouden kruisen om haar er heimelijk naar te kunnen vragen, maar ze had uitsluitend oog voor het vreemdenpaar. Na een poosje kwam ik erachter dat de vrouw kleine beestjes in hout beitelde en dat hij corrector was bij een uitgeverij zonder naam en schijnbaar ook zonder uitgaven. Dat was alles wat er over 'kunst' gesproken werd. Ondanks alle aandacht die Soledad aan haar gasten wijdde, stond ze niet toe dat Tommy ook maar een centimeter van haar zijde week. Ze haalde zijn kleurpotloden en papier en dwong hem aan haar voeten te gaan zitten. Tommy was zwak en verkouden. We gingen aan tafel en onze gasten gaven opnieuw blijk van een reusachtige eetlust, maar toch niet groot genoeg om zelfs maar een kwart op te eten van de onafzienbare hoeveelheid schotels die Soledad had klaargemaakt. Ze praatte de hele tijd, alsof ze bang was dat als ze ook maar een moment zweeg, het broze mechanisme dat haar overeind hield in stukken uiteen zou kunnen vallen. Ik dacht toen dat Soledad het misschien nodig had een rol te spelen – welke rol dan ook, en zo geloofwaardig mogelijk – om niet voorgoed haar verstand te verliezen.

Toen we klaar waren, trok de vrouw haar vele gewaden weer aan en liepen ze, allebei lichtelijk aangeschoten, de straat uit. Ik dacht dat Soledad nu eindelijk in zou storten of me de kans zou geven te praten over wat er was gebeurd. Maar in plaats daarvan draaide ze zich met gefronste wenkbrauwen en een glimlach op haar lippen naar me toe en wiegde in een stilzwijgende uiting van vreugde met haar hoofd. Daarna gaf ze me een kus en voerde me mee naar de slaapkamer. Omdat dit de laatste tijd niet erg vaak voorkwam, ging ik zonder me te verzetten op haar voorstel in. Nadat we gevreeën hadden, bleven we zonder iets te zeggen naast elkaar liggen, als twee bij een oproer omvergeworpen standbeelden. De mantel van de nederlaag daalde op ons neer.

'Wat is er gebeurd met de rest?' informeerde ik voorzichtig. Soledad sloeg haar ogen op en keek me perplex aan. 'Heb je ze wel uitgenodigd?'

'Echt, ik weet het niet. Vraag er alsjeblieft niet meer naar.' En haar stem brak.

Haar lege ogen deden me beseffen dat Soledad ergens anders

was, op een plek waar zelfs mijn tact haar niet kon bereiken. Ik bedacht dat een vakantie samen, ergens op een zonnige plek, een positieve invloed op ons zou kunnen hebben; ik klampte me nog vast aan het idee dat haar gedrag tijdelijk was en dat een verandering van lucht haar goed zou doen.

⌛

Carola, mijn secretaresse, laat weten dat Alma heeft gebeld terwijl ik bezig was met mijn visiteronde, ze wil met me mee naar het bestuursetentje. Hoelang heb ik rondgedoold in de donkere kamer van mijn herinneringen? Ik bel naar Alma's mobiel. In gesprek. Des te beter. Zij ziet altijd alles, zoals Tommy zegt. Ik ben bang dat die twee gescheiden werelden in mijn hoofd met elkaar in botsing komen. Toen ik me gisteren in bed omdraaide, droomde ik dat ik op een schip was en midden in de nacht overboord viel. Ik keek omhoog en zag honderden meters metaal die zich voor mijn ogen verhieven; helemaal bovenaan stonden Soledad en Alma te lachen. Ik riep, maar ze hoorden me niet. Het schip, getooid met lichten, verdween langzaam uit het zicht; de muziek, de stemmen, het gelach, alles voer onherroepelijk van me weg.

Op een avond, na een langdurige operatie, kwam ik thuis en trof Soledad op blote voeten aan op straat, waar ze haar auto stond te wassen. Het was vreselijk koud. Ik bleef met mijn koffertje in mijn hand voor haar staan. De maan verlichtte haar kinderlijke gelaatstrekken. 'Het is elf uur,' zei ik. 'Dat weet ik wel, maar morgen heb ik een erg belangrijke afspraak met een Spaanse kunstenaar.' Het water uit de slang doorweekte haar voeten. 'Je kunt hem toch vroeg wegbrengen om te laten wassen,' merkte ik op. Zonder te antwoorden ging ze door met het driftig boenen van de voorruit. 'Je hebt geen schoenen aan, straks vat je nog kou,' waarschuwde ik. 'Hoe kom je erbij dat ik geen schoenen aan zou hebben met deze kou, denk je soms dat ik gek ben?' Ik had het gevoel dat het niet Soledad en ik waren die dit onsamenhangende gesprek voerden. Dat soort mensen waren wij niet. Ik pakte de lap uit haar handen en sloeg mijn jas om haar heen. Ze verzette zich een beetje, maar daarna gaf ze toe. Ze keek me aan met een weerloze blik in haar ogen. Ze had plotseling begrepen wat ze aan het doen was en schaamde zich. We gingen het huis binnen en haar lichaam verslapte en viel zwaar in een leunstoel.

Voordat ik op weg ga naar het etentje noteer ik op een velletje papier een paar dingen voor Emma die me te binnen schieten, en daarna schrijf ik eigenhandig de gedrukte lijst met adviezen over die we altijd aan onze patiënten geven. Ik laat alles achter op mijn bureau en voel me gemeen als ik de deur achter me dichttrek.

15. ♒

Ik heb de hele middag in de montagekamer gezeten om een paar scènes te monteren, en ik denk dat het iets goeds heeft opgeleverd. De telefoon gaat en ik neem snel op. Ik heb Juan meerdere keren gebeld om te zeggen dat ik meega naar zijn jaarlijkse bestuursetentje, maar hij heeft niet gereageerd. Toen hij gisteravond thuiskwam, deed ik net of ik sliep. Hij kleedde zich in het donker uit en ging naar bed zonder me aan te raken. Hij lag naast me en ademde amper. Ik weet niet wat er door zijn hoofd gaat en het kan me steeds minder schelen.

De monteur van de garage laat weten dat mijn auto vanmiddag nog niet klaar is. Ik luister naar zijn uitleg terwijl ik op het scherm naar het bevroren beeld van een klein meisje kijk. Zodra ik ophang, gaat de telefoon meteen weer. Ik hoor Leo's stem.

'Hallo,' zeg ik.

'Hoe gaat het met je?'

'Ik ben aan het werk.'

'Ben je laatst goed in Santiago aangekomen?'

'Ja, natuurlijk, een broer van Juan heeft me gebracht. En jij?'

'Alles goed. Ik zou je graag willen zien, Alma.'

'Dat zou geweldig zijn.'

'We kunnen ergens een kop koffie gaan drinken, iets eten, zeg het maar... Nu meteen, als je kunt.'

Er zit iets schandalig synchroons in de manier waarop de dingen zich ontwikkelen. Maar om daarin te geloven is meer iets voor Maná, niet voor mij.

'Dolgraag,' antwoord ik, 'maar ik heb een berg werk te doen. Ik zit hier tot laat vast.'

'Ik had gehoopt dat je ja zou zeggen.' Er klinkt teleurstelling door in zijn stem. 'Ik zal je mijn mobiele nummer geven, voor het geval je je bedenkt.' Ik noteer het op een papiertje. 'Ik ben ook nog aan het werk. Bel me maar als je zin hebt.'

'Echt, ik heb Matías beloofd dat ik nog een paar scènes zou afmaken.'

'Dat is goed. Maak je geen zorgen. Je hebt mijn nummer.'

Zijn stem heeft een beslissende toon die me verwart. Ik weet niet of dat een teken is van een heerszuchtige persoonlijkheid of van een onbedwingbaar verlangen me te zien. We nemen afscheid. Ik ga verder met mijn werk. Geleidelijk loopt het kantoor leeg. De laatste die weggaat is Lorena, de secretaresse van Matías. Door het smalle raam van de montagekamer kan ik nog net zien hoe de hemel donkerder wordt. Ik heb geen honger. Ik zet koffie in de keuken. Als ik terugloop blijf ik staan in de gang. Het is donker en de houten vloer kraakt bij elke stap. In de stilte hoor ik gefluister, alsof mijn innerlijke ruimte bezit heeft genomen van de uitwendige ruimte. Een gevoel dat me niet vreemd is – maar dat ik was vergeten – knijpt mijn keel dicht. Ik wil Leo zien. Het is zo'n vurig verlangen dat het me de adem beneemt. Mijn hoofd begint haastig te zoeken naar redenen om hem te bellen. En dan omgekeerd, redenen om het niet te doen. Ik pak het papiertje waarop ik zijn nummer heb genoteerd en toets het in.

'Alma?' zegt hij, nog zonder mijn stem te hebben gehoord.

'Ja,' bevestig ik beschaamd.

'Heb je je bedacht?'

'Ik was eerder klaar dan ik dacht en ik heb honger.'

'Wat goed! Zal ik je ophalen of treffen we elkaar ergens?'

'Ik heb een paar oude opnamen die je vast erg leuk zult vinden. Je zou hier kunnen komen, dan bekijken we ze en gaan daarna ergens wat eten.'

'Prima. Ik ben laatst al een keer met Matías bij de productiemaatschappij geweest.'

'En toen ben je niet even bij mij langsgekomen?'

'Je was al weg. Alma, wat fijn dat je me hebt gebeld, ik wil je heel graag zien.'

'Dan wacht ik op je,' besluit ik enigszins koel, om zijn enthousiasme wat te temperen.

Terwijl ik wacht, maakt het vooruitzicht Leo te zien me rusteloos en euforisch.

De herinneringen lopen door elkaar in mijn hoofd, schokken me en doen me pijn. Als ik hem eindelijk hoor aankomen, stuit ik op zijn vrolijke, vastberaden blik, die de scherpte van zijn gelaatstrekken compenseert. Wat een lichtzinnigheid, zeg ik bij mezelf, wat staat Leo ver af van mijn zorgen.

Hij pakt me voorzichtig bij mijn schouder en geeft me een kus op mijn wang.

'Kom,' nodig ik hem uit terwijl ik naar het montage-eiland loop.

Ik ga achter de computer zitten en zoek de map met de beelden die ik hem wil laten zien. Matías verschijnt op het scherm. Hij is negentien en trekt gekke bekken in een drukke straat in Barcelona.

'Hij is niets veranderd, vind je niet? Nog steeds dezelfde boemelaar,' merkt hij met een lankmoedige glimlach op.

'Moet je dit zien,' zeg ik.

Nu ben ik het die gekke bekken trekt. Ik loop erbij als een soort Roodkapje en declameer een manifest over onze ethische principes. Ik draag een van mijn uitdossingen uit die tijd: een heterodoxe mengeling van Doctor-Martinschoenen, motorjack, zijden sjaal en leren handschoenen. Mijn stem is nauwelijks te horen te midden van de straatgeluiden.

'Ik was zeventien.'

'Ik vind je nu leuker,' geeft hij te kennen, waarbij hij zijn ogen losmaakt van het scherm om me met een vleierige uitdrukking aan te kijken.

'En jij, wat deed jij in die tijd? Je zat toen toch nog in Chili?' Ik tover een mondaine glimlach op mijn lippen, om hem te laten zien dat ik niet zomaar toegeef aan gevlei.

'Ik zat weer in een ontwenningskliniek.' Hij haalt een schouder op en fronst een wenkbrauw, zonder dat zijn gezichtsuitdrukking verandert. 'Weet je wie me gered heeft?'

Ik schud mijn hoofd.

'Een meisje dat twee zelfmoordpogingen had gedaan. Ze wilde actrice worden en we lazen samen de werken van Ibsen. Ze was behoorlijk goed. Zij speelde Hedda Gabler en ik de mannelijke personages: de rechter, haar echtgenoot, Lovborg.'

'Was je verliefd op haar?'

'Als je wanhopig bent, word je niet verliefd. Hoogstens gebruik je mensen,' zegt hij. Zijn glimlach is in tegenspraak met zijn woorden, maar toch lijkt hij oprecht. Ik denk dat die uitspraak deel uitmaakt van zijn levensovertuiging.

'Arme meid, ze was vast stapelgek op je.'

'Ze was net zo wanhopig als ik. Meestal is dat het wat mensen met elkaar verbindt,' verkondigt hij terwijl hij me blijft aankijken.

Trekt hij soms de scheidslijn waar we langs moeten lopen als we elkaar geen pijn willen doen of is het een uiting van de mate waarin hij zich tot mij aangetrokken voelt? Ik merk hoe zijn volle lippen langs mijn hals strijken. In het donker van de kamer projecteert het licht van het scherm blauwe schitteringen op de muren, net als water waar de zon op valt. Ik streel zijn nek. Zijn hand glijdt tussen mijn kleren en daalt af naar de onderkant van mijn rug. Als ik mijn ogen dichtdoe, zie ik een vis die traag en blind op de bodem van het waterhuis zwemt. Plotseling valt er een lichtstraal op zijn schubben. Opgeleefd door het schijnsel zwemt de vis snel naar de oppervlakte, terwijl mijn rug zich naar achteren kromt bij de vaardige aanraking van Leo. Als ik me omdraai om hem aan te kijken, merk ik dat hij nog ondeugender is geworden en ik kan het niet laten om te glimlachen. Ik trek mijn schoenen uit en ga schrijlings op hem zitten. Hij raakt mijn borsten aan onder mijn hemd. Triomf en provocatie zijn te lezen in zijn ogen. Hij gaat met zijn wijsvinger langs de omtrek van mijn opgerichte tepel, en bij elk rondje neemt de druk toe, alsof hij van plan is in mij binnen te komen via die donkere zwelling. Nu omvat zijn hand mijn hele borst en hij knijpt erin terwijl zijn andere hand mijn broek losmaakt. Een lach ontsnapt aan zijn keel. Hij pakt me met beide handen bij mijn middel en dringt in me binnen.

♒

We zijn aangekomen bij de glooiingen van het gebergte waar ik woon. Leo heeft me thuisgebracht met een taxi.

'Dus hier woont prinses Alma,' zegt hij als hij vanuit het autoraampje naar mijn huis kijkt, mijn huis met zijn wirwar van balken in tudorstijl, overwoekerd met klimop en gekroond met twee onverschillige schoorstenen.

'Bedankt voor het thuisbrengen,' zeg ik.

Het licht van het portiek valt op de bladeren van de bomen. De hond van de buren blaft en laat door het tuinhek heen zijn tanden zien. Leo slaat zijn arm om mijn middel en drukt me tegen zich aan.

'Zie ik je nog eens?' vraagt hij in mijn oor.

Achter zijn glimlach ontdek ik weer dat enigszins onzekere, breekbare, wat me in mijn jeugd zo aantrok.

'Ik weet het niet.'

'Ik wil je graag terugzien.'

Ik geef hem een kus op zijn voorhoofd en stap uit. Leo stapt ook uit. Ik vraag of hij niet met me mee wil lopen naar de voordeur. Ik weet dat ik roekeloos ben geweest door hem toe te staan me tot hier te brengen.

♒

In de badkamer kleed ik me uit en was ik me. Er valt licht door het niet goed sluitende gordijn en ik stuit op het slapende gezicht van Juan. Ik stap in bed en druk mijn lichaam tegen het zijne. Ik voel de warmte van zijn rug op mijn buik. Ik sla mijn armen om hem heen, hij verstrengelt zijn benen met de mijne zonder zijn ogen te openen. Na een maand vrijen we weer eens met elkaar. Ik stel me voor dat het Leo is. Na afloop maken we ons van elkaar los. Juan geeft me een kus op mijn wang. Hij blijft op zijn rug liggen, starend naar het plafond, en ik draai me naar de muur.

16.♐

Het is mijn rode vliegtuig dat door de lucht vliegt, het vliegtuig uit de Eerste Wereldoorlog. En IK zit achter de stuurknuppel. Papa en opa zitten achter mijn rug. Ik kijk hoe laat het is op mijn Breitling Emergency-horloge. Als we een ongeluk krijgen, zal de microzender van 121,5 MHz achtenveertig uur lang een signaal uitzenden in een straal van honderdzestig kilometer. Ik hoor papa's stem. Hij zegt dat ik niet bang hoef te zijn. Maar ik ben niet bang. Ik weet dat ik loopings kan maken, in een rechte lijn kan klimmen tot aan de grens van de atmosfeer, en verder, nog verder, tot ik de planeten kan zien, de satellieten, de vallende sterren die langs het raampje scheren. Ik doe dat al een hele tijd. Vliegen. Ik hoef alleen maar mijn ogen dicht te doen om in het oneindige te zweven; het is alsof het in me zit. Een hond blaft aan het firmament en het geluid verspreidt zich over de velden, de daken, de piepkleine wegen, de verlichte ramen, en terwijl mijn vliegtuig door de nacht vliegt, wordt het blaffen steeds duidelijker. Het is het blaffen van Kapitein, de hond van Het Minderwaardige Babynijlpaard.

Ik kijk uit het raam. De weerkaatsing van de lichten van de stad is zo sterk dat er geen sterren aan de hemel staan. Op straat, voor ons tuinhek, stappen Alma en een man uit een taxi. Waar is Alma's auto? Waarom heeft een man haar thuisgebracht? De man stapt weer in en de taxi rijdt weg. Ik hoor Alma de trap op lopen en haar kamer binnengaan. Ik blijf door een kier in de gordijnen naar de lege straat kijken, waakzaam, maar nu hoor ik alleen het geluid van de stilte. Soms, zonder dat ik het wil, stel ik me voor dat Alma bij ons weggaat, net zoals mama bij ons is weggegaan. Ik vind het niet fijn om dat te denken, want Yerfa zegt dat angst ongeluk brengt.

♐

Het eerste licht van de dag is blauw. Het hek staat open en de lantaarn bij de ingang is nog aan. Het was geen droom. Alma is thuisgekomen met een andere man. Ik zou dat allemaal willen monteren, zoals zij doet met haar films. Het uit mijn geheugen wissen. Maar als er iets nieuws en belangrijks in mijn hoofd komt, krijg ik het er met geen mogelijkheid meer uit. Hoe ik ook probeer het te vergeten, er zijn steeds een paar monstertjes die me eraan herinneren. Een tijdje geleden heb ik dat aan Alma uitgelegd, en zij zei dat die monstertjes 'geweten' genoemd worden. Ik heb haar gevraagd of ze ooit weggingen, en ze zei van niet, maar dat we ermee leren leven door net te doen of we ze niet zien. Toen wilde ik weten waarom mij dat dan niet lukt, en Alma zei dat ik misschien wel een van de weinige mensen was die in plaats van hun ogen dicht te doen, de monsters trotseren en ertegen vechten totdat ze verslagen zijn. Daarom heb ik bedacht dat als ik tien ontdekkingen doe over mama, alles duidelijker zal worden. Waarom tien? Omdat God ons handelen gedefinieerd heeft met de tien geboden, omdat we tien vingers hebben, omdat een lichtjaar tien biljoen kilometer is, omdat Yerfa zegt dat ik tot tien moet tellen voordat ik iets zeg of doe waar ik later spijt van kan krijgen.

Achter op mijn bed daalt een regen van ijs neer op de kano van Kåjef. Hij slaapt.

'Tommy, kom je ontbijten,' hoor ik Yerfa aan de andere kant van de deur.

Yerfa is bijna net zo klein als ik, ze heeft een groot bovenlichaam en steil, pikzwart haar. Ze lacht niet vaak, maar we zijn altijd al samen geweest en ik hou van haar. Ik doe de deur open.

'Hoe vaak heb ik nu al gezegd dat je de deur niet op slot moet doen? En wat als er een aardbeving is?'

Yerfa merkt dat ik gehuild heb. Ze gaat met haar vingers langs mijn ogen en wappert er dan mee in de lucht. 'Verdriet moet je afschudden,' zegt ze altijd.

'Je vader heeft al gevraagd om zijn ontbijt. Als je wilt, kun je hem eerst begroeten en daarna naar beneden komen.'

Yerfa kan mijn gedachten lezen.

'Papa, ik ben het, Tommy,' kondig ik aan terwijl ik op de deur van zijn kamer klop.

Niemand antwoordt. Ik ga naar binnen. Papa staat midden in de kamer met een handdoek om zijn middel. Ik zou hem graag willen vertellen dat Kájef in zijn kano ligt uit te rusten, maar daar kan ik met hem niet over praten. Alma slaapt nog, met haar gezicht naar de muur. Door het halfopen raam komt de wind naar binnen, vol met stuifmeel. Ik wil niet niezen.

'Je hebt weer niet aangeklopt,' zegt hij fluisterend, om Alma niet wakker te maken.

'Dat heb ik wél gedaan, maar je zei niks. Ik dacht dat er misschien iets met je was.'

'En wat zou er met me kunnen zijn in mijn eigen kamer, Tommy?'

'Niks.'

'Precies.' Papa's ogen zijn ingevallen en de rimpels die er altijd omheen zitten, zijn nog dieper dan anders. 'En wat heb jij gedaan?'

Ik ga voorzichtig op de rand van het bed zitten. Het is zo hoog dat mijn voeten de grond niet raken. Of ik zou het ook anders kunnen zeggen: ik ben zo klein – de grootte van een achtjarig kind – dat mijn voeten niet bij de grond kunnen. Papa haalt een grijze broek en een lichtblauw overhemd uit de kast.

'Je hebt me nog niet verteld wat je gisteren gedaan hebt.'

'Gelezen.'

'Zoals altijd.'

Ik zou willen zeggen dat niets meer is zoals altijd. Ik weet dat mama zelfmoord heeft gepleegd en dat Alma met een man is thuisgekomen. Dat zou ik allemaal graag vertellen, maar de woorden zitten opgesloten in me, net als de vogels in de kooi van opa. Papa kleedt zich aan en gaat de badkamer in. Na een tijdje komt hij er weer uit met achterover gekamd haar. Voor de spiegel strikt hij zijn stropdas. Hij haalt diep adem, knijpt zijn ogen tot spleetjes en rekt zijn hals.

'Heb je vandaag geen school?'

'De leraren hebben een bijscholingsdag.'

'Waarom bel je de nieuwe buurjongen niet om te vragen of hij komt spelen? Blijf alsjeblieft niet nog een dag opgesloten zitten in je kamer.'

Als hij wegloopt, volg ik hem de trap af. Lola heeft haar pluchen zeehond op de grond laten liggen. Papa raapt hem op.

'Papa...' zeg ik.

Ik ben bang dat Alma ons verlaat, maar ik weet dat als ik tegen papa zeg wat ik gisteravond gezien heb, alles alleen maar erger wordt. Ik begin heel snel met mijn ogen te knipperen. Papa kijkt naar me.

'Niks,' zeg ik.

We lopen verder naar beneden. Op de gang blijft hij voor een van mijn tekeningen staan: Het labyrint van de Minotaurus. Alma zegt dat het de beste tekening is die ik heb gemaakt. Ik zet graag namen in mijn tekeningen. Bij de Minotaurus schrijf ik 'Minotaurus', bij de bliksem schrijf ik 'bliksem', bij de zon schrijf ik 'zon', enzovoorts. Soms doe ik het ook net anders, dan schrijf ik bij de mier 'huis', bij het huis 'bos', bij de boom 'toren' en bij de toren 'vogel'. En als ik dan naar een van mijn tekeningen met verwisselde namen kijk, veranderen de dingen vanzelf. De toren begint een beetje vogel te worden; het huis een beetje bos.

'Tommy, waarom loop je me in vredesnaam de hele tijd achterna?'

'Om bij je te zijn.'

Hij woelt door mijn haar, zoals hij meestal doet als hij niet weet wat hij moet zeggen. Hij geeft me de pluchen zeehond en blijft me aankijken met zijn doktersogen en daarna omhelst hij me.

'Kun je niet blijven?'

'Onmogelijk. Wat zouden mijn patiënten wel niet zeggen als ik niet kom opdagen?'

Toen ik kleiner was, dacht ik dat als ik de tijd stilzette, papa niet meer weg zou gaan. Op een zondagmorgen voerde ik mijn missie uit. Ik maakte de veer van zijn horloge kapot zodat die niet meer zou lopen. Natuurlijk ging de tijd gewoon door en kreeg ik een flinke uitbrander.

'Je weet toch dat je mijn kampioen bent?'

Ik zeg ja.

17. ♒

Juan strikt zijn stropdas voor de spiegelkast. Tommy is bij hem. Ik doe net of ik slaap. Ik heb hoofdpijn. Als ze allebei weg zijn, krijg ik ineens zo'n slaap dat ik er geen weerstand aan kan bieden.

Ik word wakker van een paar zachte klopjes op de deur. Door het raam valt het felle licht van het middaguur naar binnen. Achter de muren van mijn kamer broeit de lente. Met veel moeite doe ik mijn ogen open, het licht verblindt me.

'Mevrouw Alma, voelt u zich wel goed? Omdat u niet heeft ontbeten en zei dat u vroeg weg moest...' zegt Yerfa in de deuropening.

'Ik voel me niet lekker, Yerfa.'

'Ik zal maticothee voor u zetten. Blijft u maar rustig liggen.'

Ik denk terug aan Leo. Ik weet dat ik er niets tegen kan doen en dat besef verstikt me. Zo werkt begeerte. Het is een kracht waar we ons niet tegen willen verzetten. De herinnering aan zijn slapende gezicht op het kussen van mijn moeder dringt mijn geheugen binnen, als een pijnlijk korreltje zand in je ogen. Ik verafschuw de ironische gedachte dat ik ondanks al mijn pogingen om het te vermijden, op dezelfde plaats ben aangekomen als waar ik Maná de rug heb toegekeerd. Ik verafschuw háár – nu meer dan ooit – omdat ze die weg eerder heeft afgelegd dan ik, omdat ze die heeft bedorven met haar uitspattingen en het gevoel van verlatenheid dat ze in mij heeft achtergelaten. Ik doe mijn ogen dicht en val weer in slaap. De pijn verdwijnt. Als ik wakker word is het donker in de kamer. Het is acht uur 's avonds. Juan is nog niet thuis. Ik heb altijd gedacht dat ik als hij er niet was geweest, nog steeds op de wanhopig makende plek zou zitten waar ik woonde toen we elkaar ontmoetten.

♒

Als er in het restaurant waar ik werkte een landgenoot binnenkwam, ging ik die zo veel mogelijk uit de weg. Niet dat ik een hekel had aan mijn land, maar ik wilde me niet verplicht voelen een gesprekje aan te knopen en allerlei vragen te beantwoorden over mijn leven in Barcelona. Ik was drieëntwintig, werkte 's avonds als maître, probeerde aangenomen te worden op de filmacademie, volgde een schriftelijke studie letterkunde en woonde met een musicus in een appartement vol oude spullen, en de enige die ik vertrouwde was Edith, de eigenares van het restaurant. Kortom, ik leidde een druk leven, net als zoveel anderen, maar een leven dat er in de ogen van de Chilenen die het restaurant bezochten ellendig uitzag.

Juan was geen uitzondering. Hij was het type man dat ik nauwelijks kende, maar dat me ook niet bijster interesseerde. Een man met een correct voorkomen, en met de bedachtzame en tegelijk plechtstatige manieren die van generatie op generatie worden overgeleverd. Hij op zijn beurt had, zo vertelde hij me later, mijn aanwezigheid onmiddellijk opgemerkt toen hij het restaurant binnenkwam. Ondanks mijn onberispelijke zwarte maîtrekostuum – dat ik zo waardig mogelijk probeerde te dragen – deed ik hem denken aan een hinde met lange benen die door gebrek aan ervaring elk moment in elkaar kon zakken.

Ik was net bezig een Italiaans paar welkom te heten toen ik het gegil hoorde. Mijn collega's en ik lieten ons werk meteen liggen en renden naar de keuken. Ediths handen, hals en een deel van haar borst stonden in lichterlaaie. Haar mond stond open maar uit haar keel kwam geen enkel geluid. Roberto, de kokshulp, drukte met een kreet van afschuw zijn schort tegen Ediths lichaam. De rest van het personeel rende ongecontroleerd heen en weer. Plotseling kwam Juan door de klapdeur de keuken binnen.

'Ga op de grond liggen,' schreeuwde hij, en hij liep snel naar Edith toe. 'Nu rollen,' beval hij, terwijl hij zijn colbert uittrok en het over haar brandende bovenlichaam en armen gooide. 'Ik heb een tapijt of een jas of zoiets nodig, en water.'

Iemand kwam met een wollen deken. Juan dekte haar meteen toe en gooide water over haar heen.

'Hoe heet ze?'

'Ze heet Edith,' zei ik.

'Edith,' herhaalde hij met zachte stem, 'het komt goed, hoor je me? Ik ben dokter en ik zorg voor je.'

Hij schoof de grijze vlecht van Edith opzij en bracht zijn oor bij haar neus om zeker te zijn dat ze nog ademde.

'Hebben jullie de ambulance al gebeld? Ik heb een paar kussens nodig, of iets om haar een stukje op te tillen, en schone doeken, tafellakens mag ook. Maak daar een paar stroken van,' zei hij tegen me. Het waren de eerste woorden die hij tot me richtte.

Met de kussens bracht hij het verbrande deel van haar bovenlichaam zo'n dertig centimeter van de grond.

'Zo zul je je beter voelen, Edith, hoor je me?' zei hij, terwijl hij haar pols voelde.

Hij haalde de verschroeide deken van haar lichaam en dekte haar toe met een van de witte tafellakens. Van de stroken maakte hij kompressen om haar vingers uit elkaar te houden.

We stonden allemaal naar hem te kijken en volgden zijn orders op. Hoewel hij de leiding had, communiceerde Juan op een bescheiden, bijna geruisloze manier. Toen de ambulance kwam, verdroeg Edith stoïcijns de pijn, starend naar Juans gezicht, alsof zijn gelaat het touw was dat haar met de echte wereld verbond. We liepen met de brancard mee naar de straat. Nog voordat ze haar in de ambulance hadden geschoven, raakte ze buiten bewustzijn. Juan en Roberto stapten in een taxi en volgden haar.

Nadat de gasten het restaurant geschokt hadden verlaten, sloot ik samen met een paar collega's de zaak af en vertrokken we naar het ziekenhuis.

We troffen Roberto in de wachtkamer van de spoedeisende hulp. Op een van de banken zat een vrouw met een gekneusd gezicht en haar ogen strak op de muur gericht op haar beurt te wachten. Naast haar probeerde een jongetje in pyjama op haar schoot te kruipen.

'Ze is bijgekomen, het schijnt dat ze buiten levensgevaar is. De Chileen is met haar naar binnengegaan,' bracht Roberto ons op de hoogte.

'Ze had gedronken, hè?' vroeg ik op fluistertoon.

Roberto knikte. Edith begon vaak al vroeg met haar gin-tonics en ging daar dan de hele avond mee door, net zolang tot ze dronken was. Het was adembenemend haar vis te zien bakken in de grote koekenpan, uien en knoflook te zien snijden en aardappelschijfjes te zien maken, wankelend en met vertroebelde blik, terwijl haar handen uiterst nauwkeurig te werk gingen, alsof ze deel uitmaakten van een ander lichaam. Soms, als de laatste gast om de rekening vroeg, zakte ze onderuit op een stoel, alsof een inwendig uurwerk haar het juiste moment had aangegeven waarop ze kon toegeven aan het slaapverwekkende effect van de alcohol.

Vrijwel meteen nadat ik in het restaurant was komen werken, werd Edith belangrijk voor me. Ik had niet alleen werk nodig maar ook steun, en dat was wat zij me gaf. Ignacio, de musicus met wie ik al twee jaar samenleefde, was een goede minnaar en soms een goede vriend, maar hij was te veel bezig met zijn eigen zorgen om de mijne te delen.

Terwijl Roberto en de twee meisjes koffie gingen drinken, ging ik in een hoekje zitten. Ik dacht aan Maná, en de beelden van de twee vrouwen vermengden zich in mijn herinnering. Allebei bezaten ze zo'n geweldige drang het leven te omhelzen, dat ze bij hun pogingen daartoe behoorlijk beschadigd waren geraakt.

Na een paar uur voegde Juan zich bij ons. Hij stelde zich voor met zijn voornaam en bracht ons op de hoogte van de toestand van Edith. Het vuur had het kraakbeen van haar vingers aangetast en het zou waarschijnlijk maanden duren voordat ze haar vingers weer normaal kon bewegen. Gelukkig was haar gezicht ongedeerd gebleven. Vooralsnog was er niets wat we voor haar konden doen. Het was drie uur 's nachts. Zijn kalme stem, zijn beheerste en zelfbewuste optreden en manier van spreken, gaven me – ondanks de gebeurtenissen – een gevoel van rust.

Na wat er gebeurd was, vond ik het moeilijk om al naar huis te gaan en ik had dringend behoefte om iets te drinken. Dat zei ik tegen de anderen. We namen een taxi naar het centrum en liepen daar wat rond. Plotseling namen Roberto en de twee meisjes afscheid van ons. Het was een warme nacht aan het begin van de zomer. Door de hoge temperatuur was het klam op straat en je kon de geur van de zee ruiken. Juan liep met snelle pas maar zonder haast en keek strak voor zich uit. Van tijd tot tijd nam ik hem vanuit een ooghoek op, in een poging te ontdekken of zijn zwijgzaamheid voortkwam uit onverschilligheid, het gevolg was van een ziekelijke verlegenheid – wat me niet erg waarschijnlijk leek – of gewoon een gebrek aan motivatie. Het feit dat we allebei Chileen waren en samen het ongeluk hadden meegemaakt, betekende nog niet dat we nader kennis moesten maken. Hij was ongetwijfeld een formele, getrouwde man, die geen zin had in een gesprek, hoe oppervlakkig ook, met een vreemde vrouw. Ik schaamde me dat ik had voorgesteld iets te gaan drinken. Toen we langs de derde bar kwamen zonder te blijven staan, zei ik dat ik moe was en stelde voor daar afscheid van elkaar te nemen.

'De kans is klein dat je onopgemerkt blijft. Hoe goed je het ook probeert,' zei hij. In zijn ogen lag een vrolijke schittering.

'Hoe kom je daar zo bij?'

'Mijn tafel was de enige waar je niet naartoe kwam om te vragen of alles naar wens was.'

'Je hebt het gemerkt.'

Ik was niet van plan te zeggen dat ik, toen ik hem het restaurant binnen zag komen, meteen zijn fiere houding had opgemerkt, zo kenmerkend voor mannen die hun hele leven aan sport hebben gedaan, en die ik – uit principe – verafschuwde.

'Ik ben arts, ik merk alles. Doe je dat alleen bij je landgenoten, of vooral bij saaie types zoals ik?'

'Bij allebei.' We lachten.

'Je heet Alma, hè?'

'Hoe weet je dat?'

Hij bracht een vinger naar zijn lippen, dacht na en antwoordde: 'Bij het ticket dat ik op het reisbureau in Santiago kreeg zat een briefje met de naam van het restaurant en ook die van jou.'

'Serieus? En weet je van wie dat kwam?'

'Geen flauw idee. O ja, er zat ook een fotokopie bij van een uitstekende culinaire kritiek uit *El País*. Daarom ben ik gekomen.'

'Dus het was niet om mij.'

'Eigenlijk viel je naam me wel op, maar eerlijk gezegd was het om de kritiek.'

'En moet je zien op wat voor ramp je gestuit bent; je had beter niet kunnen komen.'

'Ik heb er geen spijt van,' zei hij, terwijl hij me aankeek. Even later voegde hij eraan toe: 'Ik ben blij dat ik Edith heb kunnen helpen.'

Het is ongelooflijk hoe het vermogen dat we hebben om andermans gezichtsuitdrukkingen te interpreteren, zich op het moment van de verovering beperkt tot slechts twee lezingen: erop ingaan of terugwijken. En de signalen van Juan waren dubbelzinnig. Bovendien moest Ignacio al een tijdje terug zijn in het appartement waar we woonden.

Onze blikken kruisten elkaar opnieuw. Ik wendde de mijne af, in een poging me tegen mijn eigen gedachten te beschermen. De zware nachtelijke lucht omhulde ons. De lantaarns op het trottoir knipperden, waardoor de straat fracties van seconden in de duisternis verdween. Ik vroeg wat hem naar Barcelona had gebracht en hij vertelde dat hij daar was voor een artsensymposium.

'Maar ik wil het niet over mij hebben. Mijn leven is buitengewoon saai. Eerlijk gezegd ben ik inmiddels op een leeftijd waarop de meeste interessante dingen al voorbij zijn. Laten we het liever over jou hebben,' spoorde hij me aan.

‘Waarom zeg je dat?’

‘Ik ben negenendertig, weduwnaar en ik heb een zoon van vijf.’

‘Dat lijkt me nog jong genoeg om onvoorziene dingen mee te maken.’

‘En ook oud genoeg om ze zo veel mogelijk te vermijden. En jij?’ vroeg hij vervolgens, schermend met een geïnteresseerde glimlach. ‘Jouw naam heeft een geschiedenis, hè?’

Ik was blij dat hij niet de geijkte vragen stelde.

‘Ken je de Place d’Alma?’

‘Parijs. De Eiffeltoren. Aan de overkant van de rivier,’ beschreef hij snel, alsof het een quizvraag was.

‘Goed, mijn naam heeft niets te maken met dat plein.’ Hij schoot in de lach.

‘En verder?’

‘De ziel was een van de voornaamste preoccupaties van mijn vader. Alles had te maken met de ziel. Vooral de meest aardse zaken.’

Aangespoord door zijn interesse begon ik ineens te praten over Barcelona, over de plekken waar ik van hield, over mijn studie, over hoe ik van hot naar haar rende om mijn vele bezigheden bij te kunnen houden. Juan stelde me geduldig en volhardend allerlei vragen als ik ophield of twijfelde. Volgens oude gewoonte stond hij niet toe dat ik met mijn onhandige en zigzaggende manier van lopen aan de kant het dichtst bij de straat liep.

Mensen die steeds weer over hun eigen ervaringen praten, in de overtuiging dat die voor anderen net zo verbazingwekkend zijn als voor henzelf, heb ik altijd nogal pathetisch gevonden. Maar praten was de – ongetwijfeld kinderlijke – manier om die momenten die we samen beleefden langer te laten duren.

Al snel merkte ik dat ik in dat enigszins opgewonden ritme aan het kletsen was van iemand die bang is de aandacht van zijn toehoorder kwijt te raken. We hadden het oude centrum en bijna de hele Ramblas al achter ons gelaten toen we bij een bar kwamen.

We gingen aan een tafeltje zitten en bestelden koffie. Juan fluisterde een paar woorden in het oor van de ober.

'En met wie woon je nu samen?' vroeg hij toen we even zwegen. Zijn blik was weliswaar direct maar ook verlegen.

Ik schudde mijn haar los, dat ik had opgebonden met een elastische haarband, en maakte het meteen weer vast. Een schijnbaar zinloze handeling, die me echter net die seconde rust geeft die ik nodig heb als ik me in een hoek gedreven voel.

'Ik woon alleen,' loog ik. 'En jij?'

'Met Tomás, mijn zoon, en Yerfa, de vrouw die voor hem zorgt.' Zijn stem klonk scherp. Het was duidelijk dat hij het niet prettig vond om over zichzelf te praten.

We dronken onze koffie op en daarna deelde de ober ons mee dat de taxi voor de deur stond. We gingen naar buiten. Het was een heldere ochtend.

'De taxi is voor jou. Mijn hotel is hier vlakbij,' legde hij uit, intussen het portier voor me openend.

Terwijl ik probeerde mijn verwarring over die abrupte afloop te verbergen, ging ik in de taxi zitten, met mijn handen op mijn knieën. Juan, die het portier openhield, sloeg me gade.

'Alma,' zei hij, en hij pauzeerde even, 'slaap lekker.'

Ik vroeg de chauffeur me naar het strand te brengen. Ik wilde zien hoe de dageraad de zee en de hemel kleurde.

Ignacio sliep toen ik in ons appartement aankwam, ondergedompeld in de koortsige slaap van een vergiftigd lichaam. Net als de meeste nachten na mijn werk in het restaurant, trof ik de sporen aan van een drinkgelag. Peuken, lege flessen, resten Chinees eten, de gitaar van Ignacio en andere instrumenten verspreid over de vloer. Zonder me uit te kleden stapte ik in bed. Zijn onregelmatige ademhaling, zijn gesnurk, zijn dronken gezucht dat eerder leek op gejammer, het stond me ontzettend tegen en ik had geen andere keus dan op te staan. Ik ging naar de woonkamer en toen ik om me heen keek besefte ik, ook al had ik zelf die schaarse huisraad verzameld, dat die plek me vreemd was. Ik liep de trap op naar het dakterras en ging op het cement zitten, dat nog warm was van de laatste zonnestralen. Een broek die aan de waslijn hing en heen en weer bewoog in de wind deed me denken aan een dansende dronken man. Hoe was ik op deze kale plek terechtgekomen? Het was allemaal begonnen bij Maná, bij de slapheid van mijn vader, bij de ruzies, bij het isolement. Toch zat ik daar nog steeds, weggedoken in een donker hoekje. Mijn beste vriendin lag in het ziekenhuis, en mijn vriend was een van die types die van hun onvolwassenheid en hulpeloosheid een manier van leven maken.

Toen ik weer beneden kwam, lag Ignacio nog steeds te slapen. Ik opende mijn koffer, dezelfde als waarmee ik naar Barcelona was gekomen, en stopte er zo veel mogelijk in. De rest – niet veel – deed ik in een vuilniszak. Daarna vertrok ik naar het ziekenhuis.

Ik trof Edith aan op een gemeenschappelijke zaal, met haar armen, handen en borst in het verband.

'Het moest een keer gebeuren, hè?' Ze sprak haperend en langzaam.

'Ja, het moest een keer gebeuren,' herhaalde ik. Ik streek met mijn vingers door haar grijze lokken. We zwegen.

'Ik ben bij hem weggegaan,' biechtte ik plotseling op.

'Dat werd tijd,' stemde Edith met nauwelijks hoorbare stem in. 'Pak de sleutel van mijn appartement maar... die zit in mijn tas... je kunt daar zolang blijven. We zullen wel zien hoe we dat doen... Jij met jouw leven en ik met het mijne.'

Nadat ze dit gezegd had, sloot ze haar ogen. Haar ademhaling was onregelmatig. Ik dacht aan Ignacio, aan zijn dronken nachten, op zoek naar een melodie, naar de kans die eindelijk recht zou doen aan zijn talent, en die hem ten slotte altijd weer ontglipte. Ik voelde me bedroefd.

Die avond werkten Roberto en de rest van het personeel met meer toewijding dan ooit. Het nieuws was onze trouwste gasten ter ore gekomen, en aan de tafeltjes – allemaal bezet – heerste een sombere maar tegelijk meelevende stemming.

Op de tweede avond verscheen Juan en bestelde een glas witte wijn. Toen het even wat minder druk was, ging ik bij hem aan tafel zitten.

'Ik ben vandaag even bij het ziekenhuis langsgegaan,' zei hij. 'Van de artsen hoorde ik dat Edith een erg opstandige patiënt is.'

'Dat verbaast me niets,' zei ik.

'Morgen vertrek ik. Als je wilt en zin hebt, zouden we ergens kunnen gaan eten zodra je klaar bent met je werk.'

Ik merkte dat het hem niet makkelijk afging dat voorstel te doen. Het was een monoloog die niet in zijn zorgvuldig geregisseerde doktersscript stond.

'Ik denk dat dat wel te regelen valt,' glimlachte ik. Ik sprong op en ging meteen weer tegenover hem zitten.

'Ik ben klaar.'

'En wie ontvangt dan de volgende gasten?'

'Dat kan iedereen van mijn collega's doen. Niemand zal me missen.'

'Geloof dat maar niet. Ik weet zeker dat menige gast hiernaartoe komt om door jou ontvangen te worden,' zei hij, me voor het eerst in dagen een goed gevoel gevend.

Juan nam me mee naar een populair restaurant waar hij wel eens met zijn collega's was geweest. Zodra we gingen zitten bogen we ons over het menu. Toen ik eindelijk opkeek, merkte ik dat zijn open gezichtsuitdrukking verdwenen was. Tegenover me zat een vreemde, wiens blik gedachten weergaf die ik niet kende. We zeiden weinig tegen elkaar en zaten langdurig naar andere tafeltjes te kijken. Plotseling pakte hij mijn vingers en kneep er even in. Daarna hief hij allebei zijn handen en glimlachte.

Afgezien van dat minieme gebaar miste ons etentje elke erotisch lading. Daarom verbaasde het me dat hij bij het naar buiten gaan zijn arm om mijn middel sloeg. Hij liet hem daar maar heel kort en keek me verslagen aan. Zijn karakter verhinderde dat hij vanuit die voorgeschreven positie verderging.

'Ben je bang voor me?' bracht ik voorzichtig naar voren.

'Voor alle vrouwen,' bekende hij, terwijl hij zijn ogen ondeugend tot spleetjes kneep.

'Daar heb je gelijk in, we zijn verraderlijke wezens.'

Hij kuste me en ik verzette me niet.

We liepen een paar straten. Toen we bij zijn hotel aankwamen, gingen we zonder een woord te zeggen naar binnen. Eenmaal in zijn kamer vroeg hij of ik zin had in een glas wijn. Ik ging met mijn benen over elkaar op het bed zitten en hij nam plaats in de leunstoel, waarbij hij al mijn bewegingen gadesloeg. Ik was bang dat mijn nervositeit over de mogelijkheid dat ik me in zijn ogen onfatsoenlijk gedroeg, duidelijk zou worden. In tegenstelling tot de meeste mannen die ik vóór hem had leren kennen, vulde hij die inleidende momenten die altijd op dezelfde manier eindigen, niet met woorden en gebaren. Alleen al het feit dat ik daar zat, op zijn bed, duidde op een haast die hem mogelijk zou kunnen storen. Ik wist niet waarom het me zoveel kon schelen wat hij van me dacht. Juan was een man die ik pas een paar avonden geleden had leren kennen en die de volgende morgen uit mijn leven zou verdwijnen. Een man tot wie ik me aangetrokken voelde en die ik begeerde zoals ik zoveel anderen had begeerd.

Ik was al heel vaak in die omstandigheden geweest, gebruikmakend van dezelfde woorden en ergens diep vanbinnen gelovend dat het deze keer anders zou zijn. Gelukkig wist ik die pijnlijke illusie altijd op tijd van me af te zetten en gaf ik me over aan het genieten van de erotische belofte van het moment. Maar Juan, die zonder een woord te zeggen tegenover me zat, belemmerde het natuurlijke verloop van de dingen. Terwijl ik mijn adem inhield, kleedde ik me snel uit, zonder er een verleidingsspelletje van te maken, en stond op van het bed. Heel even voelde ik me een idioot, maar daarna was het alsof ik naar een onbekende plek sprong en die sprong had een bevrijdende lichtheid.

'Je bent zwanger,' merkte hij op. 'Tien, elf weken?'

Op Juans gezicht was tederheid, bewondering, verlangen te lezen. Ik had me in een blinde opwelling uitgekleed, maar nu zag ik aan zijn blik welke energie mijn lichaam uitstraalde. Mijn volle borsten en de kleine vorm in mijn buik liepen over van leven.

'Twaalf,' bevestigde ik.

Hij omhelsde me. We bleven een hele tijd staan, ik met mijn handen stevig vastgeklampt aan de revers van zijn colbert, mijn hoofd op zijn schouder, verenigd in die omhelzing. De stilte die ons omhulde, was geladen met gevoelens die voor Juan even vreemd moesten zijn als voor mij. Hij was de eerste die mijn geheim kende. Het was me zelfs gelukt, door te vermijden dat hij mijn naakte lichaam zou zien, het voor Ignacio verborgen te houden.

Toen ik 's morgens wakker werd stond Juan, al aangekleed, naar me te kijken.

'Ik heb nog een afspraak met een collega voordat ik vertrek. Mijn vliegtuig gaat om twaalf uur. Je kunt hier wel blijven. Ik heb geen tijd meer om terug te komen.'

Toen pas drong het tot me door dat zijn koffer en een grote bouwdoos van een modelvliegtuig bij de deur stonden. Ik richtte me enigszins beduusd op in bed.

'Op het nachtkastje ligt mijn visitekaartje.' Hij gaf me een kus. Met onze gezichten dicht bij elkaar voegde hij eraan toe: 'Ik zou je niet uit het oog willen verliezen.'

'Ik jou ook niet.'

'Op het kaartje staat mijn e-mailadres. Je baby komt in april, hè? Wat ben je van plan te gaan doen?'

Het was de eerste vraag die Juan me stelde over de baby en zijn toekomst.

'Doorgaan met waar ik mee bezig ben tot hij geboren wordt. Ik wil mijn studie afmaken en daarna teruggaan naar Chili.'

'Heb je iemand die je daarbij helpt?'

Uit het feit dat ik de nacht met hem had doorgebracht, moest hij wel afleiden dat er niemand thuis op me wachtte.

‘Edith,’ zei ik.

‘En nog iemand anders? Edith zal een flinke tijd moeten herstellen.’

‘Dat zeg je omdat je me niet kent. Ik heb me altijd kunnen redden.’ Dat zei ik zonder ironie, want het was waar.

‘Ik wil dat je me iets belooft. Oké?’

Ik knikte.

‘Ik wil dat je me van alles op de hoogte houdt. Ik ken wel een paar artsen in Barcelona die je kunnen helpen. Met wat dan ook, hoor je wat ik zeg?’

Zijn bezorgdheid leek oprecht en ontroerde me. Hij gaf me nog een kus, pakte zijn koffer en de bouwdoos met het vliegtuig, en vertrok.

Ik stond op en ontbeet bij de televisie. Toen ik klaar was, bestelde ik nog meer koffie, toast, fruit en cornflakes.

Tegen de middag ging ik op bezoek bij Edith. Haar hoofd werd ondersteund door kussens en haar verbonden armen lagen op de witte sprei. Ik was gewend mijn wederwaardigheden met haar te delen, maar deze keer vertelde ik niets over Juan. Ik wilde wat er gebeurd was niet bezoedelen met onze ironische lachbuien. Maar wat was er eigenlijk gebeurd? Ik dacht terug aan onze omhelzing, naakt tegen hem aan in de hotelkamer. De indruk dat ik tegenover een voorzichtige en onhandige minnaar stond die geen seconde vergat dat onder mijn huid nieuw leven groeide. Dus wat bracht me dan in verwarring? Misschien juist dát. Juan leek de draagwijdte van dat wezen in mijn buik beter te begrijpen dan ik. Ik had het al zoveel weken verborgen gehouden dat het, ondanks dat het voortdurend groeide, in plaats van concreter te worden in mijn bewustzijn steeds vager werd. Door rekening te houden met de ruimte die het tussen ons innam, maakte hij het reëel. Plotseling had ik begrepen dat hij geen man was met een vlotte babbel, maar iemand met een onwankelbare kalmte en overtuiging. Ik verlangde terug naar zijn van elke gretigheid verstoken blik.

Ik nam afscheid van Edith en liep door de met toeristen bevolkte straten van Barcelona. Hoewel ik daar al jaren woonde, was die stad nooit de mijne geworden, en nu nog minder dan ooit. De honderden toeristen aan de tafeltjes van de cafés langs de Ramblas, de fietsen, de talen, alles vervlocht zich tot een dicht netwerk dat me nog meer van de wereld scheidde. Maar was niet iedereen net zo eenzaam als ik? Ik had de indruk dat de ontmoetingen tussen mensen niet meer waren dan toevallige raakpunten. Vroeg of laat zou ieder weer zijn eigen weg gaan. Zelfs als die ontmoetingen een heel leven duurden, zou je aan het eind het moeilijkste stuk alleen afleggen. En dat principe, dat van minuut tot minuut in mijn bewustzijn opdook, maakte elk werkelijk contact onmogelijk. Dat was ook wat ten grondslag lag aan de relaties die ik tot dan toe had gehad en wat die uiteindelijk had verstikt. En dat leven dat ik in mijn buik droeg, zou dat ook zijn tijdklok met zich meebrengen? Zou het moment van verwijdering onvermijdelijk zijn? Ik had totaal niet dat gelukzalige gevoel, dat onmiddellijke besef van de Zin van het Leven, dat zwangerschap en moederschap verondersteld worden met zich mee te brengen. Onder het lopen legde ik mijn hand op mijn buik.

Ik kwam vroeg aan bij La Goleta. Roberto was er al. We zetten een paar stoelen op het trottoir en een mand met mandarijnen. Ons gesprek in de beschermende lucht van de namiddag hielp me mijn rusteloze gevoelens te temperen. Terwijl we mandarijnen aten, vertelde hij over zijn leven op de Canarische Eilanden, verhalen over zee en zand die me heel even mijn zorgen deden vergeten. De avond kleurde violet boven de straatlantaarns. We gingen naar binnen. Toen de eerste gasten arriveerden, besefte ik dat ik niet in staat was ze met de gebruikelijke glimlach te ontvangen. Ik voelde me zwak. Vandaar dat, toen ik Juan om zich heen kijkend in de deuropening van het restaurant zag verschijnen, ik het gevoel had dat ik ging vallen.

'Hallo,' groette hij volkomen natuurlijk toen we tegenover elkaar stonden.

'En je vlucht?'

'Ik heb een andere gevonden die morgen vertrekt.'

En weer gingen we de straat op. Hij legde zijn arm om mijn schouders en we liepen de stad in. Plotseling bleef hij midden op het trottoir staan en maakte zich van me los.

'Zou je een cadeau van me willen aannemen?'

Hij overhandigde me een open ticket voor Chili. Ik kon het gebruiken wanneer ik wilde. Ik sloeg het niet af, maar ik vloog hem ook niet meteen om de hals en ik kuste hem ook niet. Op zijn gezicht meende ik bezorgdheid te zien doorschemeren. Hij sloeg zijn ogen neer.

'Ik wilde ook dat je wist dat ik sinds de dood van mijn vrouw, twee jaar geleden, met geen enkele vrouw ben uitgeweest,' zei hij langzaam, zonder op te kijken.

'Ben ik de eerste die...?'

'Ja.'

Hij keek me aan met die beheerste blik in zijn ogen, waarachter zich, naar ik vermoedde, een man verborg die ooit net als ik schipbreuk had geleden.

'Je kent me niet. Je weet niet wie ik ben,' prevelde ik.

'En jij hebt geen enkel verantwoordelijkheidsgevoel. Hier heb je een ticket. Zodra je naar Chili wilt, doe je dat, punt uit. En als je er bent en zin hebt, kun je me bellen. Dat zou ik heel fijn vinden,' voerde hij fel aan.

'Waarom doe je dit?'

'Er is toch niets verkeerds aan dat iemand je een beetje helpt?'

Die tweede nacht dat we samen waren, vertelde Juan me dat zijn vrouw was overleden aan een hersenbloeding. Hij zei dat hij toen alles in twijfel begon te trekken wat hij voor waar had gehouden, en dat hij zelfs vraagtekens plaatste bij het bestaan van God. Een toestand van leegte, van ontreddering, waarin hij nooit had gedacht te kunnen vervallen.

De beslissing om terug te keren naar Chili kwam niet ongelegen. Met zijn cadeau had Juan me nieuwe energie gegeven.

Een vertrouwen in mezelf en in de rest van de wereld dat ik al heel lang niet had gevoeld. De eerste paar weken kwam Ignacio nog regelmatig naar La Goleta, maar daarna verdween hij voorgoed. Hij heeft nooit iets gemerkt van mijn zwangerschap, die tot de vierde maand vrijwel onzichtbaar was. Ik maakte mijn korte film af en deed mijn laatste literatuurexamens. In zeven maanden bereikte ik wat ik in de afgelopen jaren niet voor elkaar had gekregen. Lola werd geboren in Barcelona. Edith, ondanks het feit dat ze maar langzaam herstelde, hielp me de eerste tijd. Intussen leerden Juan en ik elkaar beter kennen via onze e-mails. Hij vertelde op een eenvoudige, grappige manier over zijn dagelijkse beslommeringen en informeerde slechts zelden naar mijn plannen om terug te keren. Toen Lola drie maanden was en ik eindelijk mijn diploma's kreeg, besloot ik dat de tijd gekomen was.

Ik herinner me dat Edith me naar het vliegveld bracht en bij het afscheid tegen me zei: 'Nu je moeder bent, zul je jouw moeder beter gaan begrijpen, dat zul je zien.'

Het viel me op dat ze mijn moeder noemde. Ik had het nooit over haar gehad en dat was vast en zeker de reden dat ze aanvoelde hoe moeizaam onze relatie was.

Mijn oude vriend Matías, met wie ik de eerste jaren in Barcelona had gedeeld, ontving me met open armen. Hij had een filmproductiemaatschappij opgericht en was net begonnen met zijn eerste speelfilm. Een paar dagen na mijn aankomst had ik al een appartement gevonden en werkte ik voor zijn bedrijf.

Het hernieuwde contact met Juan verliep geleidelijk. Omdat ik bang was voor een mislukking wilde ik geen overhaaste beslissingen nemen. Toch ging ik op een dag in op zijn vele malen herhaalde voorstel om te gaan samenwonen en trok ik bij hem in. Een paar maanden later pakte ik de telefoon en belde mijn moeder.

'Maná, ik ben in Chili en ik heb een dochter. Ze heet Lola,' waren mijn eerste woorden.

In die jaren hadden we elkaar sporadisch geschreven; mijn brieven waren sober en gaven alleen informatie over dingen die me onverschillig lieten. Mijn moeder zei niets en even later hoorde ik haar huilen aan de andere kant van de lijn.

'Je zult me nooit vergeven, hè?' vroeg ze.

Ik keek om me heen. Lola lag te slapen op de sprei van mijn bed. Ik besefte dat de woede nog altijd in me zat, maar dat ik nu een plek had waar ik die kon wegstoppen.

'Als je wilt, kun je komen om je kleindochter te leren kennen,' zei ik.

Gaandeweg begon de tijd de scherpe kantjes van het ongeduld te verliezen; ik hoefde niet meer zo nodig ergens anders heen of iets nieuws te bereiken, omdat elke dag, met zijn duizenden details, me losmaakte van mezelf en de eenzaamheid verdreef. Ik was vastbesloten me vast te klampen aan het zichtbare, het onloochenbaar reële, en alles wat onzekerheid en verlies met zich meebracht uit de weg te gaan; ik zou niet gevangen blijven zitten in een draaikolk van natuurdriften, zoals mijn moeder. Het kon me niet schelen dat de rust van mijn nieuwe leven ver af stond van de vroegere hartstochten, van die duizelingwekkende bevliegingen die na een tijdje in mijn gezicht ontploften. En als Juan me 's nachts omhelsde, wist ik zeker dat hij, in al zijn gereserveerdheid, hetzelfde voelde.

≈

Mijn pyjama is nat. Ik ga rechtop zitten. De hoofdpijn is gezakt. Op straat passeert een snelle auto. Ik heb niet de kracht om op te staan en de kinderen welterusten te wensen. Ik haal mijn mobiel uit mijn tas. Zes gemiste oproepen van Leo.

18.⧗

Terwijl ik met de roltrap naar beneden ga, valt het ochtendlicht door de grote ramen naar binnen. De renovatie, met die reusachtige platen van gewalst glas en die stalen pijpen, geeft het ziekenhuis de merkwaardige aanblik van een luxueus winkelcentrum.

Zoals elke dag om deze tijd staat Karina de doorzichtige muur van het café schoon te maken. Haar te zien, met haar glimlach en die kuiltjes in haar wangen, geeft me weer een goed gevoel. Meestal praat ze met me over de nieuwe technieken die ze leert tijdens haar avondstudie verpleegkunde. Maar deze keer haalt ze, na me te hebben gegroet, een cadeau uit de zak van haar schort en geeft het me.

'Dit is voor u. Maar u mag het nog niet openmaken.'

'En waarom geef je me een cadeau?'

'Dat zult u wel zien!' zegt ze, terwijl ze met haar schoonmaakspullen wegloopt door de gang.

Als Alma naar het ziekenhuis komt, gaat ze altijd even bij haar langs. Ze zegt dat Karina moeite zou hebben te geloven wat voor positieve invloed ze op mensen heeft; en ze heeft gelijk, zoals met zoveel dingen. Ik herinner me de droom van een paar nachten geleden: Soledad en Alma die samen van me wegvaren.

Als de deuren van de lift op de derde verdieping opengaan, sta ik plotseling tegenover Emma. Ze heeft een zwarte broek en een lichtblauw mannenoverhemd aan, en haar haar is samengebonden in een paardenstaart, een combinatie die haar iets jeugdigs geeft. Maar haar gezicht is gespannen.

'Cristóbal heeft koorts. Wat betekent dat?' vraagt ze, waarbij ze haar best doet zich te beheersen.

'Ik zal even gaan kijken. Maar maak je nu niet meteen zorgen.'

Terwijl we door de gang lopen, zegt ze dat ze vindt dat Cristóbal achteruitgegaan is en dat zijn zweet koud aanvoelt. In de wachtkamer zie ik haar moeder en haar zus zitten. Twee magere en overdreven opgetutte vrouwen, die hun eeuwige geklets alleen onderbreken om een afkeurende blik te werpen op alles wat binnen hun gezichtsveld komt. De dienstdoende verpleegster staat me in de gang op te wachten.

'Wacht even een paar minuten buiten,' zeg ik tegen Emma, en ik ga met de verpleegster de kamer van haar zoon binnen.

Cristóbal ligt met zijn armen slap langs zijn lichaam en zijn ogen halfopen. De verpleegster vertelt me dat hij 37,2 heeft. Hoewel dat klinisch gesproken geen verontrustende temperatuur is, moet elke afwijking in het ziekteverloop argwaan wekken.

'Ik heb zojuist een cadeau gekregen van een meisje. Ik weet niet wat ik daarvan moet denken,' zeg ik tegen Cristóbal.

'Ik heb ook een keer een cadeautje gekregen van een meisje uit mijn klas. En weet u wat het was? Konijnenpoep,' verklaart hij, en hij begint te hoesten.

Het is duidelijk dat de inspanning hem hindert. Hij knijpt zijn ogen dicht en doet ze dan weer open, alsof hij op zoek is naar een ander decor. Cristóbal weet wat pijn is, hij heeft er een deel van zijn leven mee moeten leven, net als de meeste kinderen met een aangeboren ongeneeslijke ziekte. Ik ben steeds weer verbijsterd over hoe stoïcijns ze die pijn verdragen, alsof het een wezenlijk onderdeel vormt van het leven.

'Dat meisje uit je klas is duidelijk niet erg aardig. Ik heb mijn cadeautje nog niet uitgepakt. Zullen we het samen doen?'

'Ja. Maar aan het formaat te zien, denk ik niet dat het erg interessant is.'

Ik zie dat hij het benauwd heeft. Hij moet vaker ademhalen tussen de woorden.

'Laat me eerst je handen eens zien.'

Zijn vingers beginnen een blauwachtige kleur te krijgen. Ik

til de dekens op om naar zijn voeten te kijken. Ik constateer dezelfde tendens. Het is niet normaal, maar het behoort tot de mogelijkheden. De postoperatieve intubatie en de incisie voor de beademing kunnen infecties veroorzaken.

'Ik ga je vragen even diep adem te halen. Doet dat pijn?'

'Een beetje.'

In tegenstelling tot volwassenen die je bestoken met vragen, denken kinderen als ze gevaar voelen naderen liever aan andere dingen. Ze ontkennen de werkelijkheid door die te laten verdwijnen.

De eerste keer dat Cristóbal in mijn spreekkamer kwam, keek hij bijna niet op van zijn computerspelletje. Toen hij me op een gegeven moment aankeek, zag ik in zijn gezichtsuitdrukking de diepst mogelijke minachting. Hij was al duizend keer in diezelfde omstandigheid geweest – iemand die hem beloofde dat hij beter zou worden – en onderweg had hij alle hoop verloren. Maar zijn uitdrukking duidde niet op een nederlaag, integendeel, die was uitdagend en volwassen; je zou zelfs kunnen zeggen dat zijn ouders nog in slaap gesust werden door hun goedgelovigheid, terwijl hij de wreedheid van het leven al had ontdekt. Bij onze volgende ontmoetingen waren al mijn inspanningen gericht op het doorbreken van zijn pantser. Dat was een langzaam proces. Wat Cristóbal met zijn verzet probeerde in te schatten was niet het gevaar van de operatie, maar mijn betrokkenheid bij hem.

'We gaan nog een keer je temperatuur opnemen, oké?'

Cristóbal tilt zijn geïmmobiliseerde arm op en wijst: 'Ik wil uw cadeautje zien.'

Ik merk dat hij onrustig is. De moeite die hij heeft met ademhalen maakt hem angstig en gespannen. Terwijl de verpleegster zijn temperatuur opneemt, bekijk ik het nachtrapport. Als ze me de thermometer laat zien, stel ik vast dat die gestegen is tot 38,1. Ik geef Cristóbal het in cadeaupapier verpakte doosje dat ik van Karina heb gekregen.

'Maak jij het maar open. Je bent al gewend aan dit soort verrassingen.'

Hij richt zich moeizaam op. Zijn borst doet meer pijn dan hij bereid is toe te geven. Hij maakt het pakje open met zijn lange vingers. Zijn haar zit netjes. Emma heeft zich vanmorgen vast en zeker om dit detail bekommerd.

'Te gek,' zegt hij, terwijl hij een kleine fles met een houten bootje erin omhooghoudt.

'Ik kan het je niet cadeau doen, want dat zou onaardig zijn tegenover het meisje van wie ik het gekregen heb, maar we kunnen het op je nachtkastje laten staan zolang je nog in het ziekenhuis ligt.'

'Afgesproken,' stemt hij in, en hij doet zijn ogen dicht.

Ik vraag de verpleegster hem wat bloed af te nemen. Als ze weg is, blijf ik nog even bij hem staan. Ik weet dat Emma aan de andere kant van de deur op me wacht. Ik wil zeker zijn van de woorden die ik ga gebruiken om haar – zonder haar ongerust te maken – op de hoogte te brengen van mijn vermoedens. Wat dat betreft bestaan er geen loze gebaren. Als je tegenover een moeder laat doorschemeren dat het goed komt met haar kind, weet je dat je op dat moment haar toekomstperspectief hebt veranderd. Daarom moeten je woorden oprecht en tegelijk voorzichtig gekozen zijn.

Al van jongs af heb ik gedacht dat een van de manieren om het persoonlijke debacle te voorkomen, is door je te richten op iets wat overzichtelijk en haalbaar is. Iets waarin je concreet en zinvol werk kunt doen. Dat was een van mijn eerste zekerheden en is van doorslaggevende invloed geweest op mijn besluit om medicijnen te gaan studeren. Waar ik nooit rekening mee had gehouden, is dat die concrete gebaren, die mijn existentiële dilemma's moesten oplossen, een eindeloze hoeveelheid onzekerheid en droefheid met zich mee zouden brengen. In elk geval is een luchtweginfectie geen bemoedigend teken. Niet wanneer je een zwak lichaam en een nieuw hart hebt, waarvoor je immunosuppressieve middelen moet slikken.

Als ik de kamer uit kom, staat Emma de verpleegster te ondervragen. Ik vraag haar met me mee te lopen door de gang.

'Waarschijnlijk heeft Cristóbal een longontsteking opgelopen. We zullen een paar onderzoeken moeten doen om daar zeker van te zijn,' leg ik haar uit.

'En wat betekent dat?' Er verschijnen rode vlekken op haar bleke gezicht, alsof ze plotseling ergens allergisch voor is geworden.

'Emma, niet meteen schrikken, we hebben nog geen bevestiging. En als het zo mocht zijn, zullen we de oorsprong van de infectie opsporen en hem vervolgens behandelen met medicijnen.'

Emma slaat een hand voor haar mond, alsof ze probeert een gaap te onderdrukken.

'Zodra we met de behandeling beginnen, kan deze heel goed aanslaan, dat is het meest waarschijnlijke.'

'Het meest waarschijnlijke?' vraagt ze ironisch.

'Ja, natuurlijk. Maar ik kan niet verhullen dat er bij dit soort processen altijd een zeker risico is. We zullen een röntgenfoto van zijn borstkas maken. En als we iets afwijkends vinden, doen we een bronchoscopie.'

Ik leg haar uit wat dat is. Emma kijkt me aandachtig aan, zonder een woord te zeggen. Ze blijft me aankijken terwijl ze haar mobiel uit haar zak haalt.

'Isaac, het gaat niet goed met Cristóbal,' zegt ze. 'Het is beter als je komt.'

Ik laat haar achter in de gang. De dienstdoende verpleegster treft voorbereidingen voor de onderzoeken. Met haar woorden heeft Emma het alarm laten afgaan.

's Middags is de diagnose duidelijk. De röntgenfoto laat links een basale verdichting zien, een teken van een mogelijke bacteriële longinfectie. De bronchoscopie en het bacteriologisch onderzoek bevestigen de aanwezigheid van klebsiella. Hij krijgt antibiotica en het schijnt dat zijn benauwdheid wat minder is geworden. Nu slaapt hij onder invloed van de pijnstillers. We hebben besloten hem niet aan de beademing te leggen, tenzij het niet anders kan. Dat zou namelijk betekenen dat we hem voortdurend onder sedatie moeten houden.

Men gaat ervan uit dat kennis met de jaren toeneemt, en dat tegelijk de ruimte voor onzekerheid steeds kleiner wordt. Maar hoe meer kennis ik vergaar, hoe groter de dilemma's worden en hoe talrijker de vragen, en dat gaat soms zelfs zover dat het me volledig verlamt. Wat zou ik graag willen dat ik tegen Emma kon zeggen dat het goed komt met haar zoon. Maar het enige wat ik zie, zijn de honderden onvoorspelbare variabelen die Cristóbal op dit ogenblik in leven houden en die elke minuut onherroepelijk kunnen veranderen.

19.♐

Papa en Alma zijn nog steeds boos en dat is mijn schuld. Toen de bus me vanmorgen afzette bij school lukte het me dan ook niet om naar binnen te gaan. Ik draaide me om en liep naar het plein waar ik altijd naartoe ga als ik me zo voel. Hier heb ik de hele dag gezeten. Ik haal mijn lunchpakket uit mijn tas en spreid alles uit op de bank het verst van de straat. Het plein is verlaten, met uitzondering van een zwarte kat die zijn snor zit te likken als een minipanter. Een paar kinderen steken rennend de straat over. Ze zijn vast aan het spijbelen, net als ik. Ze lachen, springen en slaan elkaar op de schouder. Ik hou er niet van om alleen te zijn, maar om een vriendje te krijgen zou ik heel veel moeite moeten doen, en de kans is groot dat het me niet eens zou lukken. Daarom denk ik liever aan mijn volgende negen ontdekkingen.

Mama heeft zelfmoord gepleegd. Dat is de eerste. Maar hoe kom ik aan de volgende? Misschien door dingen met elkaar te verbinden die ik weet en die me eerst niet zo belangrijk leken. Bijvoorbeeld dat papa nooit over haar praat; bijvoorbeeld dat van alle spullen die mama had, papa alleen de foto heeft bewaard die ik uit zijn la heb gehaald; bijvoorbeeld dat de weinige keren dat iemand mama noemt, opa moet slikken alsof hij een pad heeft opgegeten; bijvoorbeeld dat we nooit mijn oma van mama's kant hebben opgezocht in Buenos Aires, zelfs niet toen opa doodging. Eén keer heb ik papa naar hen gevraagd, en hij vertelde dat ze na mama's dood hadden besloten terug te gaan naar Argentinië, waar oma was geboren.

's Middags wacht ik voor de deur van school op de schoolbus. Niemand vraagt waar ik ben geweest. Ik ben onzichtbaar en dat vind ik best. Als ik thuiskom zet ik mijn computer aan.

`Luister s fuile klotebabie flikker op naar je mamie die sofeel van je hout hihii..... as je niks te doen heb ga je maar naar je sgriffies die je enigste vrientjes zijn... ..!!!!.. hahaha ha arme sielepoot...`

Ik heb hun berichten al duizend keer gezien, maar ik voel me toch steeds weer rot, alsof ik een hopeloos geval ben. Ik doe wat ik altijd doe: iets verschrikkelijks voor ze bedenken. Deze keer stel ik me voor dat een dief 's nachts hun huizen binnendringt en hun ogen uitsteekt.

Ik ga naar beneden om in de keuken een glas melk te drinken. Het mobieltje van Yerfa doet pii pii en trilt, alsof ze een levend vogeltje in haar zak heeft. Ze neemt op en ik ga terug naar mijn kamer. Ik typ op Google de naam in van mijn opa. `Adolfo García Izquierdo`. Er zijn geen resultaten voor Adolfo García Izquierdo. Mijn opa heeft nooit iets gedaan wat de moeite waard is om door Google opgemerkt te worden. Papa heeft 648 resultaten. Ik typ de achternaam van mijn oma in: `Bulygin`. Er verschijnen 591 resultaten, en in veel daarvan komt een meneer Arnold Bulygin voor. Ik open de eerste:

Arnold Bulygin, 1903-1986. Oprichter van de Santa-Anaschool, een van de eerste en belangrijkste scholen voor meisjes in Buenos Aires. Onvermoeibare leerkracht. Heeft honderden van onze markantste vrouwen gevormd. Wij, de volgelingen van zijn grote nalatenschap, gedenken op 4 november om 19.00 uur in de kapel van de school dat hij twintig jaar geleden is overleden.

De oproep is getekend door heel veel mensen, onder wie mijn oma: Perla Bulygin. De kans is groot dat Arnold Bulygin mijn overgrootvader is. Ik lees nog een paar resultaten. Biografische gegevens, stukken die hij geschreven heeft over onderwijs en opvoeding, en daarna nog wat dingen over de school die hij heeft gesticht. Ik neem op:

Tweede ontdekking: De opa van mama was de oprichter van een school voor meisjes in Buenos Aires die Santa Ana heet.

Ik ga naar de blog van Mr. Thomas Bridge. Hij staat voor zijn camera te praten en zegt dat hij niet eerder weg zal gaan dan wanneer hij zeker weet dat de pers daar vertrokken is. Hij heeft alleen een minuscuul zwembroekje aan. Hij ziet er belachelijk uit. Hij zegt dat als hij zo gekleed in die uithoek van de wereld zou blijven, hij binnen achtenveertig uur dood zou zijn. Op dezelfde manier zou elke inbreuk op het leven van de alacalufe-indianen hun dood betekenen. Mr. Thomas Bridge praat door. Op zijn blog staat een e-mailadres om met hem in contact te komen. Ik schrijf:

Mijn naam is Tomás Montes. Mijn beste vriend is afkomstig van het eiland Lennox en we maken ons allebei zorgen om de familie die u heeft gevonden. We zouden u graag willen helpen bij uw missie, maar eerst moeten we een paar problemen oplossen. Negen, om precies te zijn. Hoe dan ook, aarzelt u niet contact met me op te nemen als u denkt dat we u kunnen helpen.
PS: Als u me een adres stuurt, zal ik u met alle plezier een tekening sturen.
Met solidaire groeten,
Tomás Montes.

Die 'solidaire groeten' vind ik mooi. Ik druk op 'send'.

Als ik uit het raam kijk zie ik Het Minderwaardige Babynijlpaard voor de deur van zijn huis staan. Om de twee minuten gooit hij een steen. Na twaalf minuten kijkt hij naar me en laat me een schelp zien die hij in zijn hand houdt. Ik doe het raam open en zwaai naar hem.

'Als je wilt, laat ik je morgen de rest zien, ik heb er een heleboel,' schreeuwt hij naar me.

'Ik hou ook van schelpen!'

'Morgen dan?'

Ik steek mijn duim op en hij gaat met zijn nijlpaardenpas naar binnen.

In de lucht verdwijnt een zwerm vogels achter de dikke laag wolken. Ik ben een beetje jaloers op trekvogels, ze hebben geen verplichtingen en gaan altijd naar een plek waar de zon schijnt.

20. ♒

Terwijl ik naar de productiemaatschappij rijd, krijg ik een tekstbericht op mijn mobiel. Ik wacht op een rood stoplicht om het te lezen. Het is van Leo: *Ik heb voor jou geleerd dit ding te bedienen. Wat moet ik aan met dat hevige verlangen om je te zien?*

Ik herinner me dat hij schrijver is en maar al te goed het effect van woorden kent; hij weet ze naar believen te kiezen en te combineren om de resultaten te krijgen die hij wil. Bij hem zit er in woorden minder waarheid dan bij andere stervelingen. Maar dat doet er niet toe. Ik heb hem niet om bewijzen voor zijn liefde gevraagd en ik hoop die ook nooit van hem te hoeven eisen. Als ik op het punt sta verder te rijden te midden van de stroom auto's, zie ik tot mijn verbazing de vriend van mijn moeder die op het trottoir aan de overkant in druk gesprek is gewikkeld met een wulpse jonge vrouw.

♒

Ik blijf tot laat in de middag bezig met de scènes die ik gisteren had moeten afmaken. Vanmorgen wilde Matías weten wat er met me was. Hij vond dat ik magerder was geworden. Sinds de bruiloft van Miguel eet ik nauwelijks nog. Hij vroeg ook of ik Leo sindsdien nog had gezien, en ik zei van niet. Ik voelde een steek in mijn maag toen ik besefte dat ik begonnen was met liegen.

Ik bekijk de opnames die ik heb gemonteerd. Met mijn blik strak op het scherm gericht beginnen de beelden voor mijn ogen te bewegen; gezichten en plaatsen fungeren als achtergrond voor mijn gedachten. Ik denk aan Lola, aan Tommy, aan Juan. Een heel klein deel van die uitgestrekte buitenwereld dat van mij is, en waaromheen al het andere altijd ordening en betekenis kreeg. Een bestaan waar ik hevig naar had verlangd, de wraak op mijn geschiedenis, op mijn moeder. Wat is dan die drang die maakt dat ik neerkijk op wat ik heb om op zoek te gaan naar iets onzekers? Waarom wil ik de gevoelens die Leo bij me oproept niet onderdrukken?

Ik graaf in mijn herinneringen met Juan en probeer een vergelijkbare emotie te ontdekken. Die is er vast en zeker ooit geweest, verborgen achter de honderden praktische zaken die we moesten oplossen toen ik in Chili aankwam: Tommy leren kennen, elkaar langzaam gaan vertrouwen, me aanpassen aan een familie van wie ik de gedragscodes niet kende, een omzichtig begin maken met de verzoening met mijn moeder. Ergens moest zich de energie bevinden die je volledig door elkaar schudt. Maar ik miste die niet. Ik had genoeg aan de kalme liefde die ons verbond. Het was niet zozeer het huwelijk waar ik warm voor liep, als wel de verwezenlijking van het idee van mezelf dat ik al van jongs af gekoesterd had.

Plotseling krijgt mijn voorstelling van wie ik ben en welke plek ik inneem op de wereld iets ijls, net als de bewegende silhouetten op de monitor. Ik stel me voor dat alles nog mogelijk is, dat mijn openstaande rekeningen met de toekomst nog niet zijn vereffend, dat Lola en Tommy niet bestaan. Ik schrik dat ik in staat ben dat te denken, en dat ik daar ergens diep vanbinnen ook nog echt naar verlang.

Als ik de productiemaatschappij verlaat, voel ik me moe. Onderweg gaat mijn mobiel. Ik huiver. Met mijn blik op de weg neem ik op. Als ik de moeite had genomen om op het schermpje te kijken, zou ik hem hebben laten overgaan.

'Alma, lieverd, ben je daar?'

'Ja, Maná,' antwoord ik op vermoeide toon.

'Ik heb vis à la florentine gemaakt. Wil je niet bij me komen eten? Ik heb zelfs gedroogde tomaten kunnen krijgen.'

'Maná, is er iets met je?' Haar uitnodiging verbaast me.

'Nee, niets. Ik had alleen voor Bruno gekookt en hij belde net dat hij niet kan komen.'

Het bekende verhaal. Mijn moeder die me wil gebruiken om haar frustraties te verzachten.

'Ach, ik kan niet. Juan en de kinderen zitten thuis op me te wachten. Maar waarom bel je niet een van je vrienden, er is er vast wel een die graag bij kaarslicht met je wil eten.'

Ik ben meestal niet zo hard, maar mijn gevoelens komen met verbazingwekkend gemak bovendrijven. Mijn moeder antwoordt niet. Ik herinner me dat ik Bruno heb gezien met een meisje dat half zo oud was als hij en ik heb medelijden met haar.

'Sorry, maar ik kan echt niet. Ik bel je morgen, oké?'

'Ik heb vandaag een ansichtkaart van Edith gekregen.'

'En wat weet jij van Edith?' reageer ik op iets te felle toon.

'Je hebt het wel eens over haar gehad.'

'Maar hoe komt ze dan aan jouw adres?' vraag ik bits.

'Dat zul je haar wel een keer gegeven hebben.'

Wat ze me vertelt is een verspreking waar ze meteen spijt van heeft. Haar stem verraadt haar. Ik weet zeker dat ik het nooit met haar over Edith heb gehad. Ze behoren tot gescheiden werelden. Edith maakt deel uit van het leven dat ik voor mezelf heb opgebouwd. Ondanks de woede die bij me opkomt, moet ik inwendig glimlachen, omdat ik met de enige persoon praat die er alles voor over zou hebben me in de armen te zien van een andere man dan mijn eigen man. Het zou de laatste voetnoot zijn bij haar eeuwige preek over de farce van de huwelijkstrouw; volgens haar een verzinsel van de mens om het machtigste en daarom meest bedreigende pathos, het verlangen de ander te bezitten, te onderdrukken.

'Nee, Maná, ik heb je nooit Ediths adres gegeven.'

'Dan zou je het haar moeten vragen.'

'Je verbergt iets voor me.'

'Ach, Alma, bij jou wordt altijd alles ingewikkeld. Ik moet ophangen, anders brandt mijn eten aan. Bel me maar.'

Als ik thuiskom, zitten Juan en de kinderen pizza te eten in de keuken. Ik was vergeten dat Yerfa vannacht niet hier slaapt.

'Hallo, iedereen.' Juan werpt me een verwijtende blik toe.

'Mama, alsjeblieft, je komt nooit meer op tijd als Yerfa er niet is. Ik ben dol op pizza via de telefoon,' verklaart Lola.

Dat 'ik ben dol op' is typisch mijn moeder en uit Lola's mond klinkt het nog erger dan uit die van haar.

'Het spijt me,' zeg ik, en ik leun met mijn ellebogen op de keukentafel. 'Ik had een verschrikkelijke dag.'

Tommy geeft me een kus op mijn wang. Ik omhels hem.

'Kunnen jullie me vergeven?'

Hoewel ik in meervoud praat, richt ik me eigenlijk tot Juan. Ik weet hoe belangrijk het voor hem is dat in huis alles net zo accuraat verloopt als in het ziekenhuis. En dat probeer ik ook.

'Geloven we haar?' vraagt Juan, om beurten naar de kinderen kijkend.

'Hoe gaat het?' informeer ik, terwijl ik naast hem ga zitten.

Ik leg mijn hand op zijn dij. 'Pak mijn hand,' vraag ik hem stilzwijgend. 'Alsjeblieft. Ik ben bezig af te glijden naar een plek waar jij en de kinderen niet mee naartoe kunnen, zie je dat niet?' Maar er gebeurt niets. Ik spreek die woorden niet uit en hij pakt mijn hand niet.

'Goed,' zegt hij, en hij stopt een enorm stuk pizza in zijn mond. De kinderen doen hem na. Ze lachen.

'Ik zie dat jullie mij niet nodig hebben.'

Ik blijf naar ze kijken in de hoop dat iemand me tegenspreekt. Maar door hun bulderende gelach hebben ze me niet eens gehoord. Ik kan me niet gekwetst voelen omdat mijn man en mijn kinderen het uitstekend naar hun zin hebben zonder mij. Integendeel, ik zou me er juist goed door moeten voelen. En dat probeer ik ook wel. Juan houdt heel even mijn blik vast.

'Aan het eind van de maand is opa jarig en ik wil dat jullie hem allebei een cadeautje geven,' hoor ik hem zeggen.

Lola zegt dat ze de papieren bloemen zal maken die ze op

school bij handenarbeid heeft geleerd. Ze pakt een servetje en laat zien hoe je een bloem vouwt. Tommy knipoogt naar me, een onmerkbaar gebaar dat ik beantwoord en dat aanvoelt als balsem. Hij zit de hele tijd naar me te kijken met zijn bleke, veranderlijke gezicht.

Verschanst aan zijn kant van het bed, leest Juan een wetenschappelijk tijdschrift. Er is niets uitzonderlijks aan deze scène. Een man van middelbare leeftijd met een bril op zijn neus en een gelig licht dat op zijn gezicht valt, terwijl zijn vrouw naar het plafond staart en wacht tot hij iets tegen haar zegt. Ze weet niet of ze zich moet verontschuldigen voor haar fouten, tegen hem aan moet kruipen of zich moet omdraaien en wachten tot de nacht de wrok oplost.

'Je lijkt elke dag meer op je moeder,' hoor ik Juan met een norse gezichtsuitdrukking zeggen.

'Daar reageer ik niet op. Als je ruzie wilt maken, hoef je niet op mij te rekenen.'

'Maak je geen zorgen, je hoeft ook niet op mij te rekenen bij zaken die veel belangrijker zijn,' dient hij me op onovertroffen ironische toon van repliek.

'Wat heeft het dan voor zin zoiets lulligs tegen me te zeggen?' vraag ik zo koel mogelijk.

'Ik zeg alleen de waarheid.'

Ik ga rechtop zitten. Ik weet niet of hij gelijk heeft. Ik heb gedaan wat ik kon. Wat ik wel zeker weet, is dat ik moe word van zijn woorden.

'Als je wilt, praten we er morgen over.' Ik neem hem vanuit een ooghoek op. Ik heb dat gevoel van afkeer nog nooit eerder gehad. 'Ik ga bij Lola slapen,' besluit ik.

'Zoals je wilt.'

Ik heb lucht nodig. Ik loop de trap af, door de gang waar Tommy's tekeningen hangen. Ik blijf staan bij zijn labyrint. Een etherische Theseus zet zijn lans op het lichaam van de Minotaurus. Het is een gevecht dat geen pijn met zich meebrengt, alsof beiden na afloop van de uitbeelding van de verovering en de dood elkaar een hand zullen geven en samen naar de uitgang van het labyrint wandelen. Over de tekening loopt een lijn, de draad van Ariadne, die Tommy *de draad die de liefde eruit trekt* heeft genoemd.

'De draad die de liefde eruit trekt,' fluister ik voor me uit, en ik ga de tuin in. Het is een frisse avond en de tuinsproeiers die aan staan verlichten de stilte en mijn spanning.

HET LABYRINT
DE DRAAD DIE DE LIEFDE ERUIT TREKT
ZWAARD
MINOTAURUS

21.♐

Ik lig in bed graag onder de lakens omdat hierbinnen alles weer de plaats krijgt die het hoort te hebben. Samen met Kájef vergeet ik dan dat ik morgen weer naar school moet.

Ik hoor iemand de trap af lopen. Ik wacht gespannen. Ik hoor geluid op het terras. Ik ga de gang op en kijk door het raam de tuin in. Alma staat tussen de bomen in haar mobieltje te praten. Ik ga terug naar mijn kamer, kruip in bed en beweeg mijn rode vliegtuig boven mijn hoofd. Ik kan niet in een echt vliegtuig vliegen. Papa zei altijd: 'Als je negen wordt, neem ik je mee om te vliegen.' En toen het zover was, heeft papa woord gehouden. Hij zei dat het in een vliegtuig net zo was als in een auto en dat ik niet bang hoefde te zijn. Als ik in een kleine, afgesloten ruimte ben, begint mijn hoofd heel snel te werken en zie ik enge beelden. De dokter zegt dat het een 'fobie' is.

De avond voor mijn verjaardag lag ik ongeduldig op de slaap te wachten, omdat ik dacht dat het op die manier sneller dag zou worden. Daarna ging het helemaal mis. Zodra de motoren onder mijn stoel begonnen te dreunen, kreeg ik pijn in mijn maag en begon ik te beven. Ik deed mijn ogen dicht en neuriede een liedje. Door mijn helm heen hoorde ik papa; van heel ver weg zei hij dat we vlogen. Er klonk een scherp geluid in mijn oren en dat deed heel erg pijn. Ik wilde schreeuwen en duwde mijn nagels in de rug van mijn hand. Papa's mond ging open en dicht, maar ik kon zijn stem niet horen. Ik keek naar beneden omdat ik dacht dat ik rustiger zou worden als ik de aarde zag. De auto's bewogen zich voort als bacteriën en we waren ver weg van alles wat ik kende. Ik kon me niet meer inhouden en begon te schreeuwen. Er trok een heleboel damp traag aan mijn ogen voorbij. Alles was blauw en grijs. Ik bleef schreeuwen, maar dat was ik niet die schreeuwde. Ik kon mezelf niet eens horen. Kronkelende paden met kevers, grote donkere stukken land, weerkaatsingen van de zon. Ik voelde een warme vloeistof tussen mijn benen lopen. Zonder me aan te kijken pakte papa een plastic zak en gaf die aan me. Even later was ik aan het overgeven. Papa maakte nog een paar rondjes voordat we daalden. Ik hoorde zijn stem: 'Hier victor alpha, charlie romeo, vluchtplan Tobalaba, verzoek SS voor Tobalaba, hoogte 17.500 voet.'

'Ik denk dat ik een ander verjaardagscadeau voor je zal moeten kopen,' zei hij toen we geland waren, en daarna streek hij met zijn hand over mijn hoofd.

Ik heb het koud, alsof iemand een reusachtig stuk ijs in mijn aderen heeft gestopt zodat ze niet meer functioneren. Alma is nog altijd in de tuin. Ik weet zeker dat ze met de man praat die haar thuis heeft gebracht. Ik laat mijn rode vliegtuig weer vliegen. Brrrr brrrr. In een opwelling gooi ik hem tegen de muur. Het vliegtuig valt op de grond met een kapotte vleugel. Een paar schroeven rollen over de vloer. Hoe heb ik dat nou kunnen doen? Waarom heb ik er niet aan gedacht dat ik eerst tot tien moet tellen? Is dit de manier waarop rampen gebeuren? Staan ze ergens beschreven op een plek die ik niet ken? Als dat zo is, hoef je die plek alleen maar te vinden en met een gigantische gum de ogenblikken uit te gummen die de dingen waar ik het meest van hou kapotmaken.

Ik denk dat mama zich op een gegeven moment verdrietig of boos moet hebben gevoeld, net als ik nu, en dat ze al dood was voordat ze er spijt van kon hebben. Maar wat kan haar zo ongelukkig hebben gemaakt dat ze vergeten is tot tien te tellen?

22.♒

Vanaf het terras kan ik het verlichte zwembad zien en daarachter het uitgestrekte grasveld, tot waar het in het donker verdwijnt. Ik zoek het nummer van Leo dat nog in mijn mobiel zit en stuur hem een sms: '*er liep een zwarte kat door mijn tuin.*' Even later krijg ik zijn antwoord: '*kun je praten?*' '*ja,*' schrijf ik. Ik hoor zijn stem: 'Alma waar zat je?'

Ik kan hem mijn zorgen niet vertellen. Als Juan mijn hand had gepakt, zouden we nu waarschijnlijk niet eens met elkaar praten. Dat wil ik tenminste graag geloven.

'Ik ben in de tuin. Wat ben je aan het doen?'

'Ik lees.'

'Leo leest.' We lachen allebei. 'Vandaag vroeg Matías of ik je had gezien en ik heb nee gezegd.'

'Waarom?'

'Ik weet het niet. Ik schaamde me.'

'Om wat er is gebeurd?' Ik merk dat hij nerveus is, net als ik.

'Ja.'

'Maar dat was toch geweldig. Ik heb er de hele tijd aan gedacht.'

'Daaraan of aan mij?'

'Aan alles, Alma. Aan jou terwijl je het deed, aan je ogen die me aankeken, aan je handen die me aanraakten; gewoon, aan alles.'

Ik zwijg.

'Ik wil je zien. Als ik je niet zie, kan het best zijn dat ik doodga. En dat meen ik.'

'Zit je soms een damesromannetje te lezen?'

'Nog niet, maar ergens heb je wel gelijk, wij schrijvers leren de schoonheid van de dingen te herkennen, en dat is zoiets als het krijgen van een visioen van de waarheid die ze bevatten.'

Altijd die woorden van Leo. Als zijn gevoelens echt waren, zouden schaamte en angst hem verhinderen ze op die manier uit te drukken.

'En wat zou dat dan in dit geval zijn?' informeer ik op sarcastische toon.

'Jij.'

'Ik ben onder de indruk van je zekerheden.'

'Kun je ruimte voor me vrijmaken, al is het maar een heel klein stukje?'

'Ik zal het proberen.'

'Dat is niet genoeg.'

'Meer kan ik je niet bieden.'

'Dan aanvaard ik het. Voorlopig.'

23.⧖

Terwijl ik Emma de laatste procedures probeer uit leggen, valt het licht door het raam op haar aantrekkelijke profiel. Ik voel me naakt onder haar blik. Ik weet dat ze aan mijn gebaren en gezichtsuitdrukkingen probeert af te lezen hoe geloofwaardig mijn woorden zijn.

Ik denk aan Alma. Niet eens zo lang geleden zag ik in haar ogen een beeld van mezelf dat ik prettig vond, een helder beeld dat niet meer bestaat.

Emma vraagt of haar zoon pijn heeft. Ik zeg van niet. Hij is verdoofd. Ze loopt naar hem toe. Met een witte handdoek bet ze zijn voorhoofd. Cristóbal ligt weer aan de beademing en ademt moeizaam. De spieren in zijn kindergezichtje trekken samen. Hem in die toestand van bewusteloosheid zien liggen doet haar hart krimpen, en het mijne ook. Emma vertelt dat Isaac de nacht in het ziekenhuis is gebleven. Ze wil me waarschijnlijk laten weten dat ze hierin niet alleen is. Toen ik aankwam, zag ik haar moeder en haar zus zoals gewoonlijk met elkaar zitten fluisteren in de wachtkamer. Cristóbal hoest. Emma kijkt naar hem. Haar gezicht verraadt de werveling van emoties die ze doormaakt.

'Heb je geslapen?' vraag ik, om de stilte te doorbreken.

Ze schudt haar hoofd. De vermoeidheid maakt haar ogen zachtmoedig. In haar bleke gelaat vallen haar voorhoofd en haar rode lippen nadrukkelijk op.

'Rust even uit. Cristóbal zal je nodig hebben als we hem van de beademing halen.'

'Je gelooft zelf niet wat je zegt, hè?'

Ze heeft gelijk, ik geloof het zelf niet.

'In de komende uren zullen we weten hoe hij reageert, maar

voorlopig kun je beter rusten, echt...'

Ik leg mijn hand op haar schouder. Ze pakt hem vast.

'Bedankt dat je je zorgen om me maakt,' zegt ze, en daarna omhelst ze me stevig.

Haar lichaam voegt zich naar het mijne, ik hoor haar ademheling, voel haar armen die me tegen haar aan drukken. Na een paar seconden maakt ze zich van me los, bedekt haar gezicht met allebei haar handen en wendt zich naar het raam.

'Er is niets gebeurd, Emma,' zeg ik.

Ze blijft met haar rug naar me toe staan, in elkaar gedoken, haar handen nog steeds voor haar gezicht. Heel even weet ik niet wat ik moet doen. Ik kan weggaan, alsof er niets is gebeurd, gewoon zwijgen over een moment dat tenslotte geen enkele betekenis heeft vergeleken met de rest van de gebeurtenissen. Maar dat doe ik niet. Ik loop naar haar toe, draai haar om zodat we tegenover elkaar staan en omhels haar met alle tederheid waartoe ik in staat ben. En terwijl ik merk hoe haar lichaam huivert, neemt de druk op mijn borst af; er is een ventiel opengegaan en ik voel me opgelucht, al weet ik niet precies waarover. Misschien had ik die omhelzing net zo nodig als zij. Als we ons van elkaar losmaken, glimlacht Emma. Het is een schuchtere glimlach, waarin het verdriet niet verdwenen is, maar wel de schaamte. Mijn gebaar heeft het hare geneutraliseerd, en dat van ons beiden heeft Cristóbal gekalmeerd. Als we naar hem kijken, stellen we vast dat zijn ademhaling nu rustiger is.

⧖

's Middags maak ik mijn visiteronde langs de patiënten op de intensive care. Cristóbal, die slaapt onder invloed van de pijnstillers, ademt in en uit in het beademingsapparaat. Zijn levenstekens zijn stabiel. Emma zit met haar ogen dicht bij zijn bed; waarschijnlijk slaapt ze. Ik trek me terug zonder het te controleren. Ze wekt in mij weer het beklemmende gevoel op dat ik dacht te zijn vergeten. Het is een vluchtige opleving, als een plotselinge hagelbui die je lichaam pijnigt en dan weer verdwijnt.

Terug in mijn spreekkamer beantwoord ik de laatste van een serie e-mails. De middag loopt ten einde. Ik heb mijn best gedaan mijn verplichtingen na te komen, waarbij ik heb geprobeerd de gezonde en noodzakelijke afstand te bewaren die bij mijn beroep hoort. Toch kan ik het beeld van Emma die haar gezicht in haar handen verbergt niet van me afzetten. Haar intuïtie heeft haar niet bedrogen, de klebsiella heeft Cristóbal op een trefzekere en brute manier te grazen genomen. De kans is aanwezig dat zijn lichaam niet op de behandeling reageert. Terwijl ik een beroep doe op alle middelen die me ter beschikking staan om hem te redden, kijkt een deel van mij machteloos toe hoe zijn leven uitdooft. Dezelfde machteloosheid die ik voelde toen ik Soledads lichaam tegen me aan drukte om te verhinderen dat ze verder wegzonk in haar sombere dagen en dat haar geest vluchtte voor de echte wereld.

Het duurt niet lang meer of de zon gaat onder, de lucht kleurt al rood, de herinneringen komen boven en gaan terug naar een van die andere zomermiddagen, toen ik nog maar net een vaag idee begon te krijgen van het naderende onheil. Verschanst in mijn werkkamer hoorde ik Soledad in de tuin heen en weer lopen. Ik herinner me haar op blote voeten, met een witte broek en een wit T-shirt aan, de snoeischaar in haar handen. Ik zie haar iele lichaam sierlijk bewegen. Ik zie haar glimlachend naar me zwaaien en de geopende schaar op haar hoofd zetten, als twee grote oren. Ik wilde geloven dat het niet uitmaakte wat er door Soledads hoofd ging als ze in staat was zo fris en vol overgave naar me te glimlachen. Ik weet nog dat ik dacht dat zolang we de schijn konden ophouden, ons leven gewoon zo verder zou kunnen gaan.

Die nacht schrok ik wakker. Soledad lag niet naast me. Het beeld van wat er vervolgens gebeurde, doet me nog pijn. Ik ging naar beneden en ontdekte dat de schuifdeuren in de kamer openstonden. Ik liep de tuin in en riep haar, in het begin zachtjes maar even later steeds harder. Ik volgde het kronkelige pad naar het zwembad en liep verder tot achter in de tuin. Het was een heldere nacht. Naast een haag zag ik een donkere vlek. Het was Soledad; ze lag ineengedoken op de takken die ze 's middags had gesnoeid. Ik ging naar haar toe en zag dat haar huid bedekt was met waterdruppels, vocht zoals je dat in donkere hoeken vindt. Ik veegde haar gezicht schoon. Toen ze wakker werd, boorden haar ogen zich in de mijne. Haar lippen waren vertrokken tot een grimas, in haar blik lag zowel verbijstering als verwarring. Ze begon te rillen. Op dat moment moest ik wel erkennen wat ik eigenlijk al wist. Toen ze besefte wat ze had gedaan, keek ze me met doffe ogen aan en vroeg om vergiffenis. Haar woorden deden me meer pijn dan als ze zou zijn opgestaan en zonder iets te zeggen weer naar binnen was gegaan; meer pijn dan als ze me had uitgescholden omdat ik haar uit die zo zoete slaap had gewekt. De bomen wiegden traag heen en weer. Mijn ogen waren inmiddels gewend aan de duisternis en de tuin kreeg iets onverstoorbaar moois, wat ik op dat ogenblik maar moeilijk kon verdragen.

24. ♐

Als ik thuiskom, ga ik meteen naar de blog van Mr. Thomas Bridge. Tot nu toe heeft hij kunnen verhinderen dat de bezetters op het eiland landen. Op zijn blog staan krantenknipsels uit dagbladen en tijdschriften van over de hele wereld. De deskundigen analyseren de zaak: een Canadese mysticus eist dat de alacalufefamilie tot werelderfgoed wordt verklaard en claimt dat de bestudering van hun manier van leven ons meer zal leren over onszelf. Mr. Bridge krijgt steun van een Engelse etnologe. Allebei zeggen ze dat wat de afloop ook mag zijn, inmenging voorgoed een einde zou maken aan een zesduizend jaar oude levenswijze. Ze sturen een bericht naar de Chileense autoriteiten en naar de VN met het dringende verzoek de schepen en helikopters rond het eiland terug te trekken. Hij laat de filmbeelden zien die hij vanmorgen van de familie heeft gemaakt. De twee kinderen en de volwassenen zitten op het strand naar de zee te kijken. Mr. Thomas Bridge zegt dat ze al drie dagen niet zijn uitgevaren om te vissen. De aanwezigheid van de schepen maakt ze bang en onzeker. Als het zo doorgaat, zullen ze volgens hem sterven van de honger. Zodra ik terug ben, zal ik Mr. Bridge opnieuw schrijven. Maar nu moet ik eerst mijn rugzakje inpakken.

Vandaag ga ik naar oom Rodrigo en tante Corina. Zij was de beste vriendin van mama. 'Ik zal nooit meer een vriendin hebben als Soledad,' zegt ze altijd, met een gezicht alsof het om een wereldtragedie gaat.

Ik herinner me ineens dat Alma me het telefoonnummer heeft gegeven van Het Minderwaardige Babynijlpaard. Ik hoef het maar in te toetsen. Het is alleen moeilijk om moed te verzamelen. Ik loop rondjes door mijn kamer. Yerfa vraagt of ik aan het trainen ben voor een marathon.

'Hallo, met Tomás, je buurjongen.'

'Hallo. Wil je mijn schelpen komen bekijken?'

'Nee. Ik wilde je iets vragen. Als iemand naar me vraagt, kun je dan zeggen dat ik bij jou ben?'

'Waarom?'

'Dat is een geheim.'

'Goed, als ze bellen kan ik zeggen dat je op de wc zit,' zegt hij.

'Bedankt.'

'Daar zijn vrienden voor,' besluit hij.

Ik heb een ontdekking gedaan die niets te maken heeft met mama, maar die me toch belangrijk lijkt. Ik neem op:

Ontdekking appendix: Met vrienden deel je leugens.

Ik zeg tegen Yerfa dat ik vanmiddag bij mijn buurjongen ben. Ze is verbaasd, maar tegelijk blij, want ze maakt zich ook zorgen dat ik altijd alleen ben.

Het huis van tante Corina is niet ver weg. Ik ben er een keer met Yerfa geweest. We waren toen met de bus en zijn uitgestapt bij een halte tegenover een winkelcentrum. Ik herinner me de weg nog goed en doe weer precies wat we toen gedaan hebben.

Als ik eindelijk voor het hek van tante Corina sta, kan ik bijna niet geloven dat het me gelukt is. Het is jammer dat Lola me niet kan zien, of de jongens van school, of papa. Ik bel aan, maar er komt niemand naar de deur. Ik wacht even voordat ik nog een keer aanbel. Tante Corina komt nooit haar huis uit, dat is wat Yerfa zegt. Ze zegt ook dat ze niets doet en dat ze daarom altijd in een slecht humeur is. Ik bel nog een keer. Ik ga op de stoep zitten wachten. Er komt een jongetje langs op een fiets, hij kijkt naar me en rijdt dan door. Het zou spannend zijn geweest als hij tegen een paal was gebotst. Na een tijdje hoor ik gefluister. Ik sta op en loop om het hek heen. Plotseling bots ik tegen iemand op. Verstopt tussen de planten zitten twee jongens op hun hurken weinig vriendelijk naar me te kijken.

'Wat doe je hier, broekie?'

Zijn gezicht is bezweet en hij trekt al pratend zijn broek op. Door een gat in de omheining is het zwembad te zien en een luchtbed waarop tante Corina drijft. Ze heeft een bikini aan en je kunt een groot deel van haar borsten zien, die trouwens, volgens Yerfa, niet van haar zijn. Ik kan me niet voorstellen van wie ze die gestolen kan hebben.

'Ik weet wel wat jullie aan het doen zijn.' Ik doe net of ik in een film speel en ben niet bang.

'O ja, en wat denk je dan dat we aan het doen zijn, lul?'

'Masturberen.'

'En wat dan nog?'

'Niks. Maar nu ga ik naar binnen, want ik moet tante Corina spreken.'

Een heerlijke zoete smaak stijgt op naar mijn mond terwijl ik dat zeg. Het gat in de omheining is te smal om de jongens door te laten, maar voor mij groot genoeg. Ik kruip naar binnen en kom in de reusachtige, zonovergoten tuin van tante Corina.

Als ik aan de andere kant verschijn, rekt tante haar hals, zoals ganzen als ze op zoek zijn naar eten. Ik kijk om en ontdek dat een van de jongens zijn hoofd door de opening steekt. Tante Corina glimlacht en zwaait naar me, alsof het de normaalste zaak van de wereld is dat ik door een gat in het hek in mijn eentje haar tuin binnenkom.

'Hallo, tante Corina.' Ik ga op de rand van het zwembad zitten en zet de mp3-speler in mijn broekzak aan.

'Hallo, lieverd.'

'Ik ben hier naar binnen gekomen omdat niemand de deur opendeed.'

'Geeft niet. Anita hoort nooit iets. Ze is een beetje doof.' Tante Corina doet haar ogen dicht en strekt haar armen.

'Ik heb een cadeau voor u meegebracht.'

Ik haal een tekening die ik voor haar gemaakt heb uit mijn rugzakje. Het stelt een man voor met een lichaam van sterren.

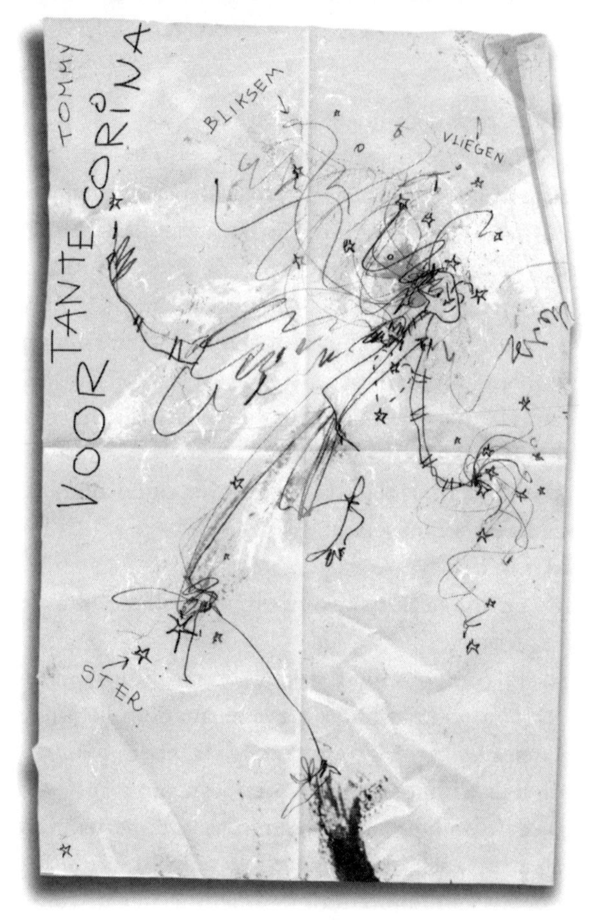

Ik laat hem haar zien. Ze kijkt ernaar, bedankt me en zegt dat het een heel mooie tekening is. Aan haar glimlach te zien vindt ze hem echt mooi. Ik leg haar uit dat levende wezens uit sterren bestaan. Ze denkt dat ik een grapje maak.

'*Echt waar. Bijna alle zware elementen waaruit ons lichaam bestaat, zoals ijzer, calcium en koolstof, zijn ontstaan tijdens de hitte die het gevolg was van de explosie van een of andere ster,*' leg ik uit.

Tante Corina zegt dat ze daar geen idee van had, maar dat het haar fantastisch lijkt. Als we uitgepraat zijn over het onderwerp sterren, zeg ik: '*Ik zou graag willen dat u over mama vertelt.*'

'*Aiii, Soledad. Ik zal nooit meer een vriendin hebben als zij.*' Dat is wat ze altijd zegt.

'Dat weet ik al, tante. Maar ik zou graag meer willen weten.'

'Tomás, lieverd, wil je even bijschenken?' vraagt ze, terwijl ze me een glas voorhoudt. *'De fles staat onder mijn handdoek, wees zo lief, wil je.'*

Het is een kleine fles met een zilveren dop. Hij ruikt heel sterk.

'Schenk maar voor de helft vol.'

Ik doe wat ze zegt en geef haar het glas. Als ze met haar luchtbed naar de kant komt, zie ik een van haar donkere, puntige tepels. Tante Corina neemt een grote slok en zegt dan: 'Ahhhhh.'

'Tante, ik zou graag willen dat u over mama vertelt,' herhaal ik.

Het duurt een hele tijd voordat ze begint te praten. Eerst glimlacht ze, dan wordt ze serieus, daarna neemt ze nog een slok uit haar glas en vervolgens moet ze hoesten. Terwijl ik wacht, klinkt er in de tuin een merkwaardig zacht ritselend geluid. Volgens mij begint de stilte, als ze lang heeft moeten wachten tot iemand haar verbreekt, vanzelf te ruisen.

'Ik weet niet wat je moeder in mij zag. Ze was veel intelligenter dan ik. Ze kwam me vaak ophalen in haar auto en dan reden we ergens naartoe. Niet naar de plekken waar andere vrouwen zoals wij naartoe gingen. Wij gingen naar de universiteitswijk, in Macul, want ze studeerde kunstgeschiedenis. Soledad was erg ontwikkeld. Dan gingen we in een bar zitten die Las Terrazas *heette en dronken koffie en rookten en dronken nog meer koffie en rookten nog meer. Dat was alles. Maar dan waren we zo gelukkig.'*

Ze doet haar ogen dicht en neemt weer een slok uit haar glas. Het bordje op haar voorhoofd is leeg. Wat ze zegt is waarschijnlijk wat ze voelt. Ik zie hoe ze haar ogen droogwrijft. Ik trek mijn gymschoenen uit en steek mijn voeten in het water.

'De vuile rotzakken...' zegt ze plotseling.

'Wie, tante?'

Ik wacht en beweeg mijn voeten in het water. Ik kijk naar de bodem van het zwembad en stel me voor dat het de mond van de planeet is die tante Corina elk moment kan opslokken.

'Wie?' herhaal ik na een tijdje. Maar ze geeft geen antwoord.

Ik denk aan de rotzakken op school en hun berichten. De zon

begint onder te gaan. De wezens die de tuin bewonen, wachten in hun schuilplaatsen totdat ik wegga. Ik zou tante Corina liever niet aan hun genade overleveren. Ik denk dat ze in slaap is gevallen, net als opa altijd doet.

'*U zou eigenlijk uit het zwembad moeten komen, straks vat u nog kou. Wilt u dat ik Anita roep?*'

'*Nee, nee, ik lig prima hier. Dag, lieverd,*' neemt ze afscheid zonder haar ogen open te doen, terwijl ze zwaait als een filmactrice.

'*Dag, tante,*' zeg ik, en ik vertrek langs dezelfde weg als ik gekomen ben.

Zodra ik in de bus zit, haal ik de foto van mama uit mijn rugzakje. Als ik er wat nauwkeuriger naar kijk, ontdek ik dat ze op de linkerkant van haar gezicht een vlek heeft. Ik probeer mijn moeder te ontdekken in het beeld van deze vrouw, maar het lukt me niet. Waarschijnlijk heb ik niet alleen de omstandigheden van haar dood verzonnen maar ook haarzelf. Want een kind kan niet zonder een moeder leven, en als hij die niet heeft, dan verzint hij haar gewoon. Wat ik heb verzonnen is dat ze een hekel heeft aan sport, aan met de lift naar boven gaan en aan vliegtuigen. En dat ze graag mensen bespiedt door het raam, dingen leert over het leven van struisvogels, met een precisie-uurwerk berekent hoe lang een stofje erover doet om op de grond te vallen; dat soort dingen.

Ik leun tegen het raam van de bus en haal diep adem. Een paar stomme tranen beginnen langs mijn wangen te lopen. Zodra ik er een wegveeg, komt de volgende alweer. En terwijl ik naar de straat kijk, vind ik alles treurig. De mensen die met hun tas bij de bushalte staan te wachten om van hun werk naar huis te gaan, tante Corina die boven de mond van de aarde drijft, Alma die in haar mobieltje met een man praat, de alacalufefamilie die alleen op de wereld is, Mr. Thomas Bridge... De vlek op mama's gezicht heeft mijn lichaam bereikt en daarna de straat en de hele wereld bedekt. Als ik op mijn bestemming aankom, is de bus bijna leeg.

♐

Lola en ik eten met Yerfa in de keuken en kijken intussen naar een televisieserie. Papa en Alma komen pas laat thuis. In de zak van Yerfa klinkt haar mobieltje. Ze neemt op en gaat haar kamer in. Lola zegt dat ze H.M.B op straat met schelpen heeft zien spelen en dat ik niet bij hem was.

'Waar was je, klojo?' vraagt ze.

'En jij, waar heb je dat lelijke woord vandaan?'

'Niet ineens over iets anders beginnen.'

Lola kijkt naar me in afwachting van een antwoord, maar ik hou mijn mond en staar naar het televisiescherm.

'En?'

Ik zou willen zeggen dat ik in mijn eentje naar het huis van tante Corina ben geweest, dat ze met me gepraat heeft alsof ik een volwassene ben en dat ik haar heb zien huilen.

'Ik zal tegen papa zeggen dat je zonder toestemming het huis uit ben gegaan.'

'Zeg maar wat je wilt, kloja. Dat kan me niet schelen,' ga ik zonder naar haar te kijken in de tegenaanval.

Omdat ik onverschillig doe, begint Lola met de aardappelpuree te spelen. Ik kijk vanuit een ooghoek naar haar. Ze prikt de stukjes vlees aan haar vork en gooit ze een voor een in de vuilnisbak. Ze neemt me uitdagend op.

'Nu staan we quitte.'

'Ik heb niks te verbergen.' Ik ben onder de indruk van mijn eigen koelbloedigheid.

'Ik heb nog meer bewijzen, klojo, dus je kunt maar beter je mond houden.'

Ik probeer er maar niet achter te komen wat die bewijzen zijn en gooi snel mijn eten in de vuilnisbak. Ik heb geen honger. Als Yerfa terugkomt in de keuken, zitten we allebei met een engelachtig gezicht televisie te kijken. Yerfa heeft haast om ons naar bed te brengen, haar mobieltje doet de hele tijd piiiiii in haar zak.

Als ik in pyjama in mijn slaapkamer zit, bekijk ik mijn mail. Ik hoop op een antwoord van Mr. Thomas Bridge. Ik tref hetzelfde als altijd:

`Stomme klootsak donder tog op idioot je kan nie eens pijpe want das al te moeiluk voor je... hahaa ha bofendien sou niemant sich door jou late pijpe hahaaa...`

Ik stel me voor dat een orkaanwind van Mars over het schoolvoetbalveld trekt. Hun afgerukte armen en benen vliegen door de lucht, daarna worden ze verzengd door een stuk zonnematerie dat neerdaalt op wat er nog rest van hun lichaam.

Ik ga naar de blog van Mr. Bridge. Hij staat voor zijn camera te praten. Hij zegt dat de familie het bos van het eilandje in is gegaan en niet meer is teruggekomen. Ze zijn gevlucht voor de helikopters die boven ze vlogen. Mr. Bridge zegt dat ze in het bos niet zullen overleven. Hij vertelt dat de alacalufes werden uitgeroeid door de Engelse missionarissen. Die brachten niet alleen ziektes mee waar de indianen geen afweer tegen hadden, ze probeerden ze ook hun gewoontes op te dringen. Ze gaven ze kleren en instrumenten, zoals messen en harpoenen, en vernietigden zo hun manier van leven. Ze hoefden niet meer urenlang op zee te varen op zoek naar voedsel, maar konden met de harpoen genoeg vis vangen voor een paar dagen. Beetje bij beetje verwaarloosden ze de activiteiten die hun leven zin hadden gegeven, ze gingen een zittend leven leiden en begonnen dood te gaan. Het bestaan van deze familie is onverklaarbaar.

Ik doe mijn computer uit en kruip in bed. De duisternis daalt neer op mijn hoofd en de fosforescerende sterren die Alma op het plafond heeft geplakt worden zichtbaar. Elke keer als ik aan Alma denk, en dat is vaak, herinner ik me weer dat ze thuiskwam met die man. Daarom probeer ik zo min mogelijk aan haar te denken. Het is tijd om naar de bodem van mijn bed te gaan, waar Kájef op me wacht. Zijn boot wordt heen en weer gezwiept over het water. In het midden, op een vochtige zandbank, gloeit een vuur. Hij heeft de roeiriemen stevig vast. De storm neemt in kracht toe, de boot klimt tegen reusachtige golven op, om dan weer naar beneden te vallen en door andere golven te worden opgetild. Maar Kájef geeft niet op. Ik hoor zijn stem in de verte. Hij zegt dat hij op zoek gaat naar de alacalufes in het bos en dat hij ze naar een ander eiland zal brengen, waar niemand ze kan vinden.

'Tommy,' hoor ik Lola's stem aan de andere kant van de deur, 'doe eens open.'

'Waarom?'

'Alsjeblieft.'

'En wat krijg ik daarvoor?'

'Wat je maar wilt. Yerfa is er niet. Ik ben naar haar kamer gegaan en heb haar overal gezocht.'

Ik doe de deur open. Haar pyjama met beertjes en de pluchen zeehond die ze in haar armen heeft, laten zien dat ze eigenlijk maar een onbeduidend meisje is. Eindelijk is het moment gekomen om wraak te nemen.

'Kom maar binnen.'

En zo vergooi ik de beste kans die ik sinds lange tijd heb gehad om me op Lola te wreken. Ik ben een echte idioot. Ze gaat met haar zeehond op de rand van mijn bed zitten. Ik kruip er weer in en doe het licht uit. Lola wiegt heen en weer.

'Wie is de vrouw op de foto?' vraagt ze in het donker.

Shit! Ik ben vergeten de foto van mama te verstoppen. Lola moet hem gezien hebben voordat ik het licht uitdeed. Ik geef geen antwoord.

'Ze is mooi,' zegt ze. 'Ze heeft een wond op haar gezicht. Wat is er met haar gebeurd?'

Hoe kon ik zo stom zijn! Wat ik dacht dat een vlek was, is in werkelijkheid een wond.

'Het is je mama, hè?' Ik geef geen antwoord. 'Ik heb het koud.'

'Je mag wel in mijn bed kruipen, als je wilt,' zeg ik.

'Weet je zeker dat je dat niet erg vindt?'

'Ik vind het wel erg, maar je mag het toch wel doen.'

Ze blijft bewegingloos zitten.

'Waarom zal Yerfa ons alleen hebben gelaten? Denk je dat het om haar vriend is?'

'Vast en zeker.'

'Ik mis mama.'

'Ik ook,' beken ik.

Als ik bedenk dat Alma misschien bij die man is, heb ik zin om te schreeuwen.

'Ze gaan veel uit, hè?'

'Ja.'

We zijn het nog nooit in één gesprek over zoveel dingen eens geweest. Dat schijnt haar ook op te vallen, want ze besluit bij me in bed te kruipen. Ze nestelt zich met haar zeehond aan het andere eind. Gelukkig is mijn bed behoorlijk breed.

'Ja, dat is mijn mama. Ze heeft zelfmoord gepleegd.'

Als ik het hardop zeg, realiseer ik me dat het moeilijk uit te spreken is, alsof het niet bedoeld is om benoemd te worden.

'Wat betekent dat?'

'Dat betekent dat ze zichzelf heeft doodgemaakt. Dat ze besloten heeft me alleen achter te laten, dat het haar niet kon schelen wat er met mij gebeurde. Dat betekent het.'

We zeggen niets meer, allebei ineengedoken in een hoek van het bed. Plotseling voel ik iets in mijn armen. Het is Lola's zeehond, en zij heeft hem daar neergelegd. Het ergert me dat ik denk dat ik morgen mijn mening over Lola zal moeten bijstellen.

25. ♒

Na onze ontmoeting bij de productiemaatschappij zien we elkaar alleen nog in het appartement dat Leo heeft gehuurd. Het kijkt uit op een plein en ik kom er elke middag na mijn werk. Zodra hij de deur opendoet, opent hij zijn wereld en zet die voor me stil.

'Hallo, liefste,' zegt hij, en hij slaat zijn armen om me heen.

Liefste. Een eindeloos afgezaagd woord dat me toch begint te bevallen, door het gevoel van onwerkelijkheid dat het teweegbrengt. Het doet er niet toe dat het aan de andere kant van de deur niet waar is.

'Ik wou dat ik kon koken, zodat ik je op een dag zou kunnen opwachten met een heerlijke maaltijd. Maar ik ben een onhandige kluns,' bekent hij zonder me los te laten. Ik voel zijn adem op mijn slaap.

Ik pak zijn hand en trek hem mee naar de enige leunstoel in de kamer. Het is een ruim, leeg vertrek. Voor ons kijkt een groot raam uit op het plein met kastanjebomen. Vanuit de hoogte zijn de kruinen te zien. Ik ga met mijn hand onder zijn overhemd en voel zijn ademhaling aan het bewegen van zijn bovenlichaam.

'Dat heb ik ook al eens bedacht, op een dag hier komen met een tas vol boodschappen om voor je te koken, maar dan zie ik mezelf in zo'n Amerikaanse romantische film en heb ik helemaal geen zin meer.' Leo lacht in mijn oor. Door het halfopen raam dringt de koele lucht van de namiddag binnen. 'Ik heb liever eten via de telefoon. Zo noemt Lola dat.'

Haar naam brengt een storm aan realiteit met zich mee die me doet verstijven. Zo gaat dat. Bij het geluid van bepaalde woorden ontstaan er scheuren in de dijk en sijpelt het verdriet naar binnen. Leo legt zijn wijsvinger op mijn mond en omhelst me. Het contact heeft niets vreemds of onbekends, maar het is toch opwindend. De beklemmende droefheid verdwijnt.

Na het vrijen kijken we hoe de hemel van rood naar staalblauw kleurt. We slaan een deken om ons heen. De stad spreidt zich uit voor onze ogen en bruist met een hardnekkig geluid. Het is het uur waarop iedereen naar huis gaat, het uur waarop ik meestal opsta en vertrek.

'Ik heb gezegd dat ik vannacht niet thuiskom,' verklaar ik snel, voordat ik me kan bedenken.

Ik leg verder niets uit. Ik deel met Leo niet de leugens die inmiddels tot mijn leven behoren.

'Dit appartement is net een glazen huis,' merk ik op.

'Dat is zo,' stemt hij in. 'Toen ik het ging bekijken, was dat wat me het best beviel, dit spectaculaire uitzicht en het gevoel dat je in de lucht hangt.'

Het wordt donker. De flonkerende ramen van de gebouwen zweven in het donkerblauw van de avond; Leo wijst me erop dat in de gouden rechthoeken de schimmen van de bewoners zich bewegen als vlammen.

'Kijk me eens aan,' vraag ik hem.

Ik wil in zijn ogen die schittering vinden die kenmerkend is voor iemand die alleen maar oog heeft voor zijn geliefde. Maar dat is niet wat ik vind. Het piepkleine zwarte schelpje van zijn pupillen is in zijn schulp gekropen. Ik lach.

'Waar lach je om?' vraagt hij, terwijl hij zich uitrekt.

'Ik heb een vriend eens horen zeggen dat voor mannen seks zich beperkt tot een gat en een paal.'

'Het lijkt me dat je vriend een beetje kortzichtig is. Voor een man betekent seks een eindeloos aantal gaten en een paal. En een paar mooie benen wil ook wel eens helpen.'

'Leo!' roep ik uit, en ik zet mijn voet in zijn kruis. Ik oefen druk uit en strijk zacht van boven naar beneden. Ik voel hem weer tot leven komen.

♒

Ik word schreeuwend wakker. Aan de andere kant van het grote raam fonkelen nog altijd de lichten van de kantoren, even helder als de droom waaruit ik zo vurig wil ontsnappen.

'Wat is er?' vraagt Leo geschrokken.

Tranen wellen op in mijn ogen.

'Kom eens hier.' Hij trekt me naar zich toe.

'Ik heb afschuwelijk gedroomd.'

'Vertel maar. Wil je dat ik het licht aandoe?'

'Nee. Het is goed zo.' Ik leg mijn hoofd op zijn schouder. 'Weet je zeker dat je het wilt horen?'

'Natuurlijk.'

'Ik ben in een grote, lege school in aanbouw op zoek naar Lola. Ik loop door de verlaten gangen en roep haar naam. Overal staan metalen kisten. Ik hoor gefluister, doe een van de kisten open en zie een heel klein naakt vrouwtje dat erin ligt te slapen. Ze praat in haar slaap. Haar lichaam is bedekt met meel. In de gang verschijnt een vrouw in een blauwe jurk met een plastic tas in haar hand. "Kent u Lola Montes?" vraag ik. "Maar natuurlijk, die is met haar moeder meegegaan," antwoordt ze. "Maar ík ben haar moeder!"' Mijn stem hapert en ik hou op.

'Arme meid,' zegt Leo, en hij kust me op mijn gezicht, als een klein meisje.

♒

Als ik 's morgens mijn ogen open, is Leo aan het telefoneren terwijl hij heen en weer loopt over het ruime balkon voor het appartement. Hij draagt een zwarte broek en een wit overhemd. Het groen van het plein is fel in het ochtendlicht. Hij gebaart, glimlacht – net zoals hij tegen mij glimlacht –, verheft zijn stem. Hij kijkt niet naar het bed vanwaaruit ik hem observeer. Ik voel me een indringster. Eenzaamheid overmant me. Het is deze muur die ik dag in dag uit optrek, waarachter alleen Leo en ik bestaan. Hij is nu aan de andere kant van de muur, waar hij een geanimeerd telefoongesprek voert, discussieert en onderhandelt, waar nieuwe betrekkingen worden aangeknoopt die hem meeslepen. Hij blijft staan, krabt op zijn hoofd en barst in schaterlachen uit. Je zou zeggen dat de genotervaring vergezeld gaat van het besef van haar eindigheid; toch kan ik er niet tegen dat Leo buiten deze vier muren bestaat, dat zijn leven na ons samenzijn gewoon doorgaat zonder mij. Jaloezie van een minnares. Een verhaal dat al duizend keer is beleefd en verteld. Leo komt de kamer binnen.

'Goedemorgen, liefste.' Hij gaat op de rand van het bed zitten en buigt zich over me heen. 'Wat heerlijk om je hier 's morgens te zien met je verwarde haren.'

Hij knijpt zachtjes in een van mijn borsten. Ik vind het prettig hoe hij zich mijn lichaam toe-eigent; het geeft me het gevoel dat het hier is om aangeraakt te worden, en dat hij het contact niet kan vermijden.

'Ik heb een verrassing voor je,' kondigt hij aan.

Even later brengt hij een dienblad met het ontbijt.

'Net als in een Amerikaanse film,' stelt hij vast.

Koffie, jus d'orange, toast en fruit, terwijl ik in de verte zie hoe de stad zich uitrekt. Net als in een film.

26.♐

Ik kan niet slapen. In plaats van te liggen woelen in bed, zet ik mijn laatste opnamen op de computer en monteer ze zoals Alma me heeft geleerd. Bij het afluisteren van die van de bruiloft ontdek ik dat mama in een kliniek opgenomen is geweest die Aguas Claras heet. Ik maak een map die ik TIEN ONTDEKKINGEN OVER MAMA noem. Daarna, omdat ik nog steeds geen slaap heb, ga ik naar de blog van Mr. Bridge. De familie houdt zich nog altijd schuil in het bos. Een paar journalisten zijn aan land gegaan op het eiland. De kans dat de familie terugkeert naar het strand is klein. Mr. Bridge zegt dat ze al zes dagen niet zijn gaan vissen en dat hij vreest voor hun leven. Ik stuur hem nog een e-mail:

`Geachte Mr. Thomas Bridge,`
`Alstublieft, doe iets. U bent de enige die ze kan helpen.`
`Tomás.`

Als ik uit school kom zoek ik in het telefoonboek het adres op van Aguas Claras en daarna de straat op Mapcity. Het is niet ver weg, ik weet zeker dat ik daar kan komen op mijn fiets. Ik heb hem nog niet veel gebruikt. Ik ga alleen met papa fietsen en dan heb ik altijd zin om nog verder te gaan. Ik bel opnieuw H.M.B. Dit keer is hij me voor: 'Heb je nog een andere zaak op te lossen?' vraagt hij met een spionagestem.

'Inderdaad, H.M.B.,' zeg ik per ongeluk. Ik heb mezelf in problemen gebracht.

'Waarom noem je me H.M.B.?'

Ik kan hem dat van Het Minderwaardige Babynijlpaard niet uitleggen. Ik herinner me een boek dat papa in zijn boekenkast heeft staan. Dat gaat over de Hollow Man.

'Vanwege Hollow Man Bestaat.'

'Maar wat is dat dan?'

'Weet je dat niet? Dat is een man die een gat heeft ter hoogte van zijn hart, en dat maakt hem onzichtbaar.'

'En daar hoor ik bij?'

'Natuurlijk!'

'Oké. Ik zal je dekken. Geen probleem. Waarschuw me maar als je komt.'

'Afgesproken.'

Ik stop de kaart die ik heb uitgeprint om naar Aguas Claras te komen in mijn rugzakje, en verder een trui voor de avond, een fles sinaasappelsap, mijn mp3-speler en de foto van mama. Terwijl ik daarmee bezig ben, observeer ik mijn bewegingen van een afstand. Dat jongetje dat op het punt staat aan een avontuur te beginnen lijkt me helemaal niet onuitstaanbaar. Kájef zegt dat je om een avontuur te beleven niet per se tegen terroristen of buitenaardse wezens of wat dan ook hoeft te vechten, maar dat het al genoeg is als je naar iets op zoek gaat, ook al snap je niet goed waarom.

Voordat ik wegga, kijk ik nog één keer naar mijn mail. Ik hoop op een antwoord van Mr. Thomas Bridge. Ik kan mijn ogen niet geloven! Daar is het:

Dear Colleague:
Thank you so much for your support. I am sure that things are going to be allright in the end. As soon as I get home, I will send you my address as I would love to see that picture you promised me.
Yours sincerely,
Thomas.
PS: We have the same name - I am sure it's a good sign.

Het is vast een goed teken dat ik op het moment dat ik aan mijn avontuur begin, antwoord van hem krijg. Ik loop nog even langs de keuken om tegen Yerfa te zeggen dat ik bij mijn buurjongen ben. Ze praat in haar mobieltje en maakt een gebaar dat het goed is. Ik zwaai nog even en ga dan weg. Het is twee minuten over halfvijf.

♐

Terwijl ik stevig doorfiets, strijkt de wind langs mijn gezicht en armen als miljoenen veertjes. '*Niet rennen, niet springen, niet wild bewegen.*' Ik rij over een verlaten *avenida.* Het gladde oppervlak van de straat biedt geen weerstand, net als water. '*Draag je horloge, controleer je hartslag, ga niet te ver weg.*' Ik fiets in volle vaart naar beneden. '*Dat mag je niet doen, wees toch voorzichtig*!' 'Ik ben vrij,' zeg ik bij mezelf. Hoewel ik het woord VRIJHEID heel vaak heb gehoord, weet ik niet precies wat het betekent. Ik weet dat de jongens denken dat ze onoverwinnelijk zijn, maar is dit dan wat ze voelen?

Al een eind van de wijk waar ik woon, worden de huizen kleiner, de voortuintjes verzorgder en staan er minder bomen langs de weg. Mijn hart begint sneller te kloppen. Ik haal diep adem en stel me voor dat ik in het water lig, dat brengt mijn oudemannenhart altijd tot rust. Als het zijn normale ritme terug heeft, stap ik weer op de fiets. Na een tijdje moet ik opnieuw stoppen. Ik kan niet meer trappen en ga verder lopen.

Om achttien minuten over zes kom ik eindelijk aan bij de Aguas-Claraskliniek. Helemaal aan het eind van een lege parkeerplaats staat een gebouw van drie verdiepingen met de jaloezieën dicht. Ik kijk door een kiertje van de deur. Een sterke brandlucht dringt mijn neusgaten binnen. Het is overal donker, geen teken van leven binnen. Ik loop om het gebouw heen en ontdek een park. De bomen zien er vermoeid uit, net als de overwoekerde paden waar ik doelloos over loop. Ik ga op een bankje onder een grote boom zitten en haal de foto van mama uit mijn rugzakje. Als ik ernaar kijk, ontdek ik weer iets ongelooflijks: ze zit hier, onder deze zelfde es! De es is niet zomaar een boom, het is niets meer of minder dan 'de boom van de wereld'. Maná heeft me verteld dat hij in het centrum van de kosmos groeit en dat hij zo'n zoete dauw produceert dat de bijen er honing van maken. Het probleem is dat onder de aarde waar hij op staat een draak leeft die zich voedt met kadavers en in zijn wortels bijt om hem te vellen. Ik leg de foto op het bankje, met mama's gezicht naar het gebladerte en neem op:

Derde ontdekking: Net als de es, leefde er een draak onder mama's wortels, en hoe ze ook vocht om hem te overwinnen, de draak heeft uiteindelijk de strijd gewonnen.

Ik weet niet waar dit alles me brengt. Ik geloof niet dat ik veel verder ben gekomen. Ineens vind ik het allemaal heel moeilijk. Voor het gebouw ligt een vervallen zwembad en er staat een boom met blauwe bloemen. Af en toe vliegen de vogels ernaartoe en beginnen te krijsen. Het park is nu vol schaduwen. Het is kwart over zeven en ik had al een tijdje thuis moeten zijn.

Als ik de straat op ga, stuit ik op een kapelletje. Het verbaast me dat ik het niet eerder heb gezien. Het is een goed onderhouden wit huisje met een houten kruis en twee plastic vaasjes met gele bloemen erin. Ik loop ernaartoe om het te bekijken. Ik kan mijn ogen niet geloven! Dit is echt een ontdekking. Het huisje heeft mama's naam: SOLEDAD BASTIDAS BULYGIN.

Ik gooi mijn fiets op de grond en kniel op de weg om het vanbinnen te bekijken. Een kapelletje herdenkt de plek waar iemand op een gewelddadige manier is gestorven. De mensen denken dat de ziel daar achterblijft, daarom zetten ze er bloemen in. Ik doe mijn ogen dicht om rustig adem te halen, en daarna kijk ik weer naar het kapelletje. SOLEDAD BASTIDAS BULYGIN. Ik kijk naar binnen. Er staat een Maagd in met een lichtblauwe jurk aan, net als de barbiepoppen van Lola. In haar hand houdt ze een komeet.

Achter de Maagd hangt een grote ster met zes punten van mat metaal.

'Goedenavond,' zegt iemand achter mijn rug. Ik kijk op en zie een oude man met ogen als van een vlieg.

Ik kom overeind. De oude man legt het boek dat hij bij zich had op de grond, veegt een hand af aan zijn broek en drukt de mijne.

'Goedenavond, ik ben Tomás Montes, en Soledad Bastidas is mijn moeder,' verklaar ik geëmotioneerd.

'Goedenavond. ik ben Roberto Milowsky, ik woon hier tegenover.' En hij wijst op een huis van twee verdiepingen aan de overkant van de straat. 'Bovendien ben ik degene die bloemen neerzet voor uw moeder.'

'Heeft u haar gekend?'

'Niet erg goed, maar mijn vrouw wel. Ze werkte als vrijwilligster in Aguas Claras. Elena hield veel van haar en daarom zetten we altijd bloemen neer. Dus jij bent haar zoon, je lijkt erg op haar,' zegt hij, terwijl hij me aandachtig blijft opnemen, alsof ik een bijzonder iemand ben.

'Weet u waarom er een ster in het huisje hangt?'

'Dat is een davidster, omdat je moeder joods was, net als wij.'

'Hoe weet u dat?'

'Omdat het zo is. Als je jood bent, kun je daar niets aan veranderen,' zegt meneer Milowsky glimlachend.

'Ben ik ook joods?'

'Natuurlijk.'

De zon gaat snel onder. Ik vraag of ik een keer terug mag komen om met zijn vrouw te praten. Meneer Milowsky antwoordt dat dat een beetje moeilijk zal zijn, omdat ze is overleden.

'Waarom zei u dan: "we zetten er altijd bloemen neer"?'

'Omdat ze in mij verder leeft en er bepaalde dingen zijn die we samen doen, zoals bloemen neerzetten voor je moeder.'

'Heeft u die davidster daar opgehangen?'

'Hoogstpersoonlijk.'

'Meneer Milowsky, zou u het fijn vinden als ik uw rug krab?'

'Dat zou heel aardig van je zijn.'

Ik klim op een steen en krab zijn rug.

'Meneer Milowsky, mag ik u een laatste vraag stellen?'

'Ga je gang, vraag maar.'

'Is mama hier gestorven?'

Meneer Milowsky knikt.

'Weet u ook hoe ze gestorven is?'

Meneer Milowsky kijkt me aan zonder iets te zeggen.

'Dat wilt u me niet vertellen, hè?'

Hij schudt zijn hoofd.

'Het wordt tijd dat ik ga,' zeg ik.

'Ben je alleen gekomen?'

'Mijn huis is niet ver weg.'

'Goed, als je wilt mag je me wel komen helpen met de bloemen voor je moeder, je weet nu waar ik woon.'

Ik neem afscheid, stap op mijn fiets en rij de straat uit.

Toen ik ontdekte dat mijn piemel anders was dan die van mijn neefjes, vroeg ik aan papa: 'Wat is dit?' 'Dat heet eikel,' antwoordde hij. 'Het lijkt wel een champignon, en ik ben de enige van mijn neefjes die dat heeft,' merkte ik op. Ik weet nog dat papa het boek dat hij aan het lezen was weglegde en een geërgerd gebaar maakte. In die tijd had ik nog niet de bordjes ontdekt die volwassen op hun voorhoofd dragen, en ik dacht dat hij me een standje zou geven omdat ik mijn broek had laten zakken in zijn werkkamer. Maar wat hij zei was: 'Je moeder en ik hebben besloten je te laten besnijden om hygiënische redenen. In de Verenigde Staten worden veel kinderen bij hun geboorte besneden.' Daarna moest hij me natuurlijk uitleggen wat het woord besnijden betekende. Op school zeiden de jongens uit mijn klas dat alleen joden dat deden. Ze pestten me ermee. Ik probeerde ze dat van de kinderen in de Verenigde Staten uit te leggen, maar ze geloofden me niet. Ze hielden vol dat ik joods was en in plaats van me bij mijn naam te noemen, zeiden ze een hele tijd 'smous' tegen me. Op een hoek stop ik even en ik neem op:

Vierde ontdekking: Volgens meneer Milowsky was mama joods en ben ik het ook.

Vijfde ontdekking: Mama is op straat doodgegaan, tegenover Aguas Claras.

Ik dacht dat kapelletjes heel treurig zouden zijn, omdat ze altijd de dood van iemand – zoals opa – herdachten, maar het kapelletje van mama, met zijn barbiepop, zijn komeet en zijn davidster, lijkt te zeggen: 'Kom maar naar me kijken, ik zit helemaal niet slecht hierbinnen.'

De terugweg is langer dan de heenweg. De kaart werkt niet op dezelfde manier als eerst. Ik probeer de herkenningspunten die ik uit mijn hoofd heb geleerd thuis te brengen, maar mijn hoofd zit vol met gedachten die me uit mijn concentratie halen. Zo meteen is het donker. Ik weet dat ik in de richting van de bergen moet fietsen. Ik woon op een van de hellingen. Omhoog fietsen is zwaarder als je moe bent, maar ik heb geen tijd om mijn hartslag te meten. Op een bepaald punt moet ik stoppen, ik krijg geen adem meer. Ik gooi mijn fiets op de grond, buig voorover en zet mijn handen in mijn zij, terwijl ik naar het asfalt kijk zonder het te zien. Mijn hart trekt pijnlijk samen, zodat ik het in mijn hand zou willen nemen om het te helpen te kloppen zoals het hoort. Ik neem een slok sinaasappelsap. Het smaakt lauw en bitter. Het is vijf over negen. Ik loop verder. De weg gaat nergens naar beneden, alleen maar omhoog, en de straten komen me vreemd voor. De inspanning is zo groot dat ik zin krijg alles hier achter te laten en op de stoep te gaan zitten wachten tot er iets gebeurt. De lichten van de gebouwen van glas en metaal zijn al aan. Alles is heel ver weg, mijn kamer, mijn Grote Opbergdoos, Kájef. Mijn ribben doen zeer. Ik wrijf stevig in mijn ogen, steeds weer, net zolang tot het pijn doet. Het is drie minuten over tien als ik de lichtgevende hoek van het benzinestation herken. Een witte maan komt als een afschuwelijke voetbal op achter de bergen. Wat me thuis wacht, is erger dan de straat. Mijn enige redding is dat papa en Alma er nog niet zijn. Een kans die, als ik erover nadenk, niet eens zo klein is.

Als Yerfa de deur voor me opendoet, stort ze zich op me en omhelst me.

'Tommy, Tommy!'

Ik maak me van haar los. Ik hou er niet van dat ze me op die manier aanraken. Ook niet dat ze in mijn nek huilen. Zelfs Yerfa niet.

'Weet je wel hoe je me in angst hebt laten zitten? Hè?'

'Sorry. Dat wilde ik niet.'

Lola, in pyjama, kijkt met haar zeehond om de hoek van de deur de gang in. Ze glimlacht tegen me. Yerfa staat nog steeds te schreeuwen. Ik glimlach terug.

'En papa?'

'Gelukkig is hij nog niet thuis. En mevrouw Alma ook niet. Als ze hier waren geweest, zou je in de problemen zitten, en ik ook. Dan zouden ze me meteen op straat hebben gezet door jouw schuld.'

'Dan zullen we ze maar niks vertellen,' zeg ik.

'Niets, helemaal niets,' zegt ze, en ze gebaart met haar handen alsof ze een spiegel schoonveegt.

27.⌛

Ontwijken: trachten aan iets te ontkomen dat als een gevaar, een moeilijkheid gezien wordt. Een te verwachten probleem handig en slim omzeilen. Vermijden. Uit de weg gaan.

Dat is wat ik doe als ik de motor aanzet, de gashendel indruk en een paar minuten later de neus van het vliegtuig optrek. De kunst van het vliegen maskeert de nog complexere en verfijndere kunst van het vluchten. Strikt genomen zou ik kunnen zeggen dat ik alles van tevoren had gepland en dan zou ik niet liegen. Voordat ik vanmorgen op weg ging naar het ziekenhuis heb ik mijn vliegeniersjack en andere benodigdheden die ik op deze korte vluchten altijd bij me heb, in de kofferbak van mijn auto gegooid. En hier vlieg ik nu, langs de kust, zoekend naar het juiste woord om de kleur van de strook zand te beschrijven, of de exacte afstand tussen een vrachtschip en de kust. Subtiliteiten van het ontwijken. Op zo'n vijftig kilometer naderen ontelbare wolken vanaf zee. Ik zou ook kunnen zeggen dat ik nog steeds van slag ben, dat dit een manier is om mijn gedachten te ordenen, om de recente gebeurtenissen met enige afstand te bekijken. En ook dan zou ik niet liegen.

Cristóbal is dood. Ik zie Emma nog staan, met haar handen op de metalen rand van zijn bed, haar blik strak gericht op de monitor, wachtend op mijn woorden. Ik zag de scène buiten mijzelf, net als zoveel andere momenten in de loop van mijn leven, altijd overtuigd dat het verstand de enige mogelijke uitweg is.

'Hij is dood, hè?' vroeg ze, zonder haar blik af te wenden van de monitor.

Tegenslag behoort altijd tot de mogelijkheden als je werkt op de scherpe grens tussen leven en dood. Daarom begin je op de dag dat je besluit de operatiezaal binnen te gaan en op de borstkas van een mens de zaag in werking zet, een raderwerk van verdedigingen op te bouwen. Het is een minutieus karwei om je te onttrekken aan schuldgevoelens, aan het lijden en, en passant, aan emoties.

Waar is God? Van jongs af heb ik geloofd dat als ik me aan Zijn wil zou houden, alles goed zou komen. Ik heb geprobeerd beheerst, fatsoenlijk en strikt te handelen. En toch is Cristóbal dood. Soledad is dood. En ik sta overal buiten. Ik probeer te bidden, maar dat gezemel en de dichte duisternis die daaruit voortvloeit, staan me tegen. Het is onmogelijk dat God alwetend is en dat Hij beschikt over de dood van mensen zoals zij. Het is een tegenstrijdigheid die de fundamenten van mijn geloof ondermijnt.

Beschermd door mijn pantser heb ik het gevoel dat ik een hele tijd over een bevroren oppervlak heb gelopen, en dat de scheuren die er af en toe in ontstonden en die ik behendig ontweek, niets meer of minder waren dan het leven.

Vanuit die diepte doemen beelden op die me schokken. Plotseling gebeurde het. Soledad verlamde. Als ze een telefoonnummer zocht in haar agenda, haar bureau opruimde of Tommy verschoonde, kon ze haar bezigheden zomaar onderbreken en verloor haar glazige blik zich in een bepaald punt op de muur, alsof ze opeens was bezweken voor een kracht die haar van binnenuit overweldigde. Ik herinner me de leegte in haar ogen, haar duistere en ondoorgrondelijke gezicht.

Incidenten die zich steeds vaker voordeden, totdat ze ten slotte op een maandagmorgen tot uitbarsting kwamen, toen ik een telefoontje kreeg van de eigenares van het gebouw dat Soledad gehuurd had voor haar galerie. Ze had al drie maanden geen huur betaald. 's Middags ging ik erheen om de vorderingen te bekijken. Ik was er aan het begin van het project al eens met Soledad geweest. De toegang was versperd en door de ramen was dezelfde grote, lege ruimte te zien als toen. Al die vergaderingen met de architect, met de aannemer, met haar vele adviseurs hadden nergens toe geleid. Of misschien – dat bedacht ik toen pas – hadden ze wel nooit bestaan.

Ik besloot haar te volgen. Ik moest weten waar Soledad elke dag met onze zoon naartoe ging, wie ze ontmoette, wat ze in haar schild voerde. De volgende morgen parkeerde ik mijn auto op een hoek en wachtte. Tegen tienen zag ik haar langsrijden in haar auto. Na een tijdje kwamen we in de wijk waar ze met haar ouders had gewoond. Ze stopte voor het plein waar ze als kind altijd rondrende en stapte uit met Tommy in haar armen. Ze bleef een hele poos roerloos op een bankje zitten staren naar de overkant, haar knieën dicht tegen elkaar met allebei haar handen ertussen. Tommy zat intussen aan haar voeten te spelen in het zand. Op een gegeven moment kroop hij dicht tegen zijn moeder aan en bewoog zich niet meer. Het was een ijskoude ochtend en vanuit mijn auto kon ik hun adem in de lucht zien zweven. Ik was bang dat Tommy onderkoeld zou raken en begreep niet hoe ze, terwijl ze wist hoe teer hij was, hem zo aan de kou kon blootstellen. Ik wilde mijn zoon oppakken en weghalen bij die vrouw die me niet meer dezelfde leek als de vrouw op wie ik verliefd was geworden. Maar ik moest het einde afwachten. Ik wilde weten hoe Soledad me de afgelopen drie maanden had misleid. Ik was zo woedend dat ik de werkelijke dimensie van wat er gebeurde niet goed kon inschatten. Na op zijn minst een halfuur stapte Soledad weer in haar auto en reed weg in oostelijke richting. Ze reed behoorlijk roekeloos. Het leek wel of al die tijd dat ze daar lusteloos had gezeten, plotseling in haar hoofd was geëxplodeerd. Ze parkeerde voor de galerie, haalde Tommy uit zijn stoeltje en maakte hem wakker door hem met kussen te overdekken. Die uiting van genegenheid, zo gebruikelijk bij haar, bracht de Soledad die ik kende weer even terug. Toen ze voor de ingang stond, tilde ze een paar loszittende planken op, bukte zich en ging met Tommy naar binnen. Daarna zette ze de planken weer terug op hun plaats. Ik wachtte even voordat ik uitstapte om haar door een van de grote ramen te bespieden. Het beeld dat ik door de vuile, beslagen ruit zag, haalde alles onderuit wat ik tot dan toe voor zeker had aangenomen. Soledad lag helemaal in elkaar gedoken op de vloer; Tommy als een hoopje in haar schoot. Ik sloeg zo hard op de ruit dat die bijna brak, maar Soledad bleef doodstil, met dichtgeknepen ogen liggen, alsof ze het lawaai van een bombardement wilde ontvluchten. Ik ging via de opening naar binnen en riep haar bij haar naam. Tommy begon te huilen. Soledad drukte hem tegen zich aan om te voorkomen dat hij weg zou glippen. Ik rukte mijn zoon uit haar armen. Tommy gilde. Soledad begon te schreeuwen, terwijl ze van zich af schopte en op me in sloeg met haar vuisten. Ik pakte haar bij haar polsen. De gelaatsuitdrukking die ik bij haar zag, deed me verbleken. Ze bleef maar schreeuwen, met haar mond open en weggedraaide ogen, in een andere wereld.

Ik bracht ze naar huis. Soledad zat met gebogen hoofd naast me in de auto en zag eruit als een marionet. Plotseling begon ze te beven. Mijn vrouw was overvallen door een ziekte en in ons leven was een nieuwe versie van de werkelijkheid binnengedrongen. Voortaan – dacht ik – zou ik misschien wel nooit meer weten wat ik tegen haar moest zeggen.

Tommy woonde de daaropvolgende weken bij mijn vader. Zowel om hem te beschermen als om Soledad te helpen de symbiose die ze met hem had gecreëerd te doorbreken. De druk van de laatste jaren had zich zozeer opgehoopt dat de fundamenten van haar ego, van haar wezen, waren bezweken. Dat was tenminste de verklaring die de psychiater ons gaf. In het begin bracht Soledad de dag door voor de televisie, in een staat van pijnlijke wezenloosheid. Heel geleidelijk – met behulp van medicijnen – herkreeg ze haar vertrouwde uiterlijk, keerde ze terug naar onze wereld, naar haar eigen leven. Daarom waren we ook wat minder op onze hoede, en toen ze op een middag Tommy in haar auto zette om 'een eindje te gaan rijden', liet Yerfa, die strikte orders had haar niet met Tommy weg te laten gaan, haar gewoon vertrekken.

Ze botste tegen de muur van een viaduct. Het was drie uur 's middags en er was vrijwel geen verkeer op de snelweg. Ze kon alleen maar tegen de muur zijn opgebotst als ze het vaste voornemen had gehad dat te doen. Tommy zat niet in zijn veiligheidsstoeltje. Op de vloer vonden we zijn kleurpotloden. Hij moet zich hebben gebukt om ze op te rapen op het moment dat Soledad met haar auto tegen de muur reed. Die beweging had zijn leven gered. Zelf belandde ze in het ziekenhuis met meerdere botbreuken en verwondingen in haar gezicht. Toen ze hersteld was, hebben we haar laten opnemen in een psychiatrische inrichting. Ik heb haar nooit vergeven dat ze Tommy mee wilde nemen in de dood.

⌛

Mijn vliegtuig schudt. Het is alsof ik over het oneffen oppervlak van de oceaan vaar. Ik heb de glazen fles met het bootje erin meegenomen. Ik houd het tegen het licht. Er zitten details in die ik nog niet had opgemerkt, zoals een anker aan de voorsteven. Het geronk van de motor weergalmt in mijn oren. Ik knijp zo hard in de fles dat hij breekt. Ik bloed. Ik kijk naar mijn hand en de druppels vallen op mijn broek. Er flitst een bekend gevoel door me heen: dat ik iets onherstelbaar kapot heb gemaakt. Ik herinner me de woorden van Alma op de dag van Miguels huwelijk: 'Waar je het meest van geniet, is de deuren van de operatiezaal open te doen en die gezichten te zien die naar je kijken alsof je God bent.' En ze heeft gelijk. Wat ze niet weet, is dat die dankbare gezichten me helpen de van woede, schuldgevoel en bekrompenheid vervulde man te vergeten die ik in me draag. Een bekrompenheid waarvan ik vrees dat die op anderen overslaat.

Toen Emma me vroeg of haar zoon dood was, drukte ik haar tegen me aan. 'Je mag huilen. Ik heb het nooit gekund,' zei ik.

Terwijl Soledad ons langzaam verliet in de inrichting, wapende ik me met een pantser, waaronder slechts één enkel verlangen me voedde: me niet te laten overweldigen door verdriet. Ik moest alles omzetten in kracht, in woede. Het was de enige manier die ik kon bedenken om te overleven, en de laatste overtuiging die me nog restte.

Emma huilde niet. Ze bleef tegen me aan staan, haar gezicht begraven in mijn borst. Zo trof de vader van Cristóbal ons een paar minuten later aan. Hij begon te schreeuwen. Emma maakte zich van me los en greep hem bij zijn schouders. Ik pakte het bootje van Cristóbals nachtkastje en liep de kamer uit.

Plotseling zie ik een beeld dat ik nog nooit eerder heb gezien. Terwijl de zon op het punt staat onder te gaan in zee, komt de maan op tussen de berghellingen, sneeuwwit en reusachtig, een beeld dat ik vroeger met de grootheid van God zou hebben geassocieerd. Maar nu niet. Ik heb me mijn hele leven voorbereid op het ervaren van de genade en de openbaring, maar er gebeurt niets. Hij blijft keer op keer afwezig.

28. ♒

In plaats van ergens verborgen te liggen op een donkere en verlaten plek, is het waterhuis uit mijn kindertijd doorzichtig geworden en drijft rond in de stad. Weer een gestolen nacht. Ik kijk naar Leo terwijl hij slaapt. Zijn gelaatstrekken in rust maken hem kinderlijker, onschuldiger. De rimpels in zijn voorhoofd verdwijnen, net als zijn priemende ogen, zijn energieke gebaren en zijn scepsis. Ondanks zijn argwanende kijk op de wereld, ondanks zijn verslavingsverleden, straalt Leo iets tevredens uit, alsof hij zijn hele leven alleen maar genoegens heeft geoogst. Ik denk wel eens dat ik me daardoor des te sterker tot hem aangetrokken voel. Hij doet zijn ogen open en knippert een paar keer voordat hij erin slaagt me scherp te zien. Hij glimlacht. Het licht doet zijn fraaie hoekige gezicht goed uitkomen. Onder de lakens trekt hij me dichter naar zich toe.

'Mag ik je iets vragen?' informeer ik.

'Dat hangt ervan af.'

'Toen ik je leerde kennen had je net een ontwenningskuur achter de rug, maar twee weken later was je alweer aan het snuiven. Waarom?'

'Waar heb je het over?'

'Weet je nog toen we elkaar leerden kennen?'

Ik laat mijn hoofd op zijn schouder rusten. Leo knikt.

'Op dat feest dronk je Coca-Cola, ging je vroeg naar huis en was je vastbesloten te genezen. Toen we naar de berg gingen, had je coke bij je. Wat was er intussen gebeurd?'

'Waarom wil je dat nu ineens weten?' Zijn spieren spannen zich. 'Dat is al zo lang geleden, Alma. Het was niet mijn eerste terugval, en ook niet de laatste.'

'Vertel het me, alsjeblieft.' Leo gaat wat gemakkelijker liggen en ik pas me aan zijn nieuwe houding aan.

'Mijn herinneringen aan die tijd zijn zo vaag. Het was een wonder dat je me clean aantrof op dat feest.'

'Op de berg zei je dat je iets had met een andere vrouw en dat je daarom niet verwikkeld wilde raken in een relatie met mij,' zeg ik, en ik pak zijn hand en leg die tegen mijn wang.

'Ongelooflijk, de details die je nog weet. Een vrouw... Dat moet een yoga- of meditatielerares zijn geweest met wie ik een tijdje was. Ja, dat was zij. Ze had onvoorstelbaar haar, net als jij, en als ze bewoog rinkelden haar armbanden.'

'Ze was dus mooi.'

'Jij bent oneindig veel mooier.'

'Ik vis niet naar complimentjes.'

'Ik zeg het alleen voor het geval je het mocht willen weten. Ze was een stuk ouder dan ik. Ik geloof dat ik haar nog op dezelfde dag dat ik haar leerde kennen heb gevraagd met me mee te gaan. Ik was behoorlijk schaamteloos.'

'Dat ben je nog steeds.'

De maan schijnt tussen de donkere silhouetten van de gebouwen op de achtergrond. De lucht trilt en wit stof daalt neer van de kruinen van de bomen.

'Wist ze dat je net een ontwenningskuur had gehad?'

'Waarom interesseert je dat zo?'

'Nieuwsgierigheid.'

'Ze had geen idee, ik heb het haar nooit verteld. Ik geloof dat ik bij haar weer ben gaan snuiven en roken. Het heeft niet lang geduurd. Op een dag heeft ze me het huis uitgezet en ik heb haar nooit meer gezien.'

'Die vrouw was mijn moeder.'

'Wat?!' Leo richt zich op en kijkt me aan.

Terwijl ik praat op de kalme toon van iemand die een droom van lang geleden vertelt, kijk ik naar de maan die slapeloos voor ons raam zweeft.

'Ik heb je die ochtend gezien, je sliep en was naakt. Ik heb een tijdje naar jullie staan kijken. Naar mijn moeder en jou.'

'Ik kan het niet geloven...' Hij drukt me stevig tegen zich aan. 'Ik kan het niet geloven.'

'Haar huid en de jouwe hadden dezelfde olijfachtige kleur, alleen was die van jou steviger, jonger.'

'Die vrouw was je moeder,' mompelt hij in zichzelf.

'Vond je het erg dat ze je het huis uitzette, was het pijnlijk voor je dat ze je zomaar uit haar leven bande?'

Ik weet hoe morbide mijn vraag klinkt, en daarom stel ik hem ook. Omdat het allemaal morbide maar onontkoombaar is. Leo zwijgt even en zegt dan: 'Het spijt me, Alma, echt.'

'Maar je had toch geen idee. Bovendien wist zij ook niet dat wij elkaar kenden. Tot op de dag van vandaag weet ze dat niet.'

'Alma... het is hoe dan ook verschrikkelijk en ik wil dat je me vergeeft.' Hij omhelst me, nu nog intenser.

'Wat moet ik je vergeven?'

'Dat ik je niet heb gezien, dat ik toen een stomme dronkenlap en drugsverslaafde was en je niet heb gezien.'

'Dat je mijn moeder geneukt hebt?'

'Dat ik je moeder geneukt heb,' herhaalt hij ernstig, en ik barst in lachen uit.

'Waarom lach je?'

'Het is me gelukt je serieus te laten praten, het is me gelukt je masker van sarcasme af te rukken, het is me gelukt je me te laten voelen.'

'Maar ik voel je de hele tijd...'

'Nooit zoveel als nu,' verklaar ik.

'Nooit zoveel als nu,' geeft hij toe.

29. ♐

Een reusachtige maan leunt op het huis van Het Minderwaardige Babynijlpaard en staart me dreigend aan. Het plafond van mijn kamer is een gat waar de schaduwen als muizen doorheen glippen. Ik doe het licht aan en denk aan de 6,5 die ik vandaag voor Engels heb gehaald, aan de 6,2 voor taal en aan de 7 voor tekenen van vorige week. Jammer genoeg herinner ik me ook de 3 voor rekenen. Ik fantaseer dat ik tot koning ben benoemd van een land dat Tommyland heet, maar de AVDN – de Angst Voor De Nacht – is groter dan mijn verzinsels. Groter dan ik. Ik sta op en loop naar de gang. De fietstocht heeft mijn lichaam behoorlijk toegetakeld. Naar de kamer van papa gaan heeft geen zin. Alma is er niet, ze moet tot morgenochtend werken, en papa zegt dat ik al te groot ben voor AVDN. Ik loop naar beneden en klop op de deur van Yerfa's kamer. Ze verschijnt in de deuropening in een wit nachthemd waaronder alleen haar donkere voeten te zien zijn. Zonder een woord te zeggen kruipen we in haar bed. Yerfa heeft een zachte, warme buik, en ook haar borsten zijn zacht en warm. Ik kijk door het raam naar buiten. Daar is de maan weer.

'De maan is me tot hier gevolgd,' zeg ik tegen Yerfa. 'Eigenlijk volgt die ons overal.'

Ze antwoordt met gegrom. Ik hoor haar ademen. Haar buik gaat op en neer. Op en neer. Eigenlijk is volle maan niet eens zo erg. De nachten zonder maan of sterren zijn nog erger, omdat de duisternis dan vanuit de bergen naar beneden komt met zijn demonen. Terwijl ik dit denk val ik in slaap.

Tijdens het omdraaien gooit Yerfa me uit bed. Ik lig op de grond met een van haar schoenen tussen mijn ribben. Het wordt al licht. De eerste blauwe weerschijn van de ochtend heeft de maan verslagen. Ik ga terug naar mijn kamer en zet mijn computer aan. Ik snap niet waarom ze er nooit genoeg van krijgen.

HAAAAAAAAAAAA JE BEN 1 SIELIGE SLOME DIUKELAAR HAHAHAA... EN WE GAAN JE PIEMELTJE AFSNIJE AS JE NIE VIJF RUGGE BRENG HEB JE DAT GEHOORT LULLETJE?????????????????????????????

Ik voel dezelfde woede als altijd, maar deze keer heb ik niet genoeg kracht om iets verschrikkelijks te bedenken. Soms zou ik alles aan papa willen vertellen, maar hij denkt vast dat het heel domme en heel slappe jongens zijn die zoiets verzinnen.

Gelukkig heb ik nu Mr. Bridge. Voordat ik hem bezoek, zet ik de opnamen van mijn laatste ontdekkingen op mijn computer. Als ik naar zijn blog ga, wordt het aan het eind van de wereld licht. Net als hier. De camera is gericht op het eiland van de alacalufefamilie. De schorre stem van Mr. Thomas Bridge verbreekt de stilte. 'Good Morning,' zegt hij, en zijn rossige gezicht verschijnt op het scherm. Hij wrijft zijn ogen uit en glimlacht tegen me. Je zou haast zeggen dat we vrienden zijn. Ik glimlach ook tegen hem. Het is jammer dat hij me niet kan zien. Plotseling zegt hij: 'Oeeepsss!!! They are finally emerging from the forest!'

Ze zijn allemaal in de kano gestapt. De moeder peddelt het water op. Ze zijn nog niet ver gevorderd als de kano stil blijft liggen. Ik kan niet zien wat ze doen. Ze lijken druk bezig. Mr. Thomas Bridge vraagt zich hetzelfde af als ik. Plotseling wordt alles duidelijk. Ik kan mijn ogen niet geloven. Mr. Bridge ook niet, hij schreeuwt nu: '*What the fuck! What the fuck*!' De eerste is het jongetje. Ik zie zijn silhouet, net zo klein als het mijne, op de rand van de kano klimmen en met een steen aan een van zijn voeten gebonden, in zee springen. Er zijn nog geen vijf seconden verstreken als het water weer tot rust komt, alsof er niets is gebeurd. Het meisje lijkt haar oma te omhelzen. Ze maakt zich van haar los en gaat naar de rand van de kano. Ze wacht even en dan verdwijnt ze net als haar broer onder water. Hun vader volgt en even later ook hun moeder. De grootmoeder wacht tot het water weer tot rust is gekomen, dooft het vuur met haar voeten en springt. Ze zijn verdwenen. De zee heeft ze onverschillig opgeslokt en doet nu net of ze slaapt.

Mr. Bridge zegt niets. Hij zet de camera uit en alles vervaagt. 'Mr. Thomas Bridge!' schreeuw ik tegen het scherm van mijn computer, dat zwart en leeg blijft als het water. 'Mr. Bridge, Mr. Bridge!' schreeuw ik nogmaals uit alle macht. Ik steek mijn hand uit om het scherm aan te raken, maar het is zinloos, Mr. Bridge zinkt erin weg als de alacalufes in hun zee, als mama in haar straat.

30.⌛

De rabbijn zingt psalmen in het Hebreeuws terwijl de mannen elk drie scheppen aarde op de kleine kist van Cristóbal gooien. Een boog van gesmeed ijzer, waaraan een eenvoudige davidster hangt, kroont zijn graf. Emma, die fier voor hen staat, kijkt toe. De vader van Cristóbal heeft nog steeds dezelfde duistere, koortsige gezichtsuitdrukking. De schaduw van een wit zonnescherm biedt beschutting aan de groep familieleden en vrienden die afscheid van hem neemt. Sommigen hebben hun ogen gesloten en prevelen iets voor zich uit, dicht tegen elkaar aan, als een onneembare muur. Een oude man, wiens witte haar doet denken aan de manen van een leeuw, begint te bidden.

Dit is het kerkhof waar Soledad begraven zou moeten liggen. Tommy was twee toen een Argentijnse nicht contact met haar opnam en vertelde dat haar grootouders joods waren. Haar grootvader was uit Oekraïne naar Buenos Aires gekomen en had zich bekeerd tot het katholicisme met het doel een school voor meisjes op te richten. De generaties daarna werden katholiek opgevoed. Het bericht dat ze van joodse komaf was, bracht een ommekeer teweeg bij Soledad. Iets ongrijpbaars, wat ik nooit heb kunnen verklaren, maar wat uitmondde in een onuitputtelijke bron van vragen en een afmattende zoektocht. Ik was in die tijd net begonnen als chirurg en kon haar moeilijk volgen op haar ontdekkingsreis. Op een avond, maanden voor het eerste alarmsignaal, terwijl we naast elkaar lagen te wachten op de slaap, zei ze plotseling: 'Ik heb Tommy vandaag laten besnijden.'

Ik kon me niet te beheersen en begon te schreeuwen dat ze daar het recht niet toe had, dat ze het eerst met mij had moeten overleggen.

'Ik wil dat Tommy joods is, net als ik,' antwoordde ze op de kalme toon van iemand die haar woorden duizend keer heeft gerepeteerd.

'Maar... dat is hij toch al,' voerde ik aan.

'Ik wil dat hij altijd weet wat zijn herkomst is, dat hij die meedraagt in zijn lichaam en dat hem niet hetzelfde overkomt als wat mij is overkomen.'

Ingegeven door woede reageerde ik spottend: 'Dan ben jij er altijd nog om hem daaraan te herinneren.'

Soledad bespeurde mijn ironie. In zekere zin vormden mijn woorden een bevestiging van haar angsten.

'Ik kan ook doodgaan,' besloot ze geëmotioneerd en ernstig.

Beschaamd sloeg ik mijn armen om haar heen en zei dat ik het niet erg vond dat ze Tommy had laten besnijden, maar dat ik het fijn had gevonden als we het samen hadden gedaan.

'Ik kan niet alleen zijn, ik heb iemand uit ons gezin nodig die hier deel van uitmaakt.'

Zelfs al lukte het me te begrijpen wat voor betekenis het voor haar had, toch was ik kwaad omdat ze mijn zoon met een onuitwisbaar teken had gebrandmerkt. Dezelfde woede als toen ze me alleen achterliet met Tommy. Ik voelde me gekwetst door haar onnadenkendheid, door de ziekelijke intensiteit waarmee ze leefde, en die haar uiteindelijk het leven kostte. Ik vervloekte haar gebrek aan doorzettingsvermogen. Tommy's leven en het mijne zouden door haar overschaduwd blijven.

Daarom heb ik voor Tommy de waarheid verzwegen: de dood van zijn moeder en dat kleine beetje joods bloed dat hij heeft. Daarom heb ik haar ook niet op dit kerkhof begraven. Dat was mijn wraak voor wat ze ons heeft aangedaan. Wrok bezit een energie en helderheid die verdriet mist, daarom bleef ik erin volharden. Wraak, wrok? Ik word overmand door zo'n diepe droefheid dat ik zou kunnen huilen. Ik moet geloven, niet denken, zeg ik keer op keer tegen mezelf. Maar het is zinloos. Nooit eerder had God me zo onmenselijk geleken. Zijn grootheid berust op het feit dat niets werkelijk menselijks bereikbaar is, dat we ertoe veroordeeld zijn in pijn en zonde te leven.

Emma gooit een bloem op de kist van haar zoon, die inmiddels bedekt is met aarde. Onze blikken kruisen elkaar. Ze slaat haar ogen neer en daarna weer op, alsof ze ten afscheid zwaait. Het is tijd om terug te gaan naar huis. Ik wil Alma, Tommy en Lola zien. Ik heb het gevoel dat ik te lang weg ben geweest.

31.♐

Ik denk dat papa meestal stil is omdat iets eenvoudigs tegen anderen zeggen soms vreselijk ingewikkeld kan zijn. Dat is in elk geval de reden waarom ik liever niet praat.

Vandaag hebben we op school een dichter gelezen die Vicente Huidobro heet.

Ik heb ontdekt dat woorden dienen om dingen uit te drukken en te begrijpen die op een andere manier onmogelijk zouden zijn. Zoals bijvoorbeeld: '*Ik denk aan hen, de doden. Aan hen die ik zag vallen. Aan hen die in mijn ziel gegrift staan. Aan hen die nog altijd vallen in mijn blikveld.*' Toen de leraar dit gedicht voorlas, sloeg mijn hart over. Ik had nooit gedacht dat er een plek kon bestaan, diep maar dan ook heel diep in ons lichaam, waar we allemaal gelijk waren. Hoe moet je anders verklaren dat meneer Huidobro, die zestig jaar geleden gestorven is, het over iets heeft wat mij nu overkomt?

Maar het belangrijkste is dat ik heb ontdekt dat hij met woorden dingen kon bouwen als sterren, kapelletjes, caleidoscopen, pijlen... Daarom heb ik eindelijk besloten iets te doen. Ik heb mijn eigen Letterbak gemaakt, waar ik de berichten voorgoed in zal wegstoppen.

LETTERBAK VAN **TOMMY**

Ga tog naast 1 pluuse beesie staan die sijn net zo groot as jij of net ietsie groter dan je piemel die kleiner is dan je kleine teen arme sielepoot-... SLOME DIUKELAAR met je meidehartje =

Luister s fuile klotebabie flikker op naar je mammie ga je mammie diesofeel van je houte **ARME** sielepoot hihii..... as je tog niks te doen heb ga naar je sgriftafel die je eengste vrientjes zijn......!!!! Ga tog naast **pluuse beesie** staan die sijn net zo groot as jij of net ietsie groter dan je PIEMEL die kleiner is dan

32. ♒

Ik ga op de armleuning van de bank zitten en laat me zijdelings naar Leo glijden. Ik observeer hem terwijl hij zijn aantekeningen nakijkt voor een artikel dat hij naar een krant moet sturen. Hij fronst zijn voorhoofd en daarna maakt hij een paar doorhalingen. Hij slaat zijn arm om mijn schouder en drukt me tegen zich aan.

'Ik weet niet wat ik zonder jou moet beginnen als ik terugga naar Bogotá,' merkt hij met een schittering in zijn ogen op. In een hoekje van zijn gezicht lacht hij.

Hij zegt dat ik zijn demonen tot rust breng en dat ik hem help in contact te komen met de plaats waar de verhalen zijn. Ik trek een grimas ten teken van ongeloof en we schieten in de lach. We weten allebei dat hij – zonder hulp van wie ook – romans schrijft die hem aanzien en een goed inkomen hebben opgeleverd. Ik maak me van hem los en sla mijn armen om mijn knieën. Leo buigt zich weer over zijn papieren.

Ik kan niet voorkomen dat die toekomst waar Leo het over heeft, me somber stemt. Even geleden, toen we naakt in bed lagen, praatte hij over zijn leven. Een vrij en tegelijk pervers eenzaam bestaan. Ik wilde die uitgestrekte wereld, die zo rijk was aan mogelijkheden, bevatten. Maar terwijl ik zijn intense, hoewel niet helemaal gelukkige gezichtsuitdrukking observeerde, bespeurde ik onder zijn vrijmoedige relaas een zekere leegheid.

Ik vroeg hem me tegen zich aan te drukken. Ik moest weten of dat moment zou voortduren, of het echt was, en niet een van zijn vele onevenwichtige anekdotes die in een niet al te verre toekomst gewoon een van zijn verhalen zou worden.

'Luister hier eens naar,' zegt hij. '"Lieve Telemachus, alle eilanden lijken op elkaar als je zolang hebt rondgezworven, en het denken geraakt van slag door het tellen van de golven, de pupillen, vertroebeld door de horizon, beginnen te tranen, verwaterd vlees verstopt de oren." Dat is een gedicht van Joseph Brodsky.' Hij praat tegen me met die bekende ondeugende glinstering in zijn ogen.

'Heel even dacht ik dat jij dat geschreven had.'

Alle eilanden lijken op elkaar als je zolang hebt rondgezworven. Probeert hij me misschien te zeggen dat voor hem de tijd is gekomen om zich te settelen? Ik ben niet van plan de raadsels van Leo op te lossen. Wat ik wel of niet doe met mijn leven is niet afhankelijk van wat hij besluit te doen met het zijne.

Achter de verlichte hoge gebouwen gaat het donkerblauw van de hemel geleidelijk over in oranje tinten. De atmosfeer is rustig. Ik word bevangen door een gevoel van onbehagen. De gedachte dat ik in staat ben zomaar te breken met de wereld van Lola, Tommy en Juan maakt me bang.

Tenslotte kan Juan, na een paar glazen, alles van mij gedaan krijgen wat hij wil, en ik van hem. Het verschil zit in schijnbaar nietszeggende dingen, zoals de manier waarop Leo zijn hoofd krabt, de klank van zijn stem, hoe hij zijn handen beweegt, me aanraakt, het gewicht van zijn lichaam op het mijne, hoe hij in me binnendringt, het genot dat hij me bezorgt.

Als na een bepaalde tijd de hartstocht verdwenen is, draait ons leven om herinneringen, voornemens, gevoelens van trouw en genegenheid, die evenveel of meer waarde bezitten dan de vurigheid waarvoor ze in de plaats komen. Tot een paar weken geleden leek dit besef me een teken van volwassenheid, maar nu komt het me voor als een sierlijke lege huls. In ons doet zich een eindeloze hoeveelheid onzichtbare processen voor, cellen sterven, andere ontstaan, bepaalde mechanismen staan stil en andere worden in werking gezet. Totdat we plotseling zijn veranderd. Het was op het moment dat een van die minuscule innerlijke processen op het punt stond zichtbaar te worden dat Leo weer in mijn leven verscheen. Misschien is hij niet meer dan een obsessie, de luchtspiegeling die wordt opgeroepen door mijn verlangen naar een ander leven, naar een nieuw begin. In deze verwarrende lucht die ik inadem, is mijn enige zekerheid dat ik niet in staat ben te leven op braakland, afgezonderd van emoties, van de warmte van een nabij, bemind lichaam, omringd door lege hulzen.

'Leo,' onderbreek ik hem, 'mag ik je iets vragen?'

Hij legt zijn papieren op de grond en kijkt me aan.

'Waarom komen er in je romans alle mogelijke relatievormen voor, zelfs de meest onmenselijke, maar is er nooit sprake van liefde?'

'Dat is niet waar. In *Splitsingen* worden Pascual en Elisa verliefd.'

'Maar Elisa is ziek. Ze kan Pascuals liefde niet beantwoorden.'

'Liefde doet zich nooit voor in pure vorm. Elisa gaat erop in en voelt het, maar door haar lichamelijke beperkingen moet ze haar eigen manier vinden om het uit te drukken.'

'Weet je wat ik denk? Ik denk dat je probeert het woord liefde uit te bannen, en het te vervangen door een verhandeling over ontworteling. Je bent trouwens niet de enige. Maar het ergste is dat deze nieuwe retoriek, die in feite niets nieuws heeft, in plaats van vrijer te zijn, onderworpen is aan uiterst strikte literaire patronen. Ik begrijp het echt niet.'

'Ten eerste moet ik ter verdediging aanvoeren dat ik niets tegen de liefde heb, en dat ik, zelfs als het waar is wat je zegt, een verloren strijd zou voeren. En ten tweede stop je me in het verkeerde hokje. Ik ken die verhandeling over de moedeloosheid waar je het over hebt, maar mijn verhalen hebben daar niets mee te maken, en dat kan ik je meteen morgen bewijzen als je meegaat naar de lezing die ik op de universiteit zal geven.'

'Ik heb je romans gelezen, Leo, en die welsprekendheid van jou overtuigt me absoluut niet.'

'Laat me je dan overtuigen. Ik zou het heel fijn vinden als je morgen meeging. Echt. Misschien ben ik wel veranderd...' zegt hij met een glimlach die niet van charme gespeend is.

'Om te zien hoe je je pauwenveren uitspreidt?'

'Waarom niet? Misschien zou je dan wel vol aanbidding aan mijn voeten liggen.'

'Dat zou wel eens moeilijk kunnen worden. Ik ben al wat te oud voor dat soort vernederingen.'

'Dan kun je er toch op zijn minst mee instemmen samen met mij de straat op te gaan. Weet je wat ik graag zou willen?'

'Wat?'

'Dat we samen naar de bioscoop gaan. Ik zag in de krant dat er in de bioscoop hier vlakbij een film van de gebroeders Coen draait. Hij begint om halfnegen.'

Hij kijkt me verwachtingsvol aan, stopt zijn handen in zijn broekzakken en laat de duimen naar buiten steken; een gebaar dat, neem ik aan, tot doel heeft mijn enthousiasme te wekken.

'Je weet dat ik niet kan.'

Het is niet de eerste keer dat Leo probeert me uit het glazen huis te krijgen.

'Maar waarom denk je dat we overal een bekende zullen tegenkomen?' vraagt hij gejaagd. Ik zie op zijn gezicht een geërgerde uitdrukking die hij probeert te verhullen met een geveinsde glimlach.

'Deze stad is te klein, dat heb ik al duizend keer gezegd.' Ik sta op en loop met gloeiende wangen van boosheid naar het raam. Leo schijnt het niet te merken.

'En jij denkt echt dat als we op een doodgewone dinsdagavond naar de bioscoop gaan, we iemand zullen tegenkomen?' vraagt hij op dezelfde luchtige toon.

Ik neem me voor me niet door mijn woede te laten beheersen. Als ik met Leo de ruzies herhaal die ik met Juan heb, dan zou dit alles de weinige zin die het toch al heeft helemaal verliezen.

'Ik ken veel mensen. Bovendien heb je laatst zelf tegen me gezegd dat volgens Maugham hartstocht niet gedijt als hij wordt bevredigd, maar juist als hij wordt tegengewerkt.'

'Nu moet je niet valsspelen, hij had het niet over de onmogelijkheid om naar de bioscoop te gaan. Trouwens, waar kunnen ze je van beschuldigen? Dat je met een oude vriend uitgaat?'

Ondanks mijn pogingen een confrontatie te vermijden, gaat Leo door met provoceren. Waarom? Wil hij soms ook dat dit ophoudt voordat het voor ons allebei ondraaglijk wordt?

'Dat zal hun lezing niet zijn, dat kan ik je verzekeren,' ga ik in de tegenaanval, zonder mijn kalmte te verliezen.

'Dan zullen ze zeggen dat je een minnaar hebt. En wat dan nog? Zeventig procent van de getrouwde vrouwen in dit land heeft een minnaar of er ooit een gehad.' Hij draait zich om en spreidt zijn handen als een goochelaar.

'Ik ben geen nummer. En je cijfers zijn belachelijk. Worden er soms jaarlijks peilingen gehouden over dit onderwerp?'

'Ik kan je verzekeren dat het waar is. Daarvoor heb ik geen officiële peilingen nodig.'

'Zeker omdat je er ervaring mee hebt gehad?'

'Doe niet zo masochistisch, Alma. Daar schiet je niets mee op.' Er verschijnt een flauwe glimlach op zijn lippen en hij pakt me met een vermoeid gebaar bij mijn arm.

'Waar we niets mee opschieten, is dat wat we nu aan het doen zijn,' besluit ik op een te scherpe toon, en ik duw hem van me af.

Ik beheers me uit alle macht, Leo zal me niet zien huilen. Ik laat mijn blik heen en weer springen tussen de muren en dan verdwijnen tussen de kruinen van de bomen.

'Dat weet ik, Alma. Maar soms vind ik het gewoon jammer dat ik dingen waar ik van hou niet met je kan delen, zoals een goede film, of een etentje... Neem me niet kwalijk. Het komt door de frustratie dat ik zo praat.' Hij heeft de blik van iemand die gekweld wordt door een mengeling van emoties.

Hij steekt zijn hand uit en raakt mijn taille, om hem meteen daarna, met zachte druk, onder mijn bloes te laten glijden.

'Echt, het spijt me. Het laatste wat ik wil is dat we verzeild raken in stompzinnige discussies.'

'Dat wil ik ook niet.'

Leo drukt me tegen zich aan en ik geef me gewonnen. Mijn gewrichten worden week. Ik ben zachte materie die beschutting zoekt om niet uit elkaar te vallen. Hij voelt mijn overgave en kust me. Als we ons van elkaar losmaken, blijven we nog een tijdje naar de sterren kijken die aan de andere kant van het glazen huis staan te fonkelen.

'Ik moet weg,' zeg ik plotseling. 'Ik heb Lola beloofd dat ik haar zou helpen met haar huiswerk Engels.'

Ik pak mijn tas en mijn jas. Voor ik wegga, zeg ik tegen hem dat ik morgenmiddag een bijeenkomst heb op de school van Tommy en dat ik dan niet kan komen.

'Dat is goed.'

'Je geeft me toestemming?'

'Nee. Ik zeg tegen mezelf dat het goed is dat je weggaat, dat het me geen kwaad zal doen als ik je morgen niet zie.'

Ik wend eerder dan hij mijn blik af en zeg: 'Er zal je niets vreselijks overkomen, Leo, dat kan ik je verzekeren.'

33. ♐

Tijdens de pauze was een jongen uit de zesde klas die een punthoofd heeft en uit elkaar staande ogen als van een schaap, geïnteresseerd in mijn vliegend hert. Ik deed het doosje open en hij mocht hem aanraken. Omdat het beest een glad en glanzend oppervlak heeft, beweerde de jongen dat ie van plastic was. Ik deed het doosje dicht en beloofde mezelf hem nooit meer open te doen. Minuten voordat de bel ging ontdekte ik in de gang de leraar natuurkunde. Ik praat vaak met hem over de wetenschappelijke programma's die ik op tv zie. Deze keer vroeg ik hem: 'Mister Berley, is het waar dat als een stukje zon ter grootte van een speldenknop op aarde valt, alle mensen die zich in een straal van honderdzestig kilometer bevinden, verschroeid worden?'

Mister Berley antwoordde dat ik in plaats van allerlei gruwelijkheden beter dingen kon bedenken die goed waren voor de mensheid. Ik legde hem uit dat als ik iets zie of hoor, ik niet meer net kan doen alsof het niet bestaat en dat je dit *bewustwording* noemt. Hij keek me aan met zijn zonnebloemkleurige ogen en antwoordde dat ik een beetje filosofisch was. Ik vond het fijn dat hij dat zei. Omdat hij een oude man is, bood ik aan zijn rug te krabben, maar hij bedankte me en vroeg of dat tot een andere keer kon wachten.

Ik stop het doosje met het vliegend hert in mijn rugzakje en loop naar de bibliotheek. Vandaag is het vrijdag. Drie uur gym. Tijd om onderzoek te doen op Google. Op de gang kom ik een paar jongens uit mijn klas tegen. Ze kijken naar me alsof ze iets willen zeggen, maar lopen dan lachend door. Hun blikken dringen mijn lichaam binnen en blijven als wormen graven in mijn binnenste.

Eenmaal in de bibliotheek tik ik in: Arnold Bulygin jood. In een krant vind ik een brief met het opschrift: 'De waarheid over Arnold Bulygin.'

Toen ik in de krant las dat er twintig jaar verstreken waren sinds de dood van Arnold Bulygin, dacht ik bij mezelf dat het nu lang genoeg geleden was om de waarheid te vertellen. Ik heb hem leren kennen toen ik een klein meisje was, in de wijk Once, waar we allebei woonden. Mijn ouders hadden een werkplaats waar ze kaarsen maakten voor de sjabbat, en elke vrijdag kwam Arnold de kaarsen voor zijn familie halen en bleef dan meestal nog een hele tijd kletsen met mijn broer Miguel. Arnold was een ernstige jongen die er vurig naar verlangde een groot opvoeder te worden. Mijn broer en ik bewonderden hem. Op een dag verkocht zijn familie hun huis in de wijk Once en verdween hij. Jaren later hoorden we van de vermaarde school voor meisjes die de Bulygins hadden gesticht in Belgrano, een van de chicste wijken van Buenos Aires. Maar wat onze aandacht trok, was dat de school Santa Ana heette. We begrepen niet wat er was gebeurd. Wij joden konden naar het einde van de wereld emigreren, van advocaat kaarsenmaker of van Oekraïner Argentijn worden. Niets is definitief, maar waar we wel van overtuigd waren, is dat we altijd jood zouden blijven. Arnold Bulygin - de knappe, ondernemende jongen - was getrouwd met een Amerikaanse van joodse komaf en had een gloednieuwe katholieke school gesticht. Ze zeggen dat hij gelukkig was. Dat hoop ik voor hem. Als hij een Hebreeuwse school had gesticht, zou hij niet rijk zijn geworden en zou hij nooit deel hebben uitgemaakt van de maatschappij zoals hij toen deed en zijn nakomelingen nu doen. Mijn broer ontmoette Arnold een paar jaar voor zijn dood en vroeg hem of hij zich hun gezamenlijke wederwaardigheden in de wijk Once nog herinnerde. Ze waren allebei oud geworden. Arnold keek hem verward aan en ant-

woordde dat hij zich vergiste, want hij had daar nooit gewoond. Dit is het verhaal van Arnold Bulygin. Het is de waarheid, die opduikt uit de diepten om de geordende oppervlakte van de dingen te verstoren. Ik hoop dat een van zijn nakomelingen, die mogelijk het spoor van zijn afkomst is kwijtgeraakt, als hij dit leest een kenmerk van zijn afstamming zal begrijpen, en dingen die onverklaarbaar voor hem waren, eindelijk betekenis krijgen.
Sarah Ravskosky.

Ik heb de indruk dat Sarah Ravskosky het tegen mij heeft. Ik ben een nakomeling van Arnold Bulygin, er zijn veel dingen die ik niet ken en andere die ik niet kan verklaren. Ik neem wat ze gezegd heeft over de waarheid op om er later over na te denken:

Ontdekking appendix: De waarheid duikt op uit de diepten om de geordende oppervlakte van de dingen te verstoren.

Zesde ontdekking: De opa van mama, mijn overgrootvader, verzweeg dat hij jood was om door de maatschappij geaccepteerd te worden.

'Wat zeg je?' vraagt Miss Patricia, de bibliothecaresse.

'Neemt u me niet kwalijk, ik praat soms in mezelf.'

'Geeft niet, dat doen we allemaal wel eens.'

Er licht iets groots en afschuwelijks op in mijn hoofd. Ik moet snel naar huis. De rest van de schooldag gaat blanco voorbij. Of niet helemaal, want ik schrijf een bladzijde van mijn rekenschrift vol met de volgende zin:

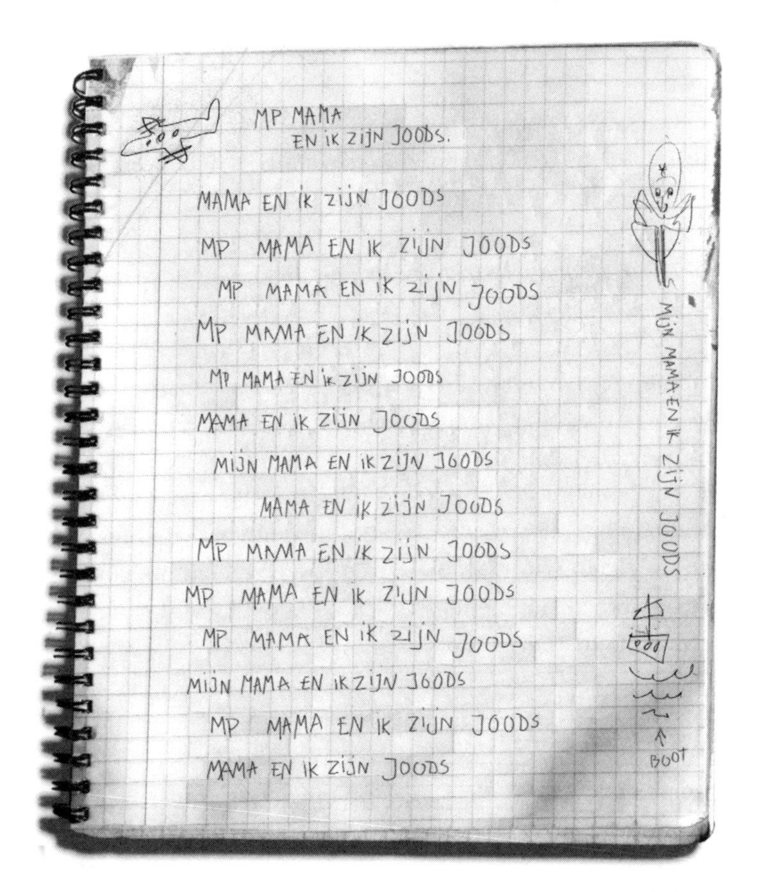

Uiteindelijk vind ik dat niet vreemd. Iets nieuws en machtigs verbindt me met mama.

Als ik thuiskom, ga ik naar mijn kamer. Na een poosje vind ik wat ik zocht. Het is een gesprek dat ik een tijd geleden heb opgenomen, toen Alma en papa nog met elkaar praatten. Nadat ik ernaar geluisterd heb, neem ik op:

Ontdekking appendix: Alma heeft papa het volgende verteld: toen ze voor de eerste keer bij opa was, heeft hij haar gevraagd of ze joods was. Ze antwoordde van niet en opa was heel tevreden.

De jongens uit mijn klas zeiden dat ze bij joodse jongens de piemel afsnijden, om ze te merken. Ze zeiden ook dat joden egoïsten en handelaars zijn. Omdat ik besneden ben, noemen ze me 'smous', en als ze me om geld vragen in hun e-mails, heb ik geen andere keus dan het ze te geven. Ik neem op:

Zevende ontdekking: Ik denk dat opa, net als de jongens uit mijn klas, niet van joden houdt.

Ik kopieer de opnamen van de afgelopen dagen naar mijn computer en ga dan naar H.M.B. We bellen een taxi vanuit zijn huis en hij praat zelf met Yerfa. Hij legt haar uit dat we samen een nieuwe aflevering van *Avatar* op televisie willen zien en dat ik tot laat bij hem blijf. Als de taxi voor de deur van zijn huis stopt, geven we elkaar een high five, zoals jongens doen die cool zijn. Ik heb de indruk dat hij net zo blij is als ik dat hij zijn hand tegen die van iemand anders kan slaan.

♐

Als meneer Milowsky de voordeur opendoet, vraag ik hem: 'Meneer Milowsky, zou u het fijn vinden als ik uw rug krab?'

'Dat zou geweldig zijn,' zegt hij met een vriendelijke glimlach.

'Ik heb ook een cadeau voor u meegebracht. Het is een caleidoscoop. Ik heb hem zelf gemaakt.'

'Dat is nog beter.'

Ik laat hem zien.

Meneer Milowsky kijkt door het gat en hij ziet vast een lichtkring, want de caleidoscopen die ik maak zijn niet echt. Hij kijkt ook een hele tijd naar de tekeningen; hij draait de caleidoscoop om en om, alsof het een object is dat zojuist uit de ruimte is gevallen. Hij zegt dat hij hem heel interessant vindt en zet hem in een kast bij zijn boeken. In zijn huis staan veel boeken en foto's. De boeken vullen niet alleen de planken aan de muren, ze liggen ook opgestapeld op de grond, als torens die elk moment kunnen omvallen. De enige meubels die hij heeft, zijn een eettafel, een leunstoel en een brandende staande schemerlamp. De ramen zijn heel klein en er valt nauwelijks licht door naar binnen. Alsof hij mijn gedachten gelezen heeft, zegt meneer Milowsky: 'Ik heb te veel boeken, ik weet het, daarom staan er bijna geen meubels, om ruimte te maken.'

'Heeft u ze allemaal gelezen?'

'Bijna allemaal, ik moet er nog een paar, maar mijn ogen worden slechter.'

Er staan ook veel foto's van zijn vrouw. Ze heeft grote oren en een glimlach waar je graag naar kijkt. Ik zal hem niet vragen of hij van haar hield, want dat is wel duidelijk.

'Je bent precies op tijd gekomen,' zegt meneer Milowsky.

'Op tijd waarvoor?'

'Het is negen minuten voor halfacht, tijd om de kaarsen voor de sjabbat aan te steken. Precies achttien minuten voor zonsondergang. Dat horen eigenlijk vrouwen te doen, maar in dit huis zijn geen vrouwen meer, en door ze aan te steken voel ik me dicht bij Elena. Ik weet zeker dat God het niet erg vindt.'

Meneer Milowsky steekt twee kaarsen aan, spreidt zijn armen, maakt drie cirkelvormige binnenwaartse bewegingen rond de kaarsen en zegt:

בָּרוּךְ אַתָּה, יְיָ אֱלֹהֵינוּ, מֶלֶךְ הָעוֹלָם,
אשר קדשנו במצותיו
וְצִוָּנוּ לְהַדְלִיק נֵר שֶׁל יוֹם טוֹב.

'Wat ik zei, is: Gezegend bent U, Heer onze God, Koning van de wereld, die ons geheiligd heeft door de geboden en ons heeft opgedragen de lichten van de sjabbat aan te steken. Sjalom sjabbat, Tomás Montes.'

'Sjalom sjabbat, meneer Milowsky,' herhaal ik.

Dat heb je heel goed gedaan.

Meneer Milowsky omhelst me en geeft me een kus op mijn wang. Ik ben een beetje ontroerd.

'Vond je het leuk?'

Ik knik, omdat ik moeilijk kan praten met snot in mijn neus.

'Je moeder stak altijd graag de kaarsen voor de sjabbat aan.'

'En wat deed ze nog meer graag?'

'Volgens Elena genoot ze van zwemmen in het zwembad. Dan dook ze naar de bodem en zwom zonder adem te halen van de ene kant naar de andere.'

'Dat doe ik ook graag,' mompel ik.

In de verte hoor ik het geluid van een sirene. Ik stel me voor dat er iemand vervoerd wordt die op het punt staat dood te gaan en dat ze binnenkort zijn hart eruit zullen halen. Ik heb mijn mp3-speler niet aangezet en dat wil ik ook niet. Als ik dit moment zou opnemen, zou ik een afstand voelen, en ik wil me er juist in onderdompelen, zoals ik doe als ik in het water ben.

'Meneer Milowsky,' waag ik na een paar minuten.

'Zeg het eens.'

'Heeft mama zelfmoord gepleegd omdat ze joods was?'

'Hoe kom je op dat idee? Hoe weet je dat je moeder zelfmoord heeft gepleegd?'

'Dat heb ik iemand horen zeggen.'

'Iemand die je vertrouwt?'

'Dat weet ik niet.'

'Dan ben je dus ook niet zo zeker van wat je hebt gehoord.'

'Ik weet dat u niet zult zeggen dat mijn moeder zelfmoord heeft gepleegd, en dat begrijp ik, want het is heel moeilijk om dat tegen een twaalfjarig kind te zeggen. Ik stel dan ook voor dat u alleen vertelt of mama het erg vond dat ze joods was.'

'Voor een twaalfjarige ben je erg bijdehand.'

'Wat betekent "bijdehand"?'

'Slim.'

'Dus?'

'Ik heb je moeder niet goed genoeg gekend. Ik weet dat Elena en zij gesprekken voerden over de geschiedenis van het joodse volk, over onze gewoontes en onze rituelen. Ik ben ervan overtuigd dat je moeder het niet erg vond om joods te zijn, integendeel. Wat ik wel geloof, is dat ze er pas laat belangstelling voor kreeg; dat wil zeggen, pas toen ze een volwassen vrouw was.'

Ik denk aan de alacalufefamilie die de wereld ontvlucht is naar de bodem van de zee. We zwijgen allebei. Ik, omdat ik me plotseling heel moe voel, van meneer Milowsky zou ik niet weten waarom. Het bordje op zijn voorhoofd is geschreven in de taal van de sjabbat. Het lawaai van buiten dringt door de kleine ramen naar binnen: een radio die aanstaat, gehamer, een blaffende hond. De geluiden zweven rond in de kamer en brengen me dichter bij meneer Milowsky en bij alles om me heen.

'Tomás,' zegt meneer Milowsky. Ik til mijn hoofd op om hem aan te kijken. 'Je hebt mijn rug nog niet gekrabd.'

Op de terugweg naar huis vraag ik me weer af wat mama zo ongelukkig kan hebben gemaakt dat ze is vergeten tot tien te tellen, en ik denk dat ik het nooit zeker zal weten, omdat de onzichtbare dingen, voor mij tenminste, altijd het meeste pijn doen. Als ik thuiskom neem ik op:

Achtste ontdekking: Het element van mama en mij is water.

Voor het eerst sinds ik deze speurtocht begonnen ben, ontdek ik iets wat geen pijn doet maar me kriebelingen bezorgt in mijn hart.

34. ♒

'Heb je zin om uit eten te gaan?' stel ik Juan voor, in de deuropening van zijn werkkamer.

'Je had me wel even kunnen waarschuwen dat je vroeg thuiskwam. Yerfa heeft al een boterham voor me gemaakt,' antwoordt hij met zijn blik strak op het computerscherm.

Hij kijkt even op en dan gaan zijn ogen weer op in het licht dat reflecteert op zijn gezicht. De kamer is ondergedompeld in het serene schemerdonker van de avond. De schaduwen breiden zich uit over de kleuren crème en bruin die in het vertrek overheersen.

'Ben je nog lang bezig?'

'Ik moet nog een paar e-mails beantwoorden. Ik kom zo.'

Ik loop naar hem toe, strijk met mijn hand langs zijn hals en geef hem een kus op zijn voorhoofd. Ik heb vastberadenheid altijd bewonderd, maar nu zou ik de materie die zijn gedachten beschermt willen losmaken om hem weerloos en naakt te kunnen zien.

'Dan laat ik je alleen tot je klaar bent.'

Nadat ik de kinderen naar bed heb gebracht, ze een verhaaltje heb verteld en bij Lola ben gebleven tot ze in slaap is gevallen, ga ik op bed liggen. Juan zit nog achter zijn bureau. Terwijl ik op hem wacht, schemert het licht van de straat door de bladeren van de bomen.

Misschien wacht Juan tot ik slaap, kan hij de onvermijdelijke gebreken van onze intimiteit niet langer verdragen. Als dat zo is, moeten mijn pogingen tot toenadering wel een steeds grotere verachting bij hem oproepen. De stilte hecht zich aan mijn lichaam. Ik dek me toe met de sprei en doe mijn ogen dicht. In het donker keert het beeld van Leo met ongewone kracht terug.

Hij heeft me de ochtend na onze woordenwisseling gebeld, maar ik heb niet opgenomen. Dat is nu vijf dagen geleden en sindsdien heb ik niets meer van hem gehoord. Onze relatie is gemaakt van een grillige materie. Ik word overmand door vermoeidheid en zink weg in de slaap alsof iemand me aan mijn voeten de diepte in trekt.

Ik word wakker van het geluid van de deur.

'Ben jij het?' Ik weet niet hoeveel tijd er verstreken is.

'Sorry, het beantwoorden van de e-mails duurde langer dan ik dacht. Slaap maar verder,' zegt Juan terwijl hij de badkamer binnengaat.

Als hij naast me in bed ligt, omhels ik hem, ga op hem liggen en begin te bewegen.

'Wat doe je?' vraagt hij met een flauwe glimlach.

'Niets.' Ik ga door met bewegen tot ik zijn erectie onder mijn buik voel.

Hij draait me om op bed en dringt in me binnen, eerst voorzichtig, daarna onstuimig. Ik voel zijn opwinding, zijn begeerte. In een flits herken ik een verwrongen en pervers element onder onze pantsers. Juan zoekt iets in me wat buiten me ligt en wat hij niet vindt. Hij rolt opzij, draait zich om en knipt het bedlampje uit. Zijn wezen trekt zich terug in zichzelf tot er geen greintje meer van te zien is.

Tweede deel

De tijd, het water en de oorlog

⌛ ♒ ♐

35. ♐

Papa heeft me beloofd dat we nog even langs het graf van mama gaan voordat we terugrijden naar Santiago. Volgende week is haar sterfdag en elk jaar rond die datum gaan we naar het kerkhof van Los Peumos waar ze begraven ligt.

Alma verzint meestal spelletjes om ons onderweg bezig te houden, maar deze keer heeft ze alleen maar uit het raam zitten kijken. Gelukkig voor haar is Lola in slaap gevallen.

'Hoe is het met Cristóbal Waisbluth?' vraagt Alma terwijl ze een papieren zakdoekje uit haar tas haalt om haar neus te snuiten.

'Goed,' zegt papa, en hij trekt zo snel op dat de banden piepen op het asfalt.

Papa houdt er niet van dat we naar zijn patiënten vragen. Hij wil ze liever rustig in het ziekenhuis laten. Ik snap niet waarom Alma over dingen praat die hem in een slecht humeur brengen. Lola wordt wakker en geeft over op het cadeau voor opa. Papa stopt de auto en we stappen allemaal uit.

'Verdomme!' schreeuwt papa en hij strijkt met zijn handen over zijn gezicht.

Lola is helemaal verstijfd. Alma trekt haar andere kleren aan en maakt daarna de achterbank schoon met de krant van vandaag.

Na het voorgerecht gaan Lola en mijn kleinste neefjes en nichtjes de tuin in. Lola's status is altijd dezelfde, die van het 'kleine meisje', en dat ontslaat haar van elke verantwoordelijkheid. Mijn positie ligt nooit vast. Ik ben 'al groot' of 'nog maar een jochie', net hoe het uitkomt. Deze keer moet ik tot het eind naast mijn oudere neefjes en nichtjes aan tafel blijven zitten en luisteren naar steeds dezelfde gesprekken van mijn ooms en tantes en mijn opa. Ze praten aan één stuk door en zetten zo de sluisdeuren open om de zwarte stiltes te bedwingen. Mijn mp3-speler staat aan. Mijn neef Rodrigo geeft me een trap onder de tafel. Het is het moment om te klagen over het leven in een zo provinciaals land als dit. Als de koffie komt, beginnen ze met het inventariseren van de wereldsteden die ze allemaal bezocht hebben, en die ze met Santiago vergelijken om zich aan het eind van die denkbeeldige reizen nog ellendiger te voelen dan ze al waren voordat ze eraan begonnen. Miguel en Julia zijn een paar dagen geleden teruggekomen van hun huwelijksreis en laten zich lovend uit over Parijs.

'*Er gaat niets boven het parque Arauco,*' onderbreekt tante Corina hen. Haar wangen zijn rood en opgeblazen als twee ballonnen die elk moment kunnen knappen. Ik denk terug aan haar borsten die in het zwembad dreven.

'*Praat niet zo'n onzin,*' zegt oom Rodrigo met een glimlach die geen glimlach is.

'*Heeft niemand in deze familie dan gevoel voor humor?*' roept tante Corina uit.

Oom Esteban zit de hele tijd te kauwen en beweegt zijn struisvogelhoofd op en neer. Mijn neef geeft me weer een trap. Ik kijk uit het raam. In de verte zie ik de volière. De grootste vogel van opa is de pauw en de kleinste een bijkolibrie. Opa voert zijn vogels altijd 's morgens. Niemand zegt tegen hem dat de revers van zijn colbert vol zitten met vogelzaad; dat doet me denken aan het verhaal van de nieuwe kleren van de keizer. Elke keer dat ik het tegen hem wil zeggen, valt iemand me in de rede. Er zit niets anders op dan toekijken hoe de zaadjes stuk voor stuk op zijn bord vallen. De taart wordt opgediend en we zingen 'er is er een jarig' in het Engels. Mijn neef geeft me weer een trap. Dat is de derde. Deze keer kijk ik omhoog naar de kroonluchter met zijn zes gouden armen die de adelaar van Napoleon ondersteunen. Volgens opa is het de lamp die de keizer in zijn werkkamer had hangen. Wanneer mijn neef me nog een keer trapt, bedenk ik dat ik alleen kan voorkomen dat hij mijn scheenbenen pijn blijft doen door de aandacht van de volwassenen te trekken.

'*Opa*,' zeg ik. Iedereen draait zijn hoofd in mijn richting. '*Ik wil u graag heel hartelijk feliciteren*.' Papa en opa kijken me vertederd aan. Ik heb nog nooit eerder iets gezegd aan tafel. '*Ik wilde u ook vertellen dat ik een vriendin heb die Sarah heet. Ze is joods*.'

'*Tommy*,' zegt papa op een allesbehalve vriendelijke toon.

'*Ze is geboren in Buenos Aires en heeft een prachtig Argentijns accent*,' ga ik verder. '*Haar familie maakt kaarsen voor de sjabbat. Weet u wat dat is, opa, de sjabbat?*'

'*Dat kun jij ons vast wel vertellen*,' zegt Alma.

'*Ik geloof niet dat dit het juiste moment is*,' merkt opa op, en hij maakt een gebaar met zijn knokige vingers, die wel van papier lijken.

'*Omdat het om joden gaat?*' vraag ik.

Iedereen houdt zijn mond en mijn woorden weergalmen tussen de muren van de eetkamer. Ik zoek goedkeuring in de blik van papa, maar ik stuit op zijn ontstemde gezicht. Als ik hem niet zou kennen, zou ik zeggen dat hij iets heel bitters heeft doorgeslikt. Hij voelt aan zijn elleboog en knijpt zijn lippen op elkaar. Tante Corina trekt een pruillip alsof ze elk moment kan gaan huilen. Opa kijkt naar me vanaf het hoofd van de tafel. Ik zou willen zeggen dat mama en ik ook joods zijn, maar dan zou ik hem alles vanaf het begin moeten uitleggen.

'*Je gaat over de schreef, jongetje. Daar zou ik maar heel goed mee oppassen! Heb je me gehoord?*' schreeuwt opa.

Hij wijst met een vinger naar mijn neus, daarna kijkt hij naar papa en schudt met zijn hoofd. Niemand zegt iets. Ik voel de kou zoals in sprookjes als plotseling de winter invalt. De gordijnen in de kamer klinken alsof er een eekhoorn langs schuurt. Zo volledig is de stilte. Opa begint weer te praten: '*Slecht opgevoede jongetjes als jij vallen volwassenen niet in de rede.*'

'*Het spijt me,*' zeg ik, maar ze lijken me niet te horen omdat ze het alweer over iets anders hebben.

Als opa opstaat, mogen we allemaal opstaan. Voordat papa bij me is, ben ik al opgesprongen van mijn stoel en ren de tuin in. Lola en mijn neefjes en nichtjes zijn verdwenen. Ik loop naar de volière. De Chinese fazanten staan naast elkaar voor de gesloten deur van de kooi, fier rechtop en rustig. Je zou zeggen dat ze wachten tot ze de deur zien opengaan, zodat ze naar buiten kunnen om een wandelingetje te maken. En dat is precies wat ik doe. Ik zet de deur wijd open en de twee Chinese fazanten, met hun witte, gestrekte hals, gaan voorzichtig naar buiten. Ze lopen een paar meter en blijven dan staan om achterom te kijken, zonder met hun ogen te knipperen. De goudfazant loopt naar de deur, aarzelt even, maar stapt dan ook de drempel over. Een paar vogeltjes met rode borst vliegen naar buiten. De pauw komt tevoorschijn, wiegend met zijn lange, groenachtige staart. Een heel klein vogeltje vliegt tegen het gaas, zonder erin te slagen de uitgang te vinden. Plotseling vliegt er een hele zwerm vogels over mijn hoofd en binnen een paar seconden is de kooi leeg.

36.♒

Door het grote raam van de woonkamer zie ik de zee en zijn blauwe uitgestrektheid, die hier en daar wordt onderbroken door donkerdere stukken.

'Het punt is dat zij in een andere wereld leeft, ze heeft helemaal niets in de gaten.'

Aan het woord is María Jesús, de enige zus van Juan, die altijd banaliteiten uitkraamt op de ernstige, gedragen toon van gewichtige zaken. Ze doet me aan mijn moeder denken. Terwijl ze praat, werpt ze regelmatig een blik op de hoek van de kamer waar haar vriend zit. Voor het eerst in twee jaar heeft ze iemand meegenomen naar het huis van de familie. Ik heb niemand ooit openlijk horen praten over de depressie die ze had toen haar man haar liet zitten voor haar beste vriendin. Als iemand er toevallig al een opmerking over maakt, is het altijd ontwijkend en kan ik nooit ontdekken of het bevoogdend dan wel ironisch bedoeld is, of dat het gewoon gaat om een vorm van lafheid. De ogen van María Jesús lichten op en haar gezicht krijgt een stralende uitdrukking, niet veel anders dan het mijne als ik naar Leo kijk. Ik hef mijn glas cognac en breng inwendig een toost uit. Ik heb al zes dagen niets van hem gehoord. De herinnering aan hem doet me pijn. Wat me nu tegenhoudt is niet de angst te verliezen wat ik heb, maar de overtuiging dat ik, wat er ook gebeurt, uiteindelijk toch de werkelijkheid, en alle ellende die daarbij hoort, onder ogen zal moeten zien. Als ik de woorden van Tolstoi in extremis doorvoer, zou ik kunnen zeggen dat alle geluk niet alleen gelijk is maar ook denkbeeldig, en dat de ongelukkigen uniek en echt zijn.

'Het is een behandeling van achttien dagen, een vriendin van

Paula was zeven kilo afgevallen. De masseuse is een Thaise.'

'Bedoel je Paula Vicuña? Die heeft vreselijke problemen gehad met haar jongste zoon,' mengt een van mijn schoonzusters zich in het gesprek, een vrouw die het altijd heeft over het ongeluk van mensen die ze kent.

Leo. Een van de vele onstuimige liefdes die geen andere bestemming hebben dan te worden uitgeleefd totdat ze volledig zijn opgebrand. Niets nieuws onder de zon. Duizenden geschreven pagina's die over hetzelfde gaan: het onvermogen je op iets anders te concentreren dan de zo begeerde geliefde. Beelden die me afschrikken en zo krachtig zijn dat het moeizame web van mijn gedachten er niets tegen kan uitrichten.

'Ze heeft meer dan vijfduizend dollar betaald, maar ik zweer je dat het de moeite waard was. Je hebt gezien hoe ze er nu uitziet.'

Achter een grote vaas met witte lelies volgt Juan het gesprek van zijn broers. Ze hebben het over Wimbledon. Hun woorden bereiken me gedempt door de zeebries die via een open raam binnendringt, betekenisloze ritmische lettergrepen die het gevoel van onwerkelijkheid nog versterken.

Mijn mobiel gaat. Ik haal hem uit mijn broekzak en kijk op het schermpje. Het is Leo. Ik neem op zonder iets te zeggen en ga de kamer uit. Ik loop naar de tuin met het toestel tegen mijn oor.

'Ben je daar?' vraagt Leo.

Het op het gras weerkaatsende zonlicht heeft een verblindend effect.

'Ja, ik ben hier, in de tuin van het huis van mijn schoonvader, op een paar meter van de plek waar we elkaar ontmoet hebben,' antwoord ik als ik bij het groepje bomen aankom.

Ik ga in het gras zitten, in de schaduw van een boom. Alles hier is vochtig en ruikt heerlijk. Het smetteloze gazon en de vijvers ademen een nadrukkelijke bestendigheid.

'Vergeef me,' hoor ik hem zeggen. 'Ik had je niet op die manier onder druk moeten zetten.'

'Maar je had wel gelijk. Dit is allemaal zo belachelijk. We kunnen niet eens samen de straat op, omdat ik doodsbang ben. Ik weet dat het onredelijk is, maar ik kan er niets aan doen.' Ik praat gejaagd. 'En bovendien...'

'Bovendien wat.'

'Ik kan het niet meer aan, Leo. Dit is niet wat ik wil...'

'Ik heb je gemist, Alma. Ik wil je graag zien.'

'Je luistert niet naar wat ik zeg.'

'Je hebt mij niet zo gemist als ik jou. Daarom praat je zo.'

Ik zoek in de toon van zijn stem de sporen van ironie die op zijn gezicht altijd zo duidelijk zijn.

'Dat kun je niet weten.'

'Dat is waar. Maar stem dan ten minste in met wat ik je wil voorstellen.'

'Wat ben je aan het bekokstoven?'

'Ik wil dat we naar een plek gaan waar we een paar dagen samen kunnen zijn. Je kunt thuis zeggen dat je met Matías filmlocaties gaat bekijken. Hij heeft me verteld dat ze dat van plan waren.'

'Je hebt overal aan gedacht.'

'En wat vind je ervan?'

'Ik weet het niet.'

Ik kijk naar de volière en ontdek dat die leeg is.

'Volgende week vertrek ik naar Bogotá. Ik kan mijn terugkeer niet blijven uitstellen. En ik moet je zien.'

Ik voel een huivering in mijn nek en schouders.

'Het is dus een afscheid.'

'Als je het zo wilt uitdrukken. Kun je de zee daarvandaan zien?'

Ik verbaas me over zijn vermogen gesprekken steeds weer een andere wending te geven. Ik heb de indruk dat ik in een voortrazende trein zit, ik kan uit het raam blijven kijken of zeggen: 'Nu!' en springen.

37. ♐

'Ja, die zie ik. Is er zee op de plek waar jij van plan bent me mee naartoe te nemen?'

(...)

'Nee, ik heb geen ja gezegd, ik vraag het alleen maar.'

(...)

'Ik wil jou ook zien.'

Alma staat op en doet een paar stappen in mijn richting. Ik luister al een tijdje naar dit gesprek. Ik zit op mijn hurken verscholen achter een boom. Ze kijkt naar me zonder iets te zeggen. Ik weet dat ze haar woorden aan het terugspoelen is, en ze hoeft niet ver te gaan om te beseffen dat ze te veel heeft gezegd.

'Ik moet ophangen,' zegt ze, en ze stopt het mobieltje in haar broekzak. *'Je mag gesprekken van volwassen niet afluisteren. Zoiets doe je niet, en dat weet je best!'* schreeuwt ze tegen me.

'Het is niet mijn schuld dat je me niet gezien hebt. Ik heb me niet verstopt. Ik zat hier gewoon.'

'En wat deed je hier dan?' Haar stem klinkt nu rustiger, maar ik weet dat ze zich moet beheersen om me niet te wurgen.

'Ik deed niks.'

'Heb je je mp3-speler bij je?' Ze probeert mijn hoofd binnen te dringen met haar blik. Daarom sla ik mijn ogen neer en begin met de hak van mijn gymschoenen tekeningen te maken in het gras.

'Zoals altijd.'

Ze vraagt niet of ik haar gesprek heb opgenomen. Ze gaat naast me zitten en ik zie dat ze op haar hoofd krabt. Tussen de takken van de bomen door kun je de zee zien. We doen allebei net of we daar heel geconcentreerd naar kijken.

Ik weet niet hoeveel tijd er voorbijgaat. Mij maakt het niet uit. Hoe sneller het moment nadert dat we weggaan, hoe beter. Alma pakt haar haar vast en gaat dan nadrukkelijk met haar hand over het gras, alsof ze iets kwijt is, totdat ze plotseling zegt: '*Ik hou veel van je, Tommy.*'

Ze weet dat haar woorden voorgoed op mijn mp3-speler worden opgeslagen.

'*Aha. Papa zegt dat ook. Dat hij veel van me houdt,*' zeg ik op die spottende toon die hij soms gebruikt als hij boos is.

'*Jij bent degene van wie hij het meeste houdt.*'

'*Dat is de grootste leugen van de wereld. Groter dan de hoogste berg, groter dan de grootste telescoop van de wereld.*'

'*Je bedoelt de telescoop* ALMA. *Nou, dan vergis je je heel erg, Tommy. Dat zweer ik je.*' Haar gezicht ziet wit.

'*Je hoeft niet te zweren, ik geloof er toch niks van,*' besluit ik, en ik ren weg.

'*Tommy, Tommy, niet weggaan, alsjeblieft!*' hoor ik haar roepen.

Terwijl ik in de richting van het huis ren, kijk ik achterom, Alma staat midden op de heuvel. Ik blijf staan om haar handen te lezen:

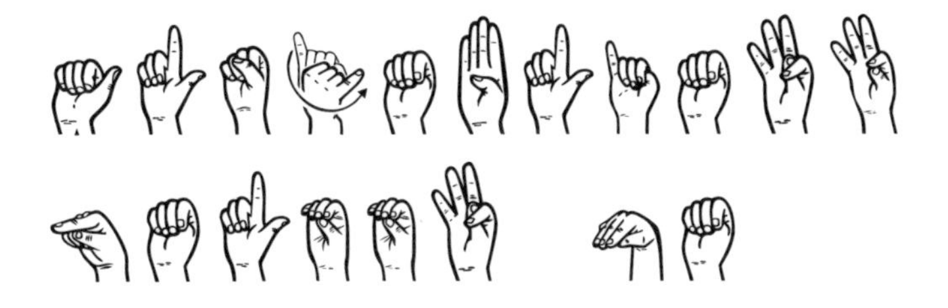

ALSJEBLIEFT, GELOOF ME.

Ik haal mijn mp3-speler uit mijn zak en neem op:

'*Die vrouw is een andere Alma en die ken ik niet.*'

Ik ren nog een stuk en blijf dan weer staan. Mijn hart bonst hevig. Ik kijk omhoog, naar de kruinen van de bomen, en zie een van opa's vogels met gekleurde borst. Elk moment kan iemand nu in de gaten krijgen dat de volière leeg is. Mijn neefjes en nichtjes zijn op het terras aan het spelen. Ik hoor de melodie van een fluit. De ramen van het huis verspreiden gele stralen. Het lijkt wel of ze in brand staan.

38.⌛

Heel even meen ik door het raam een uiterst zeldzame vogel te zien die mijn vader heeft meegebracht uit Indonesië. Ik vraag me af waar Tommy is. Hij verdween meteen nadat we van tafel opstonden. Deze keer is hij over de schreef gegaan en ik zal hem harder moeten aanpakken. Waar heeft hij dat joodse vriendinnetje vandaan? Wat heeft hem ertoe gebracht zich zo tegenover zijn grootvader op te stellen?

Het kan onmogelijk verband houden met zijn afkomst. In de familie hebben we besloten de zaak te vergeten. Ik was niet in staat hem een joodse opvoeding te geven, en voor hem zou het altijd een bron van ongelijkheid met zijn neefjes en nichtjes en met de rest van zijn familie zijn geweest. Een reden voor verdriet die zich gevoegd zou hebben bij de pijn die hij toch al had geleden.

Ik zie Alma met haar onhandige manier van bewegen naar het eind van de tuin lopen. Een vrouw die zo anders is – in alle opzichten – dan de echtgenotes van mijn broers, met hun flonkerende juwelen en hun gegniffel, dat zich nooit helemaal ontplooit tot een lach omdat ze bang zijn dat het ongelegen komt, en dat dan ook bij de eerste de beste vluchtige blik weer wegsterft.

Ik weet nog dat ik, toen ik Alma leerde kennen, dacht dat er in mijn leven niets bestond met díé oorspronkelijkheid, met díé ongedwongen manier om naar de wereld te kijken. Ik stelde me voor dat aan haar zijde mijn verhulde verlangen naar een romantiek die me altijd ver weg had geleken, weer zou opleven. Ik weet niet zeker of ik daarin geslaagd ben, maar waar ik wel zeker van ben is dat ik op een goede dag getrouwd bleek met een vrouw van wie ik hield, vader was van twee kinderen en dat het gezinsleven en mijn werk me opnieuw volledig in beslag namen.

'De oude Zañartu gaat eraan onderdoor,' beweert mijn broer Rodrigo.

'Hij heeft zich dan ook als een echte sul voor de gek laten houden; het was wel duidelijk dat die lui niet van plan waren hem te betalen,' licht Esteban toe.

Papa wijst ze terecht. Hij vindt het niet van goede smaak getuigen als er in aanwezigheid van de vrouwen wordt gevloekt of over zaken wordt gepraat. Baltazar, de oude bediende, komt langs met een nieuwe ronde likeurtjes.

Toen Alma me onderweg vroeg naar Cristóbal heb ik tegen haar gelogen. Ik zou een blik van medelijden van haar niet hebben kunnen verdragen. Ik weet dat ze wacht op het moment dat ze me erop kan wijzen dat ik niet onfeilbaar ben. En dan zou ze gelijk hebben. Ik kan de dood niet uit de weg gaan of de mensen die me dierbaar zijn beschermen. Wat ik deed met het verbergen van de waarheid over Cristóbal, was het toevluchtsoord beschermen dat ik voor mijn gezin had gebouwd. Een toevluchtsoord waar geen plaats is voor dood en ellende.

Een groepje kinderen stormt de kamer binnen. Onder hen, met haar ondeugende oogopslag, is Lola. Ik zoek Tommy, maar zie hem nergens.

'Opa, we hebben een cadeau voor u,' zegt een van de kinderen. 'Het is een toneelstuk dat we voor u hebben ingestudeerd op het terras.

'Dat lijkt me fantastisch!' roept papa uit.

Hij zwaait zwierig met zijn stok en we gaan allemaal in ganzenmars achter hem aan naar buiten. Een beeld dat herinneringen bij me oproept aan vier kleine broertjes die achter de ferme passen van hun vader aan lopen, afwachtend en bang voor wat er zou kunnen gebeuren als ze zijn instructies niet opvolgden.

De rest van de kinderen staat ons op te wachten op het terras. Ze hebben van karton een paar bomen gemaakt, die in een kring om een kleinere boom heen staan, geverfd in een kleur geel die schittert in het licht. Elke boom wordt met een ernstige gezichtsuitdrukking vastgehouden door een jongen of een meisje. Lola, die achter een van de bomen staat, trekt gekke bekken naar me. Een jongen speelt vals op een blokfluit. Rodriguito komt naar voren.

'We hebben het verhaal van een president van de Verenigde Staten uitgekozen omdat we weten dat opa veel van dat land houdt,' verklaart hij. Hij haalt een stapeltje papieren uit zijn zak en begint te lezen.

De meeste volwassenen schieten in de lach. Papa beperkt zich tot een van zijn sarcastische glimlachjes. Ik kijk de tuin in, op zoek naar Tommy. Tussen de bomen zie ik een pauw.

'De vader van George Washington was een heel rijke man die uit Japan een kersenboom had meegebracht waarvan de bloemen en vruchten in de hele wereld begeerd werden,' leest Rodriguito.

Een van mijn neefjes, in een korte broek en met een strohoed op, loopt tussen de kartonnen bomen naast een andere jongen met geschilderde snor.

'Hij plantte zijn unieke kersenboom voor het raam, waar hij hem kon zien als hij in bloei stond.'

Terwijl ik luister, zie ik de schemerige kamer voor me van Soledad in Aguas Claras, waar ik in mijn herinnering binnenga op zoek naar iets tastbaars. Maar alles wat ik vind is vreemd voor me. Haar lege ogen, haar lege glimlach, haar lege gebaren. We waren samen opgegroeid, en toen pas besefte ik hoe slecht ik haar kende. De enige manier om na haar dood niet te blijven ronddraaien in die carrousel van vragen was door eruit te springen. Ik wilde niet dat Soledad een obsessie werd, een steriele wroeging. Maar ondanks mijn inspanningen bleven de herinneringen me achtervolgen. Nog lang daarna verscheen Soledad soms op de vreemdste plekken. Ik zag haar door het raam van een restaurant gehaast over straat lopen, met haar donkere lokken, me het gevoel gevend dat er iets niet was afgemaakt.

'Voor zijn verjaardag kreeg George Washington van zijn vader zijn eerste bijl. Tevreden ging de jongen naar buiten om hem te proberen.'

De jongen in de korte broek hakt de bomen om met zijn bijl. De kinderen vallen een voor een om. Op het moment dat Alma naast me komt zitten, wordt Lola omgehakt. Vanaf de grond kijkt ze met een indroevige blik naar ons. Alma maakt haar iets duidelijk in gebarentaal en daarna draait ze haar haren in een wrong. Haar lichaam straalt een intense energie uit.

'Zonder er erg in te hebben hakte George Washington de geliefde kersenboom van zijn vader om,' leest Rodriguito verder.

De gele boom valt om en het meisje dat hem vasthoudt struikelt over Lola, die op de grond ligt.

'Herinner je je de boom nog?' vraagt Alma. Ik kijk haar aan zonder antwoord te geven. 'Weet je dat niet meer?' herhaalt ze, en op haar gezicht ligt een smekende uitdrukking.

Alma pakt mijn hand. Ik weet precies waar ze op doelt. Op een avond waarop ze een boom uitbeeldde in een toneelstuk en ontdekte dat haar moeder een minnaar had. Maar ik wil haar herinneringen niet delen en ik wil ook niet dat ze zich met de mijne bemoeit. Als ze denkt dat een gebaar haar afstandelijkheid en haar afwezigheid van de laatste tijd kan goedmaken, dan vergist ze zich. Ik ben verbaasd over mezelf als ik volkomen koelbloedig zeg: 'Nee, dat weet ik niet meer.' Alma trekt haar hand terug en pakt haar ellebogen vast, terwijl ze zonder met haar ogen te knipperen voor zich uit kijkt.

'Heb je Tommy gezien?' vraag ik. Ze schudt haar hoofd.

'Maar je was net nog bij hem.'

Alma schudt opnieuw haar hoofd en knijpt haar ogen tot spleetjes.

39. ♐

'Zodra hij zijn vernielde kersenboom zag, liet de vader alle knechten van het landgoed bij zich roepen om de schuldige te ontmaskeren. Toen ze doodsbang voor hem stonden, deed de kleine George een stap naar voren en bekende dat hij de kersenboom had omgehakt.'

Het is vreemd dat terwijl zij dat stomme verhaal opvoeren, ik een streek heb uitgehaald die niet veel verschilt van die van het jongetje Washington. Ze hebben geen idee hoe het is om zoiets te doen. Papa en Alma zitten naast elkaar, een eindje verderop. Ik kan ze zien vanuit mijn schuilplaats, achter de palissade die het terras beschut tegen de wind.

'De vader werd eerst kwaad en dreigde hem te zullen straffen, maar daarna besefte hij dat George moedig was geweest door zijn fout te erkennen en besloot hij hem te vergeven. Voor hem was de moed die nodig was om de waarheid te vertellen het belangrijkste.'

Sarah Ravskosky zei in haar brief dat wat we ook doen, de waarheid altijd boven water komt. Maar het probleem is dat iedereen denkt dat zijn waarheid de enige of de schitterendste is, en dat de andere waarheden daaromheen draaien.

Als ik zeg dat ik de kooi heb opengezet omdat ik het erg vond dat de vogels van opa nooit vrij hebben rondgevlogen, zullen ze denken dat ik lieg. Opa zal zeggen dat het de schuld van papa is omdat die me niet in de hand kan houden, en dat is dan zijn waarheid. Alma zal denken dat ik het heb gedaan uit rancune nadat ik haar had afgeluisterd, en dat is dan haar waarheid. Papa zal denken dat ik dit soort dingen doe en aan tafel stomme dingen zeg omdat ik geen vriendjes heb, omdat ik me altijd verveel en aandacht moet trekken, en dat is dan zijn waarheid.

Een zwerm vogels vliegt laag over het terras. Iedereen kijkt naar boven. Een nieuwe groep volgt en vliegt cirkelend omhoog. Het zijn de vogels van opa. Ze lijken in de war. Ze willen niet weg, ze willen de vrijheid niet die ik ze heb gegeven. Misschien hebben zij ook hun waarheid.

Opa steekt zijn degenstok in de lucht en een van mijn neefjes schreeuwt: 'Het zijn de vogels uit de volière!' Als ik in de richting van het park kijk, ontdek ik dat de pauw en de Chinese fazanten ook niet hebben willen vluchten. Ze lopen rustig over het gras, zonder veel verder te komen, alsof ze nog in de kooi zitten. Iedereen rent naar de volière. Opa voorop. Achter een paar struiken zie ik Black, een van de honden van opa, met een fazant in zijn bek. Als Black het tumult hoort, gaat hij er snel vandoor met de stervende vogel tussen zijn tanden. Een van mijn tantes gilt alsof zij het is die vermoord wordt. Opa geeft bevelen in een onbegrijpelijke taal. Ik kom uit mijn schuilplaats en loop naar de plek waar iedereen zich verzameld heeft, voor de open deur van de volière. Tante Corina heeft haar schoenen in haar hand. Alma is de eerste die me ontdekt. Ze kijkt me met wijd open ogen aan. Wat zou ik graag willen dat ze die andere Alma was, dan zou ik haar hand vastpakken. Opa gaat de lege kooi binnen en roept uit: '*Dit is een schande*!'

Papa komt naar me toe.

'*Dus hier ben je. Waar heb je gezeten*?'

Ik geef geen antwoord omdat we allemaal naar de kooi kijken waar opa in staat.

'*Laat iemand Baltazar roepen, ik heb het vogelzaad nodig*!' brult hij, op en neer lopend.

Een groepje rent terug naar het huis om Baltazar te halen, en de rest gaat de volière in om opa gezelschap te houden. Mijn neef Jaime maakt zich los uit de groep en komt op mij af. Hij kijkt me strak aan en trekt een grimas. Ik haal moeizaam adem. Hij heeft me vast gezien toen ik de kooi opendeed. Zal hij zijn mond opendoen waar alle volwassenen bij zijn en me verraden? Wie is moediger? Wie springt het eerst? Ik kijk hem aan zonder een woord te zeggen. Jaime blijft grijnzen. 'Je bent erbij, waardeloos stuk ongedierte,' zeggen zijn ogen. Ik doe vijf stappen en dan sta ik voor opa.

'*Opa, ik heb de kooi opengezet.*'

Opa kijkt me op dezelfde manier aan als hij altijd doet bij onbekenden die hem aanspreken.

'*Praat geen onzin, jongen.*' Soms, met al die neefjes en nichtjes, vergeet hij onze namen.

'*Het is echt waar. Ik heb de kooi opengezet.*'

'*Hoe haal je het in je hoofd? Ben je gek geworden? Dit kind is knettergek!*' schreeuwt hij. '*Net zo gek als zijn moeder!*'

De volwassenen doen hun mond niet open. Opa praat door: '*Dat is jouw schuld, Juan. Je hebt hem nooit een fatsoenlijke opvoeding gegeven. Je behandelt hem alsof hij een idioot is, en wat heb je daarmee bereikt? Dit.*' Hij wijst met zijn stok, eerst op mijn borst en daarna op de bloedvlekken op de grond, die de dode fazant heeft achtergelaten. '*Je hebt niet genoeg karakter om het hoofd te bieden aan de uitdagingen die op je weg komen. Het is een schande. En gaan jullie nu maar weg, ga weg, het feest is afgelopen.*'

In plaats van te antwoorden, houdt papa zijn mond. De volwassenen beginnen de kooi te verlaten, gevolgd door de kinderen. Sommigen gaan nog even naar opa toe om afscheid te nemen, maar hij weert ze af met een handgebaar en kijkt alleen naar de lege volière. Alma probeert mijn hand te pakken, maar dat laat ik niet toe.

Ik ga naar buiten en loop in de richting van de parkeerplaats. Papa's auto is open. Ik stap in en maak me heel klein. Ik heb die pijn in mijn borst die me het gevoel geeft dat iemand een voetbal tussen mijn ribben heeft gestopt. Wat heeft het voor zin de waarheid te zeggen? Het verhaal van het jongetje Washington is nep. Ik denk dat ik het eindelijk heb begrepen. De mensen liegen omdat de waarheid altijd alles met zich meesleept, net als de wervelstormen in de Verenigde Staten. Ik neem op:

Negende ontdekking: Opa heeft gelijk, papa is een zwakkeling en ik ben gek, net als mama, daarom kan ik niet tot tien tellen voordat ik anderen kwets.

♐

Als we terugrijden concentreert papa zich op de weg, zonder iets tegen ons te zeggen. Af en toe drukt hij het gaspedaal dieper in. Ik heb het raampje opengedraaid en laat de wind in mijn gezicht waaien. Papa haalt een vrachtwagen in met een onbeheerste manoeuvre. Alma vraagt hem rustiger te rijden en zegt dat we anders nog op het kerkhof zullen eindigen. Zonder snelheid te minderen schreeuwt papa dat ze niet zo hysterisch moet doen, dat ons heus niets zal overkomen. Heel even denk ik erover tegen hem te zeggen dat ik morgen nog moet leven om mijn proefwerk Engels te maken, maar dan zie ik er toch maar van af.

'Juan, alsjeblieft,' smeekt Alma.

Papa blijft hard rijden. Alma doet hetzelfde als ik. Ze draait het raampje open. Tussen haar lange lokken, die opwaaien in de wind, zie ik haar gezicht en het dringt tot me door dat ze huilt. Weer hebben papa en Alma ruzie door mijn schuld. Als ik iets zou kunnen doen om te voorkomen dat Alma bij ons weggaat, zou ik dat nu meteen doen. Wat het ook was. Papa is de nog levende helft van de mensen die het dichtst bij me staan, en daarom kan ik hem niet haten zoals ik zou willen. Ik haal de tekening die ik voor opa had gemaakt uit mijn jaszak en gooi hem uit het raam.

In de verte is de zee blauw en groot. Ik stel me voor dat hij met zijn geluiden altijd bij mama is. Aan de horizon verschijnt een schip. Ik klim een trapje op bij de boeg en vlucht naar binnen.

40. ♒

Terwijl ik de dorre vlakte aan me voorbij zie trekken, strekt Leo, zonder het stuur los te laten, een arm uit over de rugleuning van mijn stoel en pakt mijn schouder vast.

'Alles goed?' informeert hij.

Hij heeft iets zelfgenoegzaams, wat tegenstrijdige gevoelens bij me oproept. Hoewel ik zijn verrukking deel, kan ik er niet omheen de lichtzinnigheid van zijn emoties te zien.

'Ja, ja, alles goed.'

Ik trek mijn gymschoenen uit. Op de achterbank van mijn auto liggen de tas met zijn laptop en minstens een stuk of tien boeken.

'Je hebt je voorbereid alsof we een maand naar het strand gaan,' merk ik op.

Leo trekt zijn neus op en barst dan in een aanstekelijk schaterlachen uit.

'Dat zal wel komen doordat ik zo graag bij je wil blijven,' zegt hij.

Naarmate we de hete stad achter ons laten en dichter bij de kust komen, krijgt het licht iets grijsachtigs, met hier en daar wat gele vlekjes zon. Een sportvliegtuigje ronkt hoog in de lucht en ik moet aan Juan denken. Leo zet een cd op. Het ritme van de jazz overspoelt de ruimte om ons heen.

Over een paar dagen zal alles verdwenen zijn: Leo, het gevoel dat hij bij me oproept, onze hartstocht, het huisje aan de kust dat op ons wacht. Na zijn vertrek zal ik mijn gezonde verstand terugkrijgen en mijn energie weer kunnen richten op het redden van wat van mij is. Ik probeer deze gedachten te laten prevaleren boven die andere gedachten, die me te kennen geven dat ik, als Leo terug is in Bogotá, een geweldige leegte zal voelen. Heel even lukt het me, vooral als ik terugdenk aan gelukkige momenten met Juan, als ik Lola en Tommy voor me zie, en me zulke concrete dingen voorstel als onze aanstaande vakantie – die we al hebben besproken – aan de Caraïbische kust. Leo leest mijn gedachten; dat merk ik aan de manier waarop hij op zijn lippen bijt en aan de zucht die erop volgt.

'We zullen het geweldig hebben samen. Dat zul je zien. Het is een prachtige plek, ik heb hem een paar jaar geleden ontdekt, toen ik een stel vrienden vergezelde die er een huis wilden kopen.'

Hij observeert me met die ogen die eerder naar binnen lijken te kijken dan naar buiten. Ik sta even stil bij zijn harmonieuze lichaamsbouw, zijn grote handen, zijn niet al te dikke maar krachtige ledematen, zijn kromme neus, zijn brede, gladde voorhoofd. Ik leg mijn hand op zijn naakte dij, laat hem naar de binnenkant van zijn korte broek glijden en deins dan terug. Het contact met zijn huid windt me op en geeft me energie. Ik zal geen weerstand kunnen bieden aan de betovering van zijn aanwezigheid. Ik ben ook niet van plan de aard van zijn gevoelens voor mij nader te onderzoeken. De antwoorden op die vragen zijn nooit bevredigend. Toch is het de valkuil die ik nodig heb. Het bedrog waar alle mensen behoefte aan hebben als ze de mogelijkheid overwegen hun leven op te geven. Een minieme, grillige zekerheid. Het is bovendien de vraag die je aan een man als Leo, laconiek, schaamteloos, charmant, lichtelijk pervers en rijkelijk sceptisch, niet hoeft te stellen.

'Wat is de vraag die je een geliefde nooit moet stellen?' vraag ik.

'Eens kijken, zoiets als: hoever ben je bereid voor me te gaan?' waagt hij.

'Precies!'

'Wil je me die vraag stellen?' Er is een openingetje ontstaan naar zijn innerlijk, waardoorheen ik een onzekere en angstige Leo zie.

'En jij mij?'

'Ik niet.' Hij heeft weer zijn gebruikelijke uitdrukking, ironisch en ondoorgrondelijk.

'Ik ook niet,' zeg ik onmiddellijk.

Leo mindert vaart. Een paar meter verder stopt hij langs de kant van de weg en doet het portier open. Ik weet niet wat hij van plan is.

'Stap uit,' beveelt hij.

Ik gehoorzaam. We staan tegenover elkaar, hij met beide handen op mijn schouders. De felle luchtstroom van de auto's die in volle vaart passeren dringt onze kleren binnen. Mijn haar waait tussen ons in voor ons gezicht, maar in zijn pupillen kan ik de op mij gerichte minuscule schelpjes zien. Hij drukt me tegen zich aan. Dit is geen belofte, zeg ik bij mezelf, het is alleen een mens die de droom van een ander mens binnendringt.

'Ik wil met je samenleven,' fluistert hij in mijn oor.

Eerst ben ik verrast door zijn woorden, daarna ontroeren ze me. Dit is wat ik wilde, waar ik op heb gewacht: een gebaar dat me naar zijn kant trekt.

'Herhaal eens wat je net zei.'

'Ik wil dat we gaan samenleven, ik wil je zien tussen je eigen spullen, ik wil mijn leven met je delen.'

'Waar?' vraag ik, ik weet niet goed waarom, misschien om de echte wereld binnen te glippen, om samenhang te geven aan een leven dat ik me niet kan voorstellen.

'Ik weet het niet. Waar je maar wilt. Hier, in Bogotá, in Parijs, in Barcelona, het maakt me niet uit,' zegt hij schouderophalend.

'Toen we laatst ruziemaakten, dacht ik dat ik je niet meer zou zien.'

'Dat dacht ik ook.'

'En toen?'

'Die tien dagen zonder je te zien waren ondraaglijk voor me, Alma.' Hij kijkt me aan zoals je doet bij mensen die je door en door kent.

'Ben je niet bang dat als we de hoek omslaan, we tot de ontdekking komen dat dit allemaal een afschuwelijke vergissing is?'

'Nee. Ik weet dat het dat niet is.'

Hij heeft een rustige blik in zijn ogen.

'Hoe kun je daar zo zeker van zijn?'

'Omdat ik van je hou.'

'Die woorden bestaan niet in jouw woordenboek,' voer ik vastberaden aan.

'Gelukkig kunnen platvloersheid noch boosaardigheid, hoe we ook ons best doen, ze volledig tenietdoen. En ik beloof je dat ze tamelijk nauwkeurig uitdrukken wat ik voor je voel.'

'En je vrijheid?'

'Die hoef ik daarmee niet kwijt te raken,' suggereert hij met zijn brutale glimlach.

Ik maak me van hem los.

'Je maakt een grapje, hè?'

'Natuurlijk maak ik een grapje. Wat dit betreft. Maar voor de rest ben ik volkomen serieus.'

Hij pakt me bij mijn armen. Ik word overmand door een lichte duizeligheid. Ik bespeur zijn emotie en tegelijk het gevoel van onbehagen dat een ogenblik als dit, dat niet ontvankelijk is voor ironie, bij hem teweegbrengt.

'Heb je gehoord wat ik zei?' vraagt hij.

'Ja, ik heb gehoord wat je zei.'

'En dus?'

Glimlachend sla ik mijn armen om hem heen en verberg mijn gezicht in zijn schouderholte. Het waait, maar ik heb het niet koud.

'We gingen ervan uit dat we afscheid zouden nemen,' mompel ik.

41. ♐

Alma is twee dagen geleden weggegaan. Tegen papa zei ze dat ze moest werken, maar ik weet dat ze op een strand is met de man die haar in de taxi heeft thuisgebracht. Lola is bij Maná en papa is bijna niet thuis geweest. Sinds opa's verjaardag hebben we niet meer met elkaar gepraat. Hij is nog steeds boos, en terecht. Van de vijfenveertig vogels in de kooi zijn er maar twintig teruggekomen.

Zodra ik uit school kom, ga ik naar mijn kamer. Yerfa denkt dat ik ziek ben en brengt me mijn eten. Ik heb geen honger. Ik eet alleen het hoogstnodige en spoel de rest door de wc. Als ik Yerfa de trap af hoor lopen, stop ik mijn hoofd onder het dekbed en ga op zoek naar Kájef. We doorklieven het wilde water in zijn kano en houden midden op de oceaan stil. In het donker heeft de hemel een vreemde gloed, alsof hij verlicht wordt door een reusachtige schijnwerper. Kájef staat op en strekt zijn armen uit. Hij glimlacht tegen me. Hij ziet er groot en sterk uit, en als hij mijn vriend niet was, zou ik denken dat het om een god ging. 'Jij kunt het ook,' zegt hij. Ik ga naast hem staan en zweef met gespreide armen; ik hou mijn adem in, maar ik ben niet bang. De wind raakt me aan en fluistert in mijn oor. Plotseling begint de kano heen en weer te wiegen, ik grijp me vast aan de kanten, maar onze boot kiept om en we vallen allebei. Kájef verdwijnt onder water. Ik drijf. Ik heb het gevoel dat ik dit al eens eerder heb meegemaakt. Maar wanneer? WANNEER? Ik kruip in elkaar en de herinnering wordt ondoorzichtiger, ik hoor lawaai en daarna een stem die tegen me praat. Ik probeer de herinnering tegen te houden, bal mijn vuisten, maar het lukt niet, de draad van mijn geheugen breekt, de herinnering zinkt weg in het donkere water naar de bodem van de zee, samen met Kájef. Een gevoel van paniek overvalt me, mijn tanden klapperen, ik wil schreeuwen, maar ik weet dat het zinloos is. Ik duw het dekbed van me af en spring uit bed. Het wordt al donker.

♐

Papa klopt op mijn deur als hij uit het ziekenhuis komt. Hij moppert op me omdat ik de deur op slot heb gedraaid. Voordat ik opendoe, zet ik mijn mp3-speler aan en verstop die onder een boek. We gaan op mijn bed zitten, hij met gespreide benen en zijn ellebogen op zijn knieën, ik naast hem met mijn knieën heel dicht tegen elkaar en mijn handen erbovenop. We kijken allebei naar het raam. Hij zwijgt en ik wacht. Hij ziet er moe uit. Plotseling zegt hij:

'*Luister Tommy, ik weet dat het moeilijk is om niet hetzelfde te kunnen als andere kinderen, dat het moeilijk is om anders te zijn. En misschien zou ik dit niet moeten zeggen, maar ik denk dat je groot genoeg bent en dat het goed is dat je het weet. Voor mij is het ook niet makkelijk geweest. En weet je waarom? Omdat ik veel van je hou en alles wat er met jou gebeurt me raakt alsof het mezelf overkomt. Begrijp je dat?*'

Ik knik.

'*Dus als jij iets stoms doet, zoals opa's vogels loslaten, dan raakt me dat dubbel, omdat ik me verantwoordelijk voel. Denk voordat je zo'n stomme streek uithaalt voortaan liever eerst aan je vader, aan de pijn die je me doet, dan vergaat de lust je vanzelf. Denk je dat je dat kunt?*'

Ik knik opnieuw en neem een andere houding aan, want mijn benen beginnen zeer te doen van dat tegen elkaar aan drukken.

'*Yerfa heeft me verteld dat je nog steeds doorgaat met dat gedoe van je denkbeeldige vriendje. Ik heb het al duizend keer gezegd, Tommy, dat is niet goed voor je. Je mag best fantaseren, maar niet zo dat de dingen die je verzint belangrijker worden dan de werkelijkheid. Ik weet dat het leuk is je eigen spelletjes te maken en je eigen wereld te hebben, maar het is de werkelijkheid waarin je moet leven, waarin je contacten legt met anderen... Kun je je voorstellen wat er zou gebeuren als iedereen altijd maar in een denkbeeldige wereld zou leven?*'

Ik weet zeker dat papa het niet fijn zou vinden als hij wist dat ik de jongens uit mijn klas een hele tijd als een schaduw heb gevolgd. Het kon me niet schelen dat ze niet tegen me praatten, omdat ik zelf ook niet wist wat ik tegen ze moest zeggen. Totdat de e-mails kwamen. In de eerste bekenden ze dat ze me zielig vonden, en dat dat de enige reden was dat ik ze mocht volgen. Ik ben er meteen mee opgehouden. Ik had ze niet nodig.

Papa verheft zijn stem niet. Hij praat rustig, spreekt elke lettergreep zorgvuldig uit. Hij weet hoe hij zich moet beheersen. Dat heb ik ook geleerd. Papa schaamt zich ervoor dat ik ben zoals ik ben, hij schaamt zich voor mijn lichaam, dat ik niet voetbal, dat ik bang ben voor afgesloten ruimtes, dat ik dingen doe die hij stom vindt. En omdat hij denkt dat ik een deel van hem ben, probeert hij dat deel te beheersen zoals hij zichzelf beheerst. Maar wat hij wil is onmogelijk, want hij is niet ik. Als hij dat kon begrijpen, zou hij niet hebben gezegd wat hij zei, want wat ik doe is een deel van mij, en dat kan hij niet veranderen. Niet dat ik nu filosofisch probeer te zijn, zoals Mister Berley zei, het is gewoon zo. 'Dat' gaat overal met me mee naartoe, en om het uit me te halen zou ik het wezenlijke van mezelf moeten afstoten. Voordat hij weggaat, woelt hij door mijn haar en zegt: '*Zijn we het eens, kampioen?*'

'*We zijn het eens.*'

Ik heb hem nooit bekend dat ik een hekel heb aan dat woord, 'kampioen'. Kampioen in wat? Het is net alsof hij het tegen een ander kind heeft, alsof hij mij niet ziet.

Ik moet gaan slapen. Maar de herinnering aan het lichaam van Kájef dat in zee verdwijnt, komt steeds terug. Ik haal de foto van mama uit de Grote Opbergdoos. Haar gezicht is in tweeën verdeeld: aan de ene kant de wond, en aan de andere kant een lichtvlek. Het zal wel de reflectie van het stuk papier zijn dat ze in haar hand houdt. Daardoor lijkt het alsof in haar gezicht tegelijk de goede en de slechte dingen aanwezig zijn. Als ik goed naar de foto kijk ontdek ik iets wat ik eerder niet had gezien. Wat mama in haar hand heeft is een kindertekening. En die tekening kan alleen door mij zijn gemaakt. Nu zie ik het zo duidelijk! In de hoek van haar verlichte gezicht zit ík. Mijn hart begint onregelmatig te kloppen. Ik doe mijn ogen dicht. Het beeld van mama – tot nu toe vreemd voor me – baant zich een weg door de gangen die ik in me heb, totdat het een verborgen gebied bereikt, waar de echte herinneringen zitten. De ruimte is warm en zonder beelden. Ik heb geen bewijzen nodig. Het is de omhelzing van mama. Ik duik erin onder, zoals in mijn zwembad. Haar warmte omhult me en neemt me mee.

Buiten is het donker en stil. Ik adem diep in en probeer het ritme van mijn hart weer onder controle te krijgen. Ik kijk nog een keer naar de gloed op het gezicht van mama en hoor een fluistering door mijn lichaam trekken. Ineens valt alles in mijn hoofd op zijn plaats. Ik neem op:

Tiende ontdekking: Mama wist dat 'dat' me maakte tot wie ik ben, en het was 'dat' waar zij bij mij van hield. Er was niemand in de wereld van wie mama zoveel hield als van mij, er is niemand in de wereld die zoveel van me houdt als zij van me hield en er is niets in het universum waar ik meer van hou dan van mama.

Ik ga weer liggen, klamp me stevig vast aan mijn kussen en val in slaap. Ik daal langzaam af in een lift naar de bodem van de zee. Het is doodstil, maar ik ben niet bang. Bijna tegen het aanbreken van de dag, voordat Yerfa op mijn deur klopt om me wakker te maken, zet ik de laatste opnamen op mijn computer en begin mijn rugzakje in te pakken. Ik moet kleren meenemen om me te verkleden. En geld. De laatste maanden heb ik genoeg gespaard. Ook een jas en een wollen muts voor over mijn oren. Ik stop mijn mp3-speler, mijn Swiss-Armymes, dat ik van papa voor mijn verjaardag heb gekregen, en de foto van mama erin.

42. ♒

Ik word vroeg wakker en kruip dicht tegen Leo aan. Zijn naakte bovenlichaam is slanker dan dat van Juan. Zo, met zijn gezicht onder de lakens, doet hij me denken aan een jongen die nog man moet worden. Gistermiddag vroeg de huiseigenares, na Leo met overdreven enthousiasme te hebben verwelkomd, naar een vrouw genaamd Inés. Een gebaar van Leo – dat ik niet kon zien – moet haar ervan hebben afgebracht verder te informeren. Ik had geen rekening gehouden met de mogelijkheid dat ik niet de eerste vrouw was die Leo meenam naar dit huisje, en die zekerheid veroorzaakte een steek in mijn borst. Daarom heb ik zodra we binnen waren, gevraagd of we het bed, de tafel, de leunstoel en zelfs de ovale spiegel een andere plaats konden geven. De hevige emotie die zijn voorstel bij me had teweeggebracht, veranderde in woede en snel daarna in teleurstelling. Hoe was het mogelijk dat ik nog maar even geleden had overwogen te gaan samenleven met een man die zich nog nooit met iemand verbonden had gevoeld, behalve met zichzelf, en die zich daar nog op liet voorstaan ook? Wat ik – seconden later – begreep, is dat Leo noch ik tot de kern van dit alles zijn doorgedrongen, dat onze gevoelens broos zijn, zelfs zo broos dat de vraag van een onbekende me in een spiraal van destructieve vermoedens kan doen belanden. Toen we klaar waren met het verplaatsen van de meubels lieten we ons op bed vallen en vreeën met elkaar.

In de nieuwe opstelling staat het bed naast de deur, en door de tocht die via een kier binnendringt, krijg ik een ijskoude neus. Ik sta voorzichtig op om Leo niet wakker te maken. Ik trek een trui aan over mijn pyjama en schiet in mijn schoenen. Ik heb Lola beloofd haar te bellen voordat ze naar school gaat. Ze is bij mijn moeder. Hoewel ze ervan genieten samen te zijn, laat ik Lola meestal niet bij haar achter. Haar gebrek aan gezond verstand is soms regelrecht verontrustend. Maar deze keer was ik niet in staat de zorg voor beide kinderen aan Juan over te laten. Of misschien was het een bewustere daad, een manier om een begin te maken met het scheiden der wateren.

Buiten is het koud. Voor het huisje strekt zich de zilverkleurige zee uit, in de verte aan het oog onttrokken door de mist. Op het verlaten strand staat op een wit bord met rode letters:

GEVAARLIJK ZWEMWATER

De wind is snijdend. Ik ga in mijn auto zitten en toets het nummer van Maná in. Het is Lola die opneemt, ze heeft vast bij de telefoon zitten wachten.

'Mama, waar ben je?'

'Op een heel, heel koud strand.'

'Maná zegt dat ze me van school zal halen en dat we dan samen naar een boerderij met dieren gaan.'

Leo verschijnt in de deuropening met een deken om zijn schouders. Hij kijkt naar het strand, op zoek naar mij. Hij pakt zijn ellebogen vast en maakt sprongetjes. Ik tik op het raampje om zijn aandacht te trekken.

'Dat is prachtig, maar vergeet je huiswerk niet,' zeg ik tegen Lola.

Ik voel vertedering als ik naar Leo kijk, die weerloos is tegen de kou en misschien tegen de gedachte dat ik plotseling spijt heb gekregen. Hij doet een paar stappen in de richting van het strand. Zelfs zo, met de deken om zijn schouders, hou ik van zijn manier van lopen, van de trage en tegelijk zelfverzekerde pauze tussen elke stap die hij zet.

'Je bent altijd zo saai, mama, kun je niet een beetje ontspannen?'

'Ik ben nu eenmaal je moeder, Lola, en dat zal nooit anders

worden. Ik hou van je, lieverd, en gedraag je een beetje, hè?'

'Ja mama' stemt ze toe en dan schiet ze in de lach, omdat we allebei weten dat haar zo toegeeflijke 'ja mama' precies het tegendeel betekent.

Leo kijkt om en ziet me. Hij wenkt dat ik naar hem toe moet komen. Met één sprong ben ik uit de auto. Zijn ochtendglimlach brengt me in vervoering. Ik omhels hem en stel voor naar binnen te gaan om te genieten van het heerlijke ontbijt dat ik van plan ben voor hem te maken.

43. ♐

Door het raampje van de bus zie ik bergen, weilanden, houten hutjes, verdorde bomen, groene bomen, reclameborden die het paradijs beloven, verkeersborden, twee kinderen op een fiets, zes koeien, een hond, lantaarnpalen en nog eens lantaarnpalen. Ik begin ze te tellen, maar ze gaan zo snel voorbij dat ik duizelig word. Ik kijk naar de lucht en bedenk dat het net een heel lang grijs lint is. Maar omdat er niets te tellen valt in de lucht, word ik een beetje bang en krijg ik zin om terug te gaan naar huis. Dan herinner ik me weer waarom ik hier ben.

Ik laat de rugleuning zakken en luister op mijn mp3-speler naar de rockopera *Tommy* die ik van Alma gekregen heb. Bij het geluid van de eerste akkoorden voel ik me meteen beter. We rijden door een slapend dorp. Ik denk aan de mensen die in hun huizen zitten en die ik nooit zal kennen. Ik zing zachtjes: '*See me. Feel me. Touch me. Heal me.*'

Het was niet moeilijk om bij het station te komen. Toen de schoolbus me voor de deur van school afzette, wachtte ik tot hij weg was, draaide me om en liep naar de bushalte bij het plein. Een paar dagen eerder had ik daar een bus zien stoppen die naar het busstation ging. Het eerste wat ik deed toen ik daar aankwam, was naar de wc gaan, mijn schooluniform uittrekken en in mijn rugzakje stoppen, en een spijkerbroek aantrekken. Zo heeft niemand in de gaten dat ik spijbel van school.

Maar nu ik in Los Peumos aankom, voel ik me verloren. Het is een deel van het dorp dat ik niet ken. Ik denk dat ik in Los Altos ben, waar de familie van Baltazar woont. Sommige passagiers stappen snel uit, andere blijven bij de bus staan wachten op hun bagage en begroeten intussen de mensen die hen komen ophalen. Een groep kinderen wordt geknuffeld door een vrouw met wit haar in een lange grijze jas. Haar gezicht zit vol rimpels die zich vouwen als een accordeon wanneer ze glimlacht. De stemmen van de kinderen weergalmen tegen het wegdek. Ik blijf staan, zonder me te bewegen, met mijn rugzakje naast me op de grond. De passagiers gaan een voor een weg, met hun hoofd weggedoken in hun jas, als schildpadden. De vrouw met de accordeonglimlach staat nog bij de bus. Plotseling kijkt ze me aan en glimlacht. Haar rimpels glimlachen mee. Haar blik is zo doordringend en zo onverwacht dat ik er verlegen van word. Ze houdt haar hoofd schuin en fronst haar wenkbrauwen. Ze lijkt te willen zeggen: En, ga je mee? Ik hang mijn rugzakje over mijn schouder en loop de straat uit. Naar de zee.

44. ♒

Leo zit achter zijn computer te schrijven. In de rustige toetsaanslagen meen ik de stappen van zijn gedachten te horen. Ik kijk naar zijn boeken en papieren – opgestapeld op de enige tafel in het huisje – en laat me meevoeren door de illusie van duurzaamheid die ze oproepen. Ik heb ook mijn eigen lectuur meegebracht, de verhalen van Alice Munro, waar ik steun bij zoek. Een motregentje onttrekt de lichte lijn van de horizon net niet helemaal aan het oog. De wind laat met zijn vingers de ruiten trillen. Ik zie de druppels vallen, glinsterend in het afnemende zonlicht. Leo kijkt op, onze ogen ontmoeten elkaar. Ik heb het gevoel dat onze gedachten in één punt samenkomen, de begeerte in zijn ogen bevestigt dat. We glimlachen en ik keer terug naar mijn lectuur. De lucht in het huisje is warm en een beetje zout. Ik vind het prettig het verlangen uit te stellen, want ik weet dat één enkel gebaar genoeg is om ons bij elkaar te brengen. Ik kijk graag naar Leo van een afstand waarop ik mijn hand maar hoef uit te steken om hem aan te raken. Net zo eenvoudig kan ik me losmaken van mijn eigen wereld. Eén enkel woord is genoeg, en dan is alles afgelopen. Nu begrijp ik waarom ik Lola bij mijn moeder heb achtergelaten.

Ik denk aan Pauline – de heldin uit een verhaal van Alice Munro – als ze plotseling een telefoontje krijgt van haar jonge, gekwelde minnaar vanuit een motel dicht bij de plek waar zij met haar gezin op vakantie is. Het is ontroerend en effectief hoe ze, terwijl ze met hem praat, haar dochtertje in haar armen houdt en haar andere, iets oudere dochter om haar heen fladdert, zeurend om een chocolaatje. Hetzelfde verhaal op duizend manieren verteld.

Toch gelooft een deel van mij dat wat mij overkomt uniek en bijzonder is, terwijl een ander deel me eraan herinnert dat hartstocht juist die bedrieglijke eigenaardigheid heeft: je het gevoel geven dat je uitzonderlijk bent.

Plotseling vliegt er een vogel tegen het raam. We schrikken allebei op, zien hem opkrabbelen en wegvliegen.

Toen ik Lola bij Maná achterliet heb ik onbewust de band verbroken die me verbond met het huis waar ik een leven naast Juan had opgebouwd. Ons leven. Ik doe mijn ogen dicht en stel me voor, net als Pauline een paar uur na het telefoontje van haar minnaar, dat niets van wat zich in dat huis en in die wereld bevindt me meer toebehoort, dat het enige wat ik nog heb dit verlangen is, en tot mijn verbazing heb ik niet eens zin het uit te schreeuwen. Integendeel, er komt een geweldige rust over me, alsof op het slagveld eindelijk de wapenstilstand is uitgeroepen. Ik ben uit de trein gesprongen, en de kneuzingen zijn gering in verhouding tot de sprong die ik heb gemaakt. De nabijheid van Leo beperkt de schade. Het brengt me er zelfs toe te geloven dat mijn leven in de toekomst – dicht bij hem of ver weg – al met al anders en beter zal zijn. Leo heeft in mij het verlangen gewekt, en er is geen weg terug meer, mijn heimwee naar deze hervonden lust zou het leven naast Juan ondraaglijk maken. Het is niet alleen zijn afstandelijkheid. In mijn sterke behoefte me los te maken van de chaos van mijn moeder heb ik alles op alles gezet om van onze verbintenis een instituut te maken. En zonder het te beseffen heb ik daarmee het onberekenbare van de liefde die ons verbond, om zeep geholpen.

De warmte van de houtkachel tempert de angst. Leo kijkt me opnieuw aan. Blijkbaar schrikt hij van mijn gelaatsuitdrukking. Hij staat op en streelt mijn gezicht. Ik blijf onbeweeglijk zitten. Hartstocht is in staat welke aanleiding dan ook te veranderen in een sterke en afdoende reden om de wereld achter je te laten. Ik tover een glimlach op mijn lippen en zeg bij mezelf: 'Zolang Leo aan mijn zijde is, zal alles goed gaan.'

'Wil je praten?'

Ik schud mijn hoofd. Ik kan hem het heen en weer springen van mijn gedachten niet uitleggen zonder op zijn minst een antwoord op zijn voorstel te formuleren.

'Maak je geen zorgen, ik weet dat dit voor jou veel moeilijker is dan voor mij. Ik hoef niets achter te laten...' zegt hij met een welwillende glimlach. 'Bovendien is het tijd om een kop flink hete thee te drinken. We zijn hier toch niet gekomen om het elkaar moeilijk te maken?' Hij pakt mijn kin en dwingt me hem aan te kijken.

Hij haalt de theepot van de houtkachel en schenkt twee koppen thee in. De eerste slok verwarmt mijn keel. In het huisje spreiden de schaduwen zich uit als een donkere, fijnmazige sluier. We zwijgen. We weten allebei dat woorden die broze en tegelijk intense warmte die mensen doet ontvlammen soms kan uitdoven.

45. ♐

Nadat ik een hele poos heb rondgelopen, kom ik bij de heuvel aan zee waar het kerkhof ligt. De wind fluit heel hard en in de lucht pakken de wolken zich samen. De eerste graven zijn omringd door witte traliehekken. Er staan verdorde bloemen op en windmolentjes. Hier liggen de kinderen begraven. Ik loop over de paadjes met links en rechts graven als ik plotseling in de verte mama's boom zie. Ik ga sneller lopen. Van alle graven van de familie ligt dat van mama het dichtst bij het pad dat naar de zee loopt. Als ik het zie, begint mijn hart te bonzen, alsof iemand vanbinnen tegen mijn borst slaat. HET IS ME GELUKT.

'Een fijne sterfdag, mama,' begroet ik haar hardop.

Ik ga op de stenen plantenbak zitten die om haar graf heen loopt en kijk door de dichte takken van de boom naar boven. Ik pak de blauwe bloemenvaas uit de hoek waar hij is neergegooid, was hem onder de kraan en vul hem met water. Omdat ik geen bloemen bij me heb, loop ik langs de andere graven en haal overal een bloem weg, zodat ze mijn diefstal niet zullen merken.

Ergens op het kerkhof hoor ik stemmen. Een dikke vrouw in een roze broek komt over een van de paden snel in mijn richting gelopen. Een jongen met een verveeld gezicht volgt haar op een paar meter. Ik druk me tegen een witte grafsteen om te voorkomen dat ze me zien. Ik weet niet waarom ik me verstop. Ik ben tenslotte alleen maar een kind dat het graf van zijn moeder bezoekt. Bij die gedachte kom ik uit mijn schuilplaats en loop met opgeheven hoofd verder.

Ik leg de bloemen op het gladde oppervlak van mama's graf en doe ze een voor een in de blauwe vaas. Als ik daarmee klaar ben, haal ik haar foto uit mijn rugzakje en zet die tegen de vaas, met haar gezicht naar de zee. Door de mist kan ik de horizon niet zien, alleen de onstuimige schittering van de golven die stukslaan op de rotsen.

Het is tijd om me te goed te doen aan de buit die ik vanmorgen in de keuken heb bemachtigd. Uit de koelkast heb ik chocolademelk en yoghurt gehaald; uit de voorraadkast een zak cornflakes en een zak chips. Ik besluit eerst de chips en de yoghurt op te eten. De wind wordt kouder. Ik zet mijn wollen muts op en trek mijn jas aan.

Als ik genoeg gegeten heb ga ik naast het graf in het gras liggen. De zee imiteert de loodkleurige hemel en beweegt als de huid van een rusteloos dier. Mama kijkt naar me vanaf haar foto.

'Ik weet niet of je het hebt gemerkt, maar ik ben alleen hiernaartoe gekomen. Ik geloof dat ik onderweg een paar centimeter ben gegroeid, het is net of ik groter ben geworden. Ik wilde je een paar dingen vragen, maar deze keer zijn het grotere dingen dan anders. Alsjeblieft, laat Alma niet weggaan met die man, zorg ook voor Lola, ook al pest ze me altijd, en maak dat H.M.B. de vriend is waar ik steeds op hoopte.'

De golven komen aanrollen en bedekken de rotsen met schuim. Op een bepaald moment denk ik een grote witte walvis te zien. Zo gaat de tijd langzaam voorbij. Beetje bij beetje ga ik een bodemloze wereld binnen, waar geen chips, yoghurt of dikke mevrouwen in roze broeken zijn, en ook geen gemeneriken die e-mails sturen, of orkanen die steden verwoesten, of mensen die zich wanhopig in zee storten. Waar de dood niet bestaat. Een zwerm vogels trekt lijnen in de lucht en vliegt dan de zee op totdat ze niet meer te zien zijn. Ik vraag me af waarom ze die vormen tekenen. Misschien zijn het geheime boodschappen voor de geleerden. Op een dag zou ik ook graag een geleerde willen worden. Ik pak mijn rugzakje op en gooi het over mijn schouder. De foto van mama zet ik met een steen stevig tegen de zerk en ik zorg ervoor dat haar ogen naar de zee kijken.

Ik loop het steile, stenige pad naar de rotsen af. Onder het lopen laten de kiezelstenen los. Als ik niet oppas, zou ik naar beneden kunnen vallen. Daarom loop ik heel, heel langzaam en let ik bij elke stap op waar ik mijn voet neerzet. Ik haal diep adem en een teug heel zuivere lucht vult mijn longen. Als ik blijf staan, kijk ik naar de vogels die met hun boodschappen de hemel doorkruisen. Ik spits mijn oren en luister naar hun schelle, verre gekrijs. Ik hoor kinderen schreeuwen. Boven aan de afgrond, niet ver van de plek waar mama ligt, zie ik de vrouw met het accordeongezicht. De kinderen rennen om haar heen. Ze steekt haar hand op. Ik kan haar glimlach niet zien, maar ik weet dat die er is, met zijn honderden rimpeltjes die ook naar mij glimlachen. Ik zou willen dat mama, als ze nog leefde, net zo was als zij. Ik loop verder naar beneden, met mijn ogen strak op het pad gericht. Als ik bij de golfbreker aankom, ben ik uitgeput. De vrouw en de kinderen zijn verdwenen. Ik klim op een rots en rust uit. De zee is wild, de golven worden hoger en sterker. Ik pak mijn rugzakje en loop een paar meter verder over een zwarte, gladde rots die als een groot hangend terras boven het water uitsteekt. Ik blijf staan om naar de hemel te kijken, totdat de zon begint onder te gaan tussen de donkere wolkenflarden. Ik steek mijn armen in de lucht zoals Kájef me heeft geleerd en doe mijn ogen dicht. Ik zie de glimlach van de vrouw, ik zie de heldere kant van mama's gezicht, ik zie mezelf, groot en glimlachend in haar glinsterende ogen, ik zie een schip midden op zee, ik zie wat niet meer terug zal komen, ik zie honderden vogels opvliegen, ik zie de klap, het verwrongen ijzer boven mijn hoofd, het bebloede gezicht van mama, ik hoor haar gil, ik zie mijn hart zwak kloppen tussen mijn ribben, ik zie Kájef op de bodem van de zee, druk bewegend met zijn lichaam, als een vis. Dit alles zit in mij, dit alles ben ik.

46.⌛

Yerfa aan de telefoon. De bus die Tommy terugbrengt van school had er al een uur geleden moeten zijn.

'Ik heb de chauffeur op zijn mobiel gebeld en hij zei dat Tommy niet bij de deur stond toen de kinderen uit school kwamen,' voegt Yerfa eraan toe.

'Maar hoe kan dat nou, hij is vanmorgen toch met die bus weggegaan?'

'Dat heb ik ook tegen hem gezegd, maar hij zei dat hij een hele tijd op hem gewacht heeft en dat hij daarna geen andere keus had dan te vertrekken.'

Ik bel naar de school en vraag naar de schoolinspectie. Na een tijdje laat de inspecteur me weten dat hij het klassenboek heeft nagekeken en dat Tommy als afwezig vermeld staat. Ik zeg dat dit onmogelijk is, dat Tommy vanmorgen net als elke dag gewoon naar school is gegaan.

'Zijn lerares is al weg, maar ik zal proberen haar te pakken te krijgen om nadere informatie in te winnen,' zegt hij.

Ik praat weer met Yerfa en vraag haar de lijst met telefoonnummers van zijn klasgenoten op te zoeken. Tommy is vast met een van hen naar huis gegaan – misschien om huiswerk te maken – en is vergeten ons dat te laten weten.

Intussen help ik een patiënt. Als ik klaar ben, bel ik weer naar de school. De inspecteur heeft zijn mobiele nummer voor me achtergelaten bij de bewaker. Ik praat met hem. Hij vertelt dat hij met de lerares gesproken heeft en dat Tommy vandaag inderdaad niet op school is geweest.

'Wilt u soms beweren dat u hem onderweg van huis naar school bent kwijtgeraakt? Want dat hij vanmorgen met de schoolbus, úw bus,' benadruk ik sarcastisch, 'is weggegaan, kan ik u verzekeren. Dit is heel ernstig. Beseft u dat wel? Heel ernstig.'

'Dat besef ik. Ik zal onmiddellijk contact opnemen met de directeur. Intussen stel ik voor dat u de lerares belt. Zij zal u meer informatie over Tommy kunnen geven. Je kunt nooit weten, misschien heeft hij gespijbeld...'

'Dat kan ik me van Tommy nauwelijks voorstellen,' zeg ik, hoewel ik eigenlijk zin heb hem de huid vol te schelden.

Ik beheers me, het is zinloos de inspecteur de les te lezen. Hij geeft me het telefoonnummer van de lerares. Het is zeven uur 's avonds. Als Tommy vanmorgen niet op school is aangekomen, is hij al elf uur vermist. Dat is lang voor een jongen van twaalf. Ik bel Maná. Lola is een paar dagen bij haar. Ik vraag of ze iets van Tommy heeft gehoord.

'Nadat ze gisteravond met jou had gesproken, heeft Lola hem gebeld en hebben ze een poosje met elkaar gepraat.'

'Heeft ze je daar iets over verteld?'

'Nee, en eerlijk gezegd heb ik haar er ook niet naar gevraagd. Waarom?'

'Nee, zomaar.'

'Weet je dat zeker?'

'Natuurlijk, maak je geen zorgen,' lieg ik, om haar niet ongerust te maken. 'Ik moet nu ophangen. Er wacht een patiënt op me. Geef Lola een kus van me en zeg maar dat ik haar morgen beslist bel.'

Ik toets het nummer van Alma in. Ze neemt niet op. Ik begin een ongerustheid te voelen die amper te verdragen is. Ik bel mijn neef Pedro Ortúzar op zijn mobiele nummer. We zijn niet echt bevriend, maar hij kent de minister van Binnenlandse Zaken. Een alarmsignaal van hem en de hele zoekmachinerie treedt in werking. Ik krijg zijn antwoordapparaat. Ik vraag hem dringend me terug te bellen. Als ik het woord 'dringend' uitspreek, voel ik plotseling een verstikkende haast.

Ik zeg tegen Carola, mijn secretaresse, dat ze alle ziekenhuizen en eerstehulpposten in Santiago moet bellen. Ik wacht en probeer na te denken. Na een tijdje laat Carola me weten dat ze overal heen heeft gebeld en dat er nergens een spoor van Tommy is. Ze moet alleen nog informeren bij een paar medische diensten in de buitenwijken. Ik bel naar het kantoor van Pedro op het parlement. Zijn secretaresse zegt dat hij in bespreking is. Ik vraag haar of ze hem daar alsjeblieft weg wil halen, dat het om een ernstige kwestie gaat. Ik wacht met mijn ellebogen op mijn bureau. Ik hoor de stemmen op de gang. Alles wat er aan de andere kant van de deur gebeurt, komt me op dat moment onbelangrijk voor. Mijn telefoon gaat, het is Pedro. Ik leg hem alles uit. Pedro schrikt, hij heeft een zoon van dezelfde leeftijd als Tommy.

'Ik zal meteen de generaal van de carabineros* bellen. Ik denk dat dat het beste is.'

'Bedankt, Pedro.'

Hij laat me weten dat er een luitenant onderweg is naar mijn huis om nadere gegevens op te nemen.

'Maak je geen zorgen. Ik bel je meteen zodra ik iets weet. Blijf rustig, we vinden hem wel, dat zul je zien...'

Ik probeer iets te zeggen, maar ik krijg een brok in mijn keel en kan geen woord uitbrengen. Dat zul je zien... dat zul je zien... Zijn stem blijft nagalmen in mijn binnenste. Voor ik wegga, vraag ik Carola om niet met mensen van het ziekenhuis over het voorval te praten. Het meest waarschijnlijke is dat het allemaal op een misverstand berust. Als ik dit zeg, verlang ik vurig dat het waar is.

Onderweg naar huis toets ik opnieuw het nummer van Alma in. Ze neemt niet op. Misschien heeft ze op de plek waar ze is geen goede ontvangst. Als Tommy uit eigen vrije wil niet naar school is gegaan, zoals de inspecteur suggereerde, moet er een reden voor zijn, maar welke? Misschien heeft hij problemen gehad met zijn vrienden, maar wie zijn zijn vrienden? Ken ik soms een vriend van

* Carabineros: Chileense staatspolitie.

hem? Hij zal ze vast wel hebben, alleen weet ik dat niet, dat is alles.

Het loopt tegen het eind van de dag, als de schaduwen van het laatste uur van de middag langzaam donkerder worden. Ik kan niet voorkomen dat ik schrik. Waar is mijn zoon? En als iemand hem nu eens heeft ontvoerd voor losgeld? Ik parkeer de auto in de straat voor het geval ik snel weg moet. Ik kijk naar de tuin en dat brengt me enigszins tot rust. De hagen, afgewisseld met bloemen, bakenen een pad af dat uitkomt bij de voordeur. Tommy moet ergens op een plek zijn waar ik nog niet aan heb gedacht.

Yerfa staat me op te wachten in de deuropening. Haar ogen zijn roodomrand. We gaan aan de keukentafel zitten. Ik vraag of ze iets ongewoons aan Tommy heeft gemerkt. Ze vertelt dat hij de laatste tijd lusteloos en neerslachtig was, dat hij een paar weken geleden op de fiets is weggegaan en pas na het donker thuiskwam. Ze had dat niet gemerkt omdat Tommy had gezegd dat hij bij de buurjongen was. Ik vraag maar niet waarom ze me dat niet eerder heeft verteld. Het is niet het moment om Yerfa de les te lezen.

'En heeft hij verteld waar hij geweest was?' Ik praat op kalme toon.

Het is onwaarschijnlijk dat Tommy erg ver is gekomen. De keren dat we samen zijn gaan fietsen, nam zijn vasculaire capaciteit al heel snel af.

'Dat wilde hij niet zeggen.'

Ik trek me terug in mijn werkkamer. De stilte maakt Tommy's afwezigheid pijnlijk reëel. Ik bel Cristián, de buurjongen. Ik vraag hem of hij Tommy heeft gezien en of hij misschien iets bijzonders tegen hem heeft gezegd. Hij antwoordt dat hij al dagen niets van hem heeft gehoord. Yerfa klopt op mijn deur.

'Het zijn de carabineros, don Juan,' kondigt ze ontsteld aan, alsof we een stel misdadigers zijn die ze komen arresteren. Ik vraag haar om ze binnen te laten.

Twee mannen komen met hun dienstpet in de hand de kamer binnen. Een van hen, duidelijk de hoogste in rang, geeft me een hand en stelt zich voor als luitenant Sergio Ríos. Het is een donkere man met O-benen en een haviksneus. Hij heeft iets hooghartigs. De ander daarentegen heeft het buikje en de meelevende blik van een huisvader. Ik nodig ze uit om te gaan zitten. De luitenant stelt vragen, ik antwoord, de ondergeschikte noteert. Achter zijn stuurse en accurate optreden kan ik de wereld vermoeden waar hij vandaan komt. Een wereld van ruzies, bravoure en dreigend geweld. Van tijd tot tijd kijkt de ondergeschikte op van zijn notitieboekje en lijkt hij zich, zonder zijn positie van rapporteur te verwaarlozen, te verontschuldigen voor het gebrek aan hoffelijkheid van zijn meerdere.

'We hebben een foto van de jongen nodig,' verzoekt de luitenant me. 'En we zullen ook zijn kamer moeten bekijken.'

Hij heeft het de hele tijd over 'de jongen'. Op de gang blijf ik voor een van Tommy's tekeningen staan: Het labyrint van de Minotaurus. Tommy heeft tientallen tekeningen gemaakt over het verhaal van Theseus, maar deze vindt Alma het mooist, omdat hij de draad van Ariadne 'de draad die de liefde eruit trekt' heeft genoemd.

'Die heeft mijn zoon gemaakt,' zeg ik, hoewel ik weet dat het ze geen barst kan schelen.

De luitenant schraapt zijn keel en we lopen door. We gaan Tommy's kamer binnen. Ik doe het licht aan. De mannen lopen heen en weer op de vijf vierkante meter en nemen alles nauwkeurig in zich op. De aanwezigheid van deze twee vreemden in de kamer van mijn zoon bezorgt me een onafwendbaar gevoel van naderend onheil. Ze doen zijn kast open, snuffelen in zijn laden, in zijn schriften, pakken zijn speelgoed op met een mengeling van minachting en gespeelde nieuwsgierigheid.

'Ontbreekt er iets?' informeert de ondergeschikte.

Ik kijk om me heen.

'Niets.'

Hij wil weten wat voor kleren hij droeg.

'Zijn schooluniform. De laatste keer dat we hem gezien hebben, vanmorgen, was hij op weg naar school.'

'Ik heb een gedetailleerde beschrijving nodig van het uniform.'

'Ik kan u een foto geven die we dit jaar van hem hebben gemaakt tijdens een bijeenkomst op school.'

Voordat we de trap af lopen, ga ik mijn slaapkamer in en pak de foto van Tommy die op mijn nachtkastje staat. Op het moment dat ze vertrekken, legt luitenant Ríos me uit: 'Het is een verzoek van hogerhand. Met deze foto zullen al onze eenheden uitkijken naar uw zoon. Goedenavond.'

De ondergeschikte neemt met een handdruk en een verslagen glimlach afscheid van me. Geen van beide mannen doet een poging me moed in te spreken. De ervaring heeft ze vast geleerd dat te vermijden.

Ik bel mijn neef Pedro nog een keer en zeg dat de carabineros inmiddels geweest zijn.

'Luister, Juan, je moet rustig blijven, oké? Hoor je wat ik zeg? Hij kan vast elk moment thuiskomen. Hoe dan ook, er wordt navraag gedaan bij de ziekenhuizen en eerstehulpposten of er een ongeluk is gebeurd. Voor het geval dát. De majoor met wie ik gesproken heb, vertelde me dat dit soort dingen vaak voorkomt. Kinderen gaan ervandoor omdat ze een of ander probleem hebben, maar ze komen meestal heel snel terug. Het is een manier om aandacht te trekken.'

Ik bedank hem en hang op. Ik had graag nog wat langer met hem gepraat. Zijn stem geeft me vertrouwen, en ook de illusie dat ik hierin niet alleen sta. Ik bel Alma en hoor haar telefoon overgaan in mijn oor. Wat zou ik graag willen dat ze nu bij me was.

Ik zou eigenlijk mijn vader moeten waarschuwen, of een van mijn broers, maar behalve piekeren net als ik, is er weinig wat ze kunnen doen om me te helpen. Bovendien zou ik niet weten wat ik tegen ze moest zeggen. Dat Tommy is weggelopen? Waar zou hij naartoe kunnen als hij nooit alleen naar buiten is geweest?

Dat een psychopaat hem heeft ontvoerd en dat hij in een kelder zit waar hij de komende twintig jaar van zijn leven zal moeten doorbrengen als we hem niet vinden? Ik sta gejaagd ademhalend op van mijn bureau. Buiten doet de zachte wind de bladeren van de eik ritselen. Ik ga weer zitten en bekijk de telefoonlijst die Yerfa me gegeven heeft. Het is kwart voor negen. Ik kan nog een paar van zijn klasgenoten bellen. Maar eerst bel ik zijn lerares. Ik vraag of Tommy problemen heeft gehad op school.

'Nou ja, afgezien van zijn absenties, maakte hij een goede indruk op me, normaal, altijd een beetje eenzelvig, u weet wel, maar niet meer dan anders.'

'Absenties?' pols ik.

'De laatste tijd was hij nogal vaak afwezig. Al liet hij daarna altijd wel een verklaring zien, ondertekend door zijn moeder.'

Misschien was Tommy verkouden, dat is hij wel vaker, en heeft Alma me niet ongerust willen maken. Meestal ga ik eerder het huis uit dan Tommy. Ik wil weten of er een vriendje is met wie hij regelmatig omgaat. Ze zegt dat hij geen vrienden heeft. Haar woorden verbazen me niet, maar toch stemt het me droevig. Ze vraagt me of ik haar op de hoogte wil houden.

Yerfa staat me op te wachten in de gang. Ik vraag haar naar Tommy's afwezigheid op school. Ze zegt dat hij al maanden niet heeft verzuimd. Ik vertel wat ik net van de lerares heb gehoord. Yerfa houdt vol dat Tommy steeds gewoon naar school is gegaan. Ik merk dat ze nerveus is, de aangeboren angst om beschuldigd te worden. Ik weet dat ze de waarheid spreekt.

'Probeer maar te gaan slapen, Yerfa. We zien morgen wel verder.'

Terwijl ik de trap op loop, bel ik Alma. Ik probeer het keer op keer. Haar nummer intoetsen brengt me dichter bij haar.

Ik doe de lichten uit. Mijn voetstappen weergalmen in de gang waar anders Lola en Tommy altijd achter elkaar aan rennen. Als ik de deur van mijn kamer achter me dichttrek, daalt de stilte onverbiddelijk op me neer. Een stilte die alles om me heen, alles wat ik onveranderlijk waande, opslokt.

Het is halftien 's avonds. Ik ga op de rand van het bed zitten. Op mijn nachtkastje hult de telefoon zich in stilzwijgen, alsof hij de spanning aanvoelt die alleen al het ernaar kijken in het schemerdonker bij me teweegbrengt. Deze roerloosheid is dodelijk. Als iemand Tommy had ontvoerd en losgeld had gewild, zou hij al contact met me hebben opgenomen. Ik zet de televisie aan met de afstandbediening en kijk naar de nieuwsberichten. Ik kan de stemmen en de wereld die via het scherm de kamer binnendringen niet verdragen en zet het geluid uit. Op het kille glazen oppervlak trekken de beelden zwijgend voorbij. Een blinde man loopt naast een politiehond door de straten van de stad. Ik doe mijn best aan iets concreets te denken, maar mijn hersenen functioneren niet goed. Ik sta op en kijk uit het raam. In mijn tuin, zorgvuldig uitgelicht door de tuinarchitect, komt de lente tot uitbarsting. Ik haat die tuin, ik haat die berekenende weelderigheid en de illusie van geluk die hij oproept.

⧗

Ik kan niet slapen, haal moeizaam adem en lig te woelen in bed. De beelden volgen elkaar lukraak op in mijn hoofd, pijnigen mijn hersenen, schokken me. Ik veeg mijn bezwete handen af, daarna mijn voorhoofd. Ik heb het gevoel dat ik ben ondergedompeld in een teerput.

Ik denk terug aan toen ik Tommy voor de zoveelste keer betrapte terwijl hij onze gesprekken aan het opnemen was. Ik heb hem uitgescholden, aan zijn oor getrokken en opgesloten in zijn kamer. Ik hoorde hem aan de andere kant van de deur huilen, maar ik weerstond de verleiding hem te troosten. De volgende dag, weer tot rust gekomen, ging ik naar zijn kamer. Hij lag languit op bed en liet het rode vliegtuig boven zijn hoofd vliegen. Vanuit de naburige tuin drongen de opgewonden zomerse stemmen van spelende kinderen de kamer binnen. Ik zou hebben gewild dat Tommy daar ook was, bij hen, en ik stelde me voor dat hij hetzelfde wenste. Ik vroeg hem waarom hij de gesprekken van anderen opnam. Hij keek me wantrouwig aan, zonder te antwoorden. Ik wachtte tot hij iets zou zeggen. Na een poosje zei hij dat hij dat deed om de onzichtbare orde van de dingen te ontdekken.

'Ik neem niet alleen op wat anderen zeggen,' merkte hij op, 'ik neem ook mijn eigen stem op, ideeën en dat soort dingen. Als ik ze hardop uitspreek, bestaan ze echt.'

Zijn woorden maakten indruk op me. Maar ik gaf niet toe. Ik moest voorkomen dat Tommy zich nog langer bemoeide met de gesprekken van volwassenen. Zijn heldere inzicht prijzen zou hetzelfde zijn als mijn goedkeuring uitspreken. Terwijl ik voor de zoveelste keer mijn preek afstak over de waarde van privacy, durfde ik hem niet in de ogen te kijken. Ik beende met mijn handen op mijn rug de kamer op en neer en sprak hem intussen hard toe. Later bedacht ik dat ik wel wat verzoeningsgezinder had kunnen zijn. Daarom heb ik bij ons gesprek van gisteren geprobeerd eerlijk tegen hem te zijn en hem duidelijk gemaakt hoeveel verdriet zijn gedrag me doet. Ik heb me kwetsbaar opgesteld. Ik dacht dat we het eens waren, dat we wat vertrouwelijker waren geworden, dat het tonen van mijn gevoelens meer overtuigingskracht zou hebben dan ethische en intellectuele argumenten. Misschien heb ik een fout gemaakt, maar welke?

Als Alma hier was, zou ze me helpen dat te begrijpen. Alma. Het is lang geleden dat ik haar zo hard nodig had. Ik heb het gevoel dat ik een reis met haar gemaakt heb, maar dan zonder haar. Op elke plek waar we waren, lieten we elkaar eenzamer achter. Deze lange nacht spot met mijn pogingen mezelf wijs te maken dat alles goed gaat, dat Alma zich niet van me verwijdert, dat Tommy niet is weggelopen, dat we een gelukkig gezin zijn. Je probeert het verdriet te beheersen en je eindigt ermee dat je nog iemand kwetst, omdat niets onveranderlijk is, omdat de befaamde Deugd een grote leugen is, in naam waarvan we onverdraagzaam en onmenselijk worden. En dus vraag ik aan Soledad, waar ze ook mag zijn, of ze hem wil helpen terug te komen.

⌛

Ik word verward en bezweet wakker. Ik voel me leeg, alsof een dief mijn lichaam is binnengedrongen en iets wezenlijks heeft gestolen. In mijn oor gaat een niet bestaande telefoon over. Mijn kleren zijn vochtig, mijn spieren stijf; het lijkt wel alsof ik in een gat in de grond geslapen heb. Heel even ben ik opgelucht dat ik in mijn bed lig, maar meteen daarop word ik overmand door de herinnering aan Tommy. Ik spring uit bed en loop naar zijn kamer. In mijn verdwazing stel ik me voor dat ik hem slapend zal aantreffen. Ik ga op zijn bed liggen.

Van een afstand zie ik een man op bed liggen, met zijn handen voor zijn gezicht geslagen, terwijl er een gezwel groeit in zijn maag. Vanzelfsprekend had ik dingen anders kunnen doen. Dat geldt voor ons allemaal. Maar dat is geen kwestie van schuldgevoel, eerder van lijfsbehoud. Ik dreigde samen met Soledad ten onder te gaan. En de enige manier die ik kon bedenken om dat te voorkomen, was door me terug te trekken in mijn hol. Daar heb ik al die jaren gezeten; zoals de overlevenden van een oorlog die, onwetend van de vrede, verborgen blijven in de schuilkelders. Ik liet de tijd, Alma en het leven aan me voorbijgaan. Ik herinner me Alma's hand die de mijne pakte tijdens het toneelstuk van de kinderen. Ze gaf me de kans uit mijn schuilplaats te komen, te protesteren tegen haar voortdurende afwezigheid, tot uitdrukking te brengen hoezeer ik haar miste; kortom, haar bij me te houden.

Ik kijk naar Tommy's obsessieve gevoel voor orde, zijn speelgoed op een rij op de planken, zijn vliegtuigen, zijn galactische soldaten, de miniatuurmotoren, de kleurpotloden op tafel, zijn computer. Tommy zit er altijd uren achter. Ik zet hem aan. Het scherm licht op, maar ik heb een wachtwoord nodig om verder te gaan. Ik probeer het met zijn naam, met zijn geboortedatum, ik probeer me de naam van zijn denkbeeldige vriendje te herinneren, Kofa, Kafa, ik probeer andere mogelijkheden, maar tevergeefs. Ik kom er niet in.

De telefoon gaat. Ik ren naar mijn kamer om op te nemen, onderweg glijd ik uit en stoot mijn elleboog. Het is mijn neef Pedro. Hij vraagt of ik al iets gehoord heb van Tommy. Zijn stem klinkt bezorgd. Hij zegt dat hij met de generaal van de carabineros gesproken heeft en dat er nog geen spoor van hem is. Hij is tenminste niet dood, denk ik.

'Heb je geslapen?' vraagt hij. De toon is nu zachter, intiemer.

'Een beetje.'

'Juan, heb je je vader gebeld?'

'Hoe weet je dat ik dat niet heb gedaan?'

'Dat nam ik aan. Het meest waarschijnlijke is dat Tommy gewoon ergens veilig en wel zit, maar de familie moet het in elk geval weten.'

'Je hebt gelijk.'

Vrijwel meteen nadat ik de verbinding heb verbroken, gaat mijn mobiel over. Ik zie Alma's naam op het schermpje en dan hoor ik haar stem: 'Juan! Ik heb tweeëntwintig gemiste oproepen van jou. Ik heb mijn telefoon gisteren in de auto laten liggen en dat merkte ik net pas. Is er iets?' Ik luister naar haar zijdeachtige en tegelijk kinderlijke intonatie.

'Ja.' Het kost me moeite met haar te praten nu ik haar eindelijk zo dichtbij hoor. Mijn huid is binnenstebuiten gekeerd, de zenuwuiteinden zijn blootgelegd.

'Wat is er aan de hand?' dringt ze ongeduldig aan.

De klank van haar stem komt van verre op me afgesneld. Ongemerkt sluit ik mijn ogen en neem de warmte ervan in me op.

'Zegt iets, je maakt me bang.'

'Tommy is verdwenen.'

Het is net alsof ik het niet ben die deze woorden uitspreekt, woorden die de afgelopen uren hardnekkig in mijn oren weergalmen.

'Maar hoe kan hij nou verdwenen zijn?' vraagt ze bijna schreeuwend.

Ik leg haar stap voor stap uit wat er is gebeurd sinds Yerfa me in het ziekenhuis belde. Hoewel ik mijn best doe mijn kalmte te bewaren, klinkt mijn stem wanhopig. Af en toe onderbreekt ze me om naar een of ander detail te vragen. Maar meestal zwijgt ze en lijkt ze er niet te zijn. Ik stel me voor dat ze haar hand op de telefoon heeft gelegd zodat ik haar niet kan horen huilen. Beetje bij beetje begint de druk op mijn borst af te nemen. Als ik de laatste gebeurtenissen voor Alma opsom, worden ze reëler en tegelijk minder definitief. Ik weet dat Tommy's verdwijning bij haar net zo hard aankomt als bij mij, dat niemand anders voelt wat wij voor hem voelen. En die zekerheid verbindt me meer met haar dan ooit.

'Ik vertrek nu meteen. Over een paar uur ben ik bij je.'

'Ik wacht op je,' zeg ik met gebroken stem.

Ik voel me opgelucht. Alsof iemand me bij mijn keel had gegrepen en nu plotseling loslaat.

Nadat ik heb opgehangen, bel ik haar meteen terug en vraag naar Tommy's verzuim op school. Elke informatie kan waardevol zijn.

'Ik heb al minstens vijf maanden geen verklaring getekend, Juan.'

'Dan heeft hij ze dus vervalst.'

'Ik kan niets anders bedenken.'

'Dat verandert de situatie,' zeg ik.

'Wacht op me, dan zien we samen wel verder...'

'Alma, ik weet dat ik de laatste tijd dingen verkeerd heb gedaan...'

'Dat moet je nu niet zeggen. Bovendien geldt dat voor ons allebei.'

'We hebben zoveel te bepraten.'

'We zien elkaar straks.'

'Ik hou van je.' Alma heeft al opgehangen zonder mijn laatste woorden te horen. Ik neem me voor ze te herhalen zodra ik haar in mijn armen houd.

47. ♒

Leo, met het dekbed opgetrokken tot zijn neus, rekt zich uit. Ik kijk naar hem vanuit de deuropening met mijn mobiel in mijn hand.

'Wat doe je daar?' Hij knippert verwoed met zijn ogen om ze open te krijgen.

'Tommy is verdwenen. Hij schijnt weggelopen te zijn. Ik moet weg, Leo.'

'Wat zeg je?'

'Ik moet weg,' herhaal ik, mijn hoofd afwendend om zijn onderzoekende blik te vermijden. Een onheilspellende angst heeft zich in mijn buik genesteld.

'Maar hoe kan dat nou, jullie waren toch zo'n gelukkig gezin?' merkt hij op, met die mengeling van grootspraak en spot die ik al tientallen keren heb gehoord, maar die hij nog nooit tegen mij had gericht.

De zorgzame minnaar valt me aan met zijn pijlen. Een aanval waarvan ik niet weet hoe ik me ertegen moet verdedigen. Ik draai me om en pak mijn tas uit de kast.

'Sorry,' hoor ik hem achter mijn rug zeggen, 'soms weet ik niet wat ik zeg.' Hij staat op, slaat zijn armen om mijn schouders en trekt me naar zich toe. 'Ik was gewoon graag tot laat met je in bed gebleven,' licht hij toe, en hij geeft me een kus. 'Wanneer is het gebeurd?'

'Gisteren. Hij is niet thuisgekomen uit school. Juan heeft me sinds gisteravond proberen te bellen. Ik heb mijn mobiel gistermorgen in de auto laten liggen nadat ik met Lola had gebeld. Ik weet niet hoe dat kwam, ik vergeet hem anders nooit. Toen ik vanmorgen wakker werd, was het eerste wat ik dacht dat ik mijn mobiel niet had. En toen zag ik die gemiste oproepen. Arme Juan.'

Terwijl ik dat zeg, realiseer ik me dat ik de afgelopen weken helemaal vergeten was dat hij me nog kon ontroeren.

'Ik moet nu meteen weg,' zeg ik, me losmakend uit zijn omarming.

Ik begin me aan te kleden. Leo trekt zijn spijkerbroek en een T-shirt aan en gaat op de rand van het bed zitten. Hij kijkt naar me. Ik ga de badkamer in en laat de deur halfopen staan. Terwijl ik mijn tanden poets, kijk ik naar hem in de spiegel. Hij steunt met zijn ellebogen op zijn knieën, zijn blik strak gericht op het enige raam van het huisje. Als ik mijn ogen laat rusten op zijn gezicht, vang ik een spoor van nervositeit op in de ronding van zijn lippen.

'Wil je dat ik meega?'

'Ik weet het niet. Net wat je wilt.'

'Nee. Wat jíj wilt.'

Ik ga in de deuropening staan.

'Ik weet het echt niet,' benadruk ik, en ik geloof dat ik meen wat ik zeg.

Een deel van me wil dat Leo zich die vraag niet eens stelt, dat hij vastbesloten is bij me te blijven, tegen alles bestand, zelfs tegen mijn mening, dat zijn behoefte om bij me te zijn sterker is dan welke gebeurtenis ook, terwijl het andere deel de honderdvijftig kilometer terug wil reizen om aan Tommy te denken en in mijn eentje mijn schuldgevoel te verwerken.

'Als we bij jouw huis aankomen, denk ik niet dat ik van veel nut voor je kan zijn. Tenzij je wilt dat ik rij, zodat je rust hebt,' stelt hij voor, terwijl hij zijn ogen naar me opslaat.

Hij kijkt dwars door me heen.

'Dat is niet nodig, Leo, en je hebt gelijk. Als we daar eenmaal zijn, is er niets wat je kunt doen. Het heeft geen zin dat je deze dagen hierdoor laat bederven.'

Leo wendt zijn blik af en wrijft over zijn kin. Sinds de eerste dag onderweg hebben we het niet meer over zijn voorstel gehad. Ik neem aan dat hij heeft gewacht totdat ik me erover zou uitspreken. Ik was van plan er vandaag met hem over te praten.

'Je kunt in elk geval schrijven,' voeg ik eraan toe.

'Zeker.'

Ik zie hoe hij zich op bed laat vallen. Zijn grijze T-shirt steekt af tegen de lakens. Alles om me heen lijkt leeg te lopen.

Als ik klaar ben om te vertrekken, pakt Leo mijn tas. Ik neem hem bij de arm en samen lopen we naar mijn auto, als twee vrienden. Het is een vrijwel onbewolkte ochtend. Een paar wolken trekken traag boven onze hoofden voorbij. De bries is zo zacht en de atmosfeer zo rustig dat mijn zorgen niet van deze wereld lijken. Leo omhelst me. Ik voel zijn terughoudendheid. Ik denk aan Tommy en een huivering loopt over mijn rug.

48.⌛

Nadat ik heb gedoucht en ontbeten trek ik me terug in mijn werkkamer. Ik bel het ziekenhuis en vraag Carola alle afspraken voor vandaag af te zeggen. Dan bel ik mijn vader en vertel hem wat er aan de hand is. Hij is nog steeds woedend over zijn vogels, maar achter zijn koele toon schemert emotie door. Hij vraagt me naar details over de zoektocht waar ik niet bij heb stilgestaan. Hij zal mijn broers waarschuwen, zegt hij. Als ik ophang, daalt de stilte weer zwaar op me neer. Ik loop rusteloos heen en weer en wacht. De tijd walst over me heen met de vernietigende kracht van een tank. Mijn broers bellen een voor een, hevig geschrokken.

Ik ga terug naar Tommy's kamer om op zijn bed te gaan zitten, op dezelfde plek waar we twee avonden geleden met elkaar hebben gepraat. Wat is er intussen gebeurd? Ik ben bang en ik weet dat ik daar niets tegen kan doen. Ik denk terug aan de keren dat ik zijn kamer binnenkwam en hem aantrof met zijn blik strak op ditzelfde raam gericht.

Ik zet opnieuw zijn computer aan en zoek naar het wachtwoord, zijn naam, onze achternamen, ik voer belangrijke data in, een enkele naam van zijn speelgoed, ik denk aan zijn tekeningen en typ: Minotaurus, daarna, Theseus, Ariadne, Alma, Soledad. Ik heb het gevonden. Ik ben erin. Waarom heb ik daar niet eerder aan gedacht? Ik open zijn documentenmap en vind er een met de naam *Letterbak van Tommy*. Het is een vierkant bestaande uit zinnen. Als ik ze lees, ontdek ik dat het een aaneenschakeling is van beledigingen. Mijn god! Afgaande op de vorm waarin ze geschreven zijn lijken het e-mailberichten, waarschijnlijk van een van zijn klasgenoten. Hoelang moet Tommy dit al verdragen? Dit moet de reden zijn waarom hij is weggelopen. Ik zoek verder en ontdek een map met de naam Mp3. Er zitten meerdere documenten in, maar eentje daarvan valt me op: TIEN ONTDEKKINGEN OVER MAMA. Ik open het en hoor mijn eigen stem: '*Carmen, wat ben ik blij je te zien.*'

'*Dat is jaren geleden dat we elkaar voor het laatst gezien hebben.*'

'*Vijf, zes?*'

'*Minstens.*'

Het is op de bruiloft van Miguel. Er volgt een pauze. Tommy heeft de opname waarschijnlijk gemonteerd.

'*In elk geval is Juan gelukkig weer getrouwd; de ziekte van Soledad was zo treurig en zo acuut.*'

'*Ziekte? Het is ongelooflijk hoeveel leugens we slikken.*'

'*Welke leugens bedoel je?*'

'*Ach, mijn god, dat had ik niet moeten zeggen. Het spijt me. Vraag alsjeblieft niet verder.*'

'*Je kunt ons nu niet zomaar in onwetendheid laten.*'

'*Soledad is niet overleden aan een ziekte. Ze heeft zelfmoord gepleegd.*'

'*Maar ze was toch overleden aan een hersenbloeding?*'

'*Dat is wat ze hebben gezegd om een schandaal te vermijden, maar Soledad heeft zelfmoord gepleegd, dat kan ik je verzekeren.*'

'*Het is een van de best bewaarde geheimen van de familie Montes.*'

Alles begint duidelijker en tegelijk duisterder te worden. Ik doe mijn ogen dicht. Ik kan niet geloven dat Tommy de afgelopen weken met dat verdriet heeft moeten leven. Ik schud wild mijn hoofd en haal een paar keer diep adem. In de stilte van zijn kamer verlang ik er hevig naar mijn zoon tegen me aan te drukken. De opname gaat verder: '*Wat ben je veranderd, Alma. Je ziet er echt heel mooi uit.*'

Het is een mannenstem die me niet bekend voorkomt.

'*Dit is Tommy.*'

'*Hallo, Tommy, ik ben Leo, een oude vriend van je moeder.*'

'Het best bewaarde geheim,' zeg ik sarcastisch bij mezelf.

Tommy is aan het woord: '*Ik denk dat als papa in het niets staart en naar niemand lijkt te luisteren, hij aan mama denkt.*'

Ik druk met mijn vingers op mijn oogleden. Ik voel me duizelig. Intussen praat Tommy verder: '*Een, jezelf ophangen. Twee, rattengif eten. Drie, een kogel in je hoofd, je mond of je hart schieten. Vier, je door een auto laten overrijden.*'

Zo heeft Soledad zichzelf van het leven beroofd. Ik herinner me haar door de klap opengespleten schedel, haar verkrampte handen. Ik sta op en loop gejaagd heen en weer om dat beeld te verdrijven. De avond tevoren had ik beloofd 's middags bij haar langs te komen en haar mee naar huis te nemen. We zouden samen eten 'als in oude tijden' en daarna zou ik haar weer terugbrengen naar Aguas Claras. We hadden het al verschillende keren geprobeerd, maar vervolgens had Soledad er een paar minuten voordat we zouden vertrekken toch van afgezien. Haar onvermogen om te herstellen, haar gebrek aan doorzettingsvermogen, haar zwakte wekten mijn medelijden op, maar ergerden me ook. Weer tegen Tommy moeten zeggen dat mama nog steeds ziek was, dat ze hem alle liefs wenste, dat ze wel weer thuis zou komen; dezelfde zinnen, dezelfde teleurgestelde uitdrukking op zijn kindergezichtje. Ik vergat onze afspraak. Ik vergat dat Soledad op me wachtte. Ze liep met haar tas over haar schouder de hoofdingang uit en stak de straat over, precies op het moment dat er een vrachtwagen op volle snelheid langsreed. Onder de vele getuigen was er niemand die niet bevestigde dat Soledad zich met opzet onder de wielen had geworpen. Een paar dagen later bekende de dokter me dat Soledad haar daad dezelfde ochtend tijdens de therapie in bedekte termen had aangekondigd. Dat ik niet op onze afspraak was verschenen, had niets te maken met wat er gebeurd was. Ik wilde zijn woorden geloven, maar de kennisneming van die minuscule waarheid bracht me geen enkele verlichting. Daarna probeerde ik het verdriet te doorsnijden als iemand die door een hels landschap ploegt. Ik probeerde mezelf te ontwikkelen, sterker te maken, in de hoop dat ik zou leren van die reis. Het was de enige manier die ik kon bedenken om haar dood zin te geven.

Dat is nu negen jaar geleden, en wat ik in die jaren ook heb geleerd, ik heb er nu niets meer aan. Waar is de kracht die ik in de loop der tijd dacht te hebben opgebouwd? Ik voel me net zo hulpeloos als toen. Misschien leer je niets van verdriet, maar moet je er gewoon steeds weer doorheen, in alle eenzaamheid. Ik had er moeten zijn voor het verdriet van Tommy! Ik voel de onstuitbare drang naar buiten te rennen, iets kapot te smijten, te schreeuwen... Ik hoor zijn rustige, enigszins schorre stem; hij spreekt elk woord behoedzaam uit: '*Vijf, naar de bodem van het zwembad duiken en inademen totdat je longen vol water zitten. Zes, van een gebouw of uit een heel hoge boom springen. Zeven, je neus en je mond dichthouden tot je stikt. Acht, ophouden met eten en water drinken. Negen, de slagaders in je polsen doorsnijden. Tien, in de sneeuw in slaap vallen. Elf, je hoofd in de oven stoppen en de gaskraan opendraaien.*'

Tommy praat verder. Zijn levendige stem maakt zijn afwezigheid nog pijnlijker.

'*Tweede ontdekking: De opa van mama was de oprichter van een school voor meisjes in Buenos Aires, die Santa Ana heet.*'

Ik weet niet hoe hij daarachter is gekomen, maar het klopt.

'*Ontdekking appendix: Met vrienden deel je leugens.*'

Ik weet ook niet waar hij deze ontdekking appendix vandaan heeft, maar ook hier is hij op een waarheid gestuit.

'*Ik weet niet wat je moeder in mij zag. Ze was veel intelligenter dan ik. Ze kwam me vaak ophalen in haar auto en dan reden we ergens naartoe. Niet naar de plekken waar andere vrouwen zoals wij naartoe gingen. Wij gingen naar de universiteitswijk, in Macul, want ze studeerde kunstgeschiedenis. Soledad was erg ontwikkeld. Dan gingen we in een bar zitten die* Las Terrazas *heette en dronken koffie en rookten en dronken nog meer koffie en rookten nog meer. Dat was alles. Maar dan waren we zo gelukkig.*'

Dat is de stem van Corina. Ik kan ze allebei nog gracieus het huis uit zien lopen.

'*De vuile rotzakken...*'

'*Wie, tante?*'

Ik weet wie de rotzakken zijn. Wij allemaal. Wij, die gerieflijk verder leven onder ons pantser van vriendelijkheid en fatsoen, omringd door leugens die ons beschermen tegen het kwaad.

'*Derde ontdekking: Net als de es, leefde er een draak onder mama's wortels en hoe ze ook vocht om hem te overwinnen, de draak heeft ten slotte de strijd gewonnen.*'

'*Vierde ontdekking: Volgens meneer Milowsky was mama joods en ik ook.*'

Maar wie is die meneer Milowsky? Waar is Tommy al die tijd geweest terwijl ik dacht dat hij in zijn kamer was, afgezonderd van alles en iedereen?

'*Vijfde ontdekking: Mama is op straat doodgegaan, tegenover Aguas Claras.*'

In de seconden die ik erover doe om dit afschuwelijke beeld in het hoofdje van Tommy te zien, in die paar seconden, ben ik trots op hoe ver hij is gekomen.

'*Ontdekking appendix: De waarheid duikt op uit de diepten om de geordende oppervlakte van de dingen te verstoren.*'

Mijn god. Ik word bang van zijn ontdekkingen, van de gedachten die door zijn hoofd zijn gegaan, van zijn diepe, complexe gevoelens die ik nooit heb gezien.

'*Zesde ontdekking: De grootvader van mama, mijn overgrootvader, verzweeg dat hij jood was om door de maatschappij geaccepteerd te worden.*'

'*Ontdekking appendix: Alma heeft papa het volgende verteld: toen ze voor de eerste keer bij opa was, heeft hij haar gevraagd of ze joods was. Ze antwoordde van niet en opa was heel tevreden.*'

Misschien was dit het moment om de waarheid op te graven uit de diepten waarin die verborgen lag.

'*Zevende ontdekking: Ik denk dat opa, net als de jongens uit mijn klas, niet van joden houdt.*'

'*Achtste ontdekking: Het element van mama en mij is water.*'

'*Opa, ik wil u graag heel hartelijk feliciteren. Ik wilde u ook vertellen dat ik een vriendin heb die Sarah heet. Ze is joods. Ze is geboren in Bue-*

nos Aires en heeft een prachtig Argentijns accent. Haar familie maakt kaarsen voor de sjabbat. Weet u wat dat is, opa, de sjabbat?'

'Dat kun jij ons vast wel vertellen.'

'Ik geloof niet dat dit het juiste moment is.'

'Omdat het om joden gaat?'

'Je gaat over de schreef, jongetje. Daar zou ik maar heel goed mee oppassen! Heb je me gehoord?'

'Ja, ik ben hier, in de tuin van het huis van mijn schoonvader, op een paar meter van de plek waar we elkaar ontmoet hebben...' Nu is het Alma die praat. *'Maar je had wel gelijk. Dit is allemaal zo belachelijk. We kunnen niet eens samen de straat op, omdat ik doodsbang ben. Ik weet dat het onredelijk is, maar ik kan er niets aan doen... En bovendien... Ik kan het niet meer aan, Leo. Dit is niet wat ik wil... Je luistert niet naar wat ik zeg... Dat kun je niet weten... Wat ben je aan het bekokstoven...? Je hebt overal aan gedacht... Ik weet het niet... Het is dus een afscheid... Ja, die zie ik. Is er zee op de plek waar jij van plan bent me mee naartoe te nemen...? Nee, ik heb geen ja gezegd, ik vraag het alleen maar... Ik wil jou ook zien... Ik moet ophangen... Je mag gesprekken van volwassen niet afluisteren. Zoiets doe je niet, en dat weet je best!'*

'Het is niet mijn schuld dat je me niet gezien hebt. Ik heb me niet verstopt. Ik zat hier gewoon.'

'En wat deed je hier dan?'

'Ik deed niks.'

'Ik hou veel van je, Tommy.'

'Die vrouw is een andere Alma en die ken ik niet.'

Ik ken die vrouw ook niet. Mijn ogen branden. Plotseling komt alles om me heen – het bureau van Tommy, zijn vliegtuigen, de tuin, het frisse geluid van de gazonsproeiers, en zelfs ikzelf – me verwarrend en dwaas voor.

'Opa, ik heb de kooi opengezet.'

'Praat geen onzin, jongen.'

'Het is echt waar. Ik heb de kooi opengezet.'

'Hoe haal je het in je hoofd? Ben je gek geworden? Dit kind is knettergek! Net zo gek als zijn moeder! Dat is jouw schuld, Juan. Je hebt hem

nooit een fatsoenlijke opvoeding gegeven. Je behandelt hem alsof hij een idioot is, en wat heb je daarmee bereikt? Dit. Je hebt niet het karakter om het hoofd te bieden aan de uitdagingen die op je weg komen. Het is een schande. En gaan jullie nu maar weg, ga weg, het feest is afgelopen.'

'Negende ontdekking: Opa heeft gelijk, papa is een zwakkeling en ik ben gek, net als mama, daarom kan ik niet tot tien tellen voordat ik anderen kwets.'

Natuurlijk heeft hij gelijk. Ik ben een zwakkeling, een man die niet in staat te voorkomen dat zijn zoon voelt wat hij voelt, een man die niet de moed heeft zich te verzetten tegen zijn vader, en te verhinderen dat de wereld die hij zo zorgvuldig heeft opgebouwd, in elkaar stort.

'Yerfa heeft me verteld dat je nog steeds doorgaat met dat gedoe van je denkbeeldige vriendje. Ik heb het al duizend keer gezegd, Tommy, dat is niet goed voor je. Je mag best fantaseren, maar niet zo dat de dingen die je verzint belangrijker worden dan de werkelijkheid. Ik weet dat het leuk is je eigen spelletjes te maken en je eigen wereld te hebben, maar het is de werkelijkheid waarin je moet leven, waarin je contacten legt met anderen... Kun je je voorstellen wat er zou gebeuren als iedereen altijd maar in een denkbeeldige wereld zou leven?'

Over welke werkelijkheid heb ik het?! De zijne is opeens oneindig veel werkelijker geworden dan de mijne.

'Tiende ontdekking: Mama wist dat "dat" me maakte tot wie ik ben, en het was "dat" waar zij bij mij van hield. Er was niemand in de wereld van wie mama zoveel hield als van mij, er is niemand in de wereld die zoveel van me houdt als zij van me hield en er is niets in het universum waar ik meer van hou dan van mama.'

'Ik hou ook net zoveel van jou, Tommy,' zeg ik hardop. 'En er is niemand in de wereld van wie ik zoveel hou als van jou. Ik hoop maar dat je me kunt horen.'

49. ♒

Ik rij met beide handen stevig om het stuur geklemd, mijn ogen strak op de weg gericht. Ik denk aan Tommy, aan zijn zwijgzame spelletjes, zijn wijdbeense manier van lopen, zijn vragen, aan de tweeëntwintig gemiste oproepen van Juan.

Ik ben in de stad aangekomen. De lucht is egaal grijs. Ik ga de snelweg op, die nu ondergronds wordt. Het is vijf over elf. Waar heeft Tommy de nacht doorgebracht? En als hij een ongeluk heeft gehad? Een bijna ondraaglijk verdriet overmant me. Tommy moet mijn verwijdering, mijn in mezelf gekeerde houding hebben opgemerkt. Ik weet niet hoeveel hij heeft opgevangen van het gesprek met Leo, maar afgaande op zijn gedrag die middag, is het duidelijk dat hij begreep wat er aan de hand was. Ik probeer me de momenten te herinneren die ik de afgelopen dagen met hem samen ben geweest, me zijn gezichtsuitdrukkingen, zijn woorden voor de geest te halen.

Als hij voor me stond, zou ik meteen op hem af springen, hem tegen me aan drukken en zeggen dat we angstig dichtbij waren elkaar te verliezen, maar dat we, wat er ook tussen zijn vader en mij zou gebeuren, altijd elkaar nog hebben, dat we nog steeds zijn opnamen kunnen monteren, het gebarenalfabet leren en geheimen met elkaar delen. Ik zou zeggen dat ik van hem hou en dat mijn liefde veel en veel groter is dan de radiotelescoop die mijn naam draagt. Maar Tommy is ver weg, ik kan hem al die dingen niet zeggen, en dat spijt me zo.

De snelweg wordt weer bovengronds. Ik kijk naar de lucht, de meeuwen volgen de rivier in de richting van de bergen die opdoemen in de mist. Ik was vastbesloten mijn oude huid af te werpen als een slang, en dat ik daar nu aan twijfel, komt doordat mijn huid na het schuren langs de scherpe stenen nog altijd bedekt is met zweren en wonden. Ik hoor een claxon. In gedachten verzonken was ik voor een groen stoplicht blijven staan. Ik trek op.

Hoewel het me niet moeilijk valt me een leven naast Leo voor te stellen, word ik me bewust van een nieuw element: de indruk dat ik vlucht voor iets wat ik heel snel weer zou kunnen tegenkomen. Misschien houden crises verband met dingen die al veel langer slecht gaan en die we wegstoppen of verdringen om ze niet het hoofd te hoeven bieden. Ik wilde vluchten, en daar is niets verkeerds aan, maar wie weet, misschien zou ik om dit alles achter me te laten, mijn spoken, de afstand en de stilte de nek om moeten draaien.

Het is vreemd dat ik dit nog maar een paar uur geleden niet kon zien. Gedachten kunnen je, net als de begeerte, overal heen leiden. Maar net als in de hartstocht ben ik er zelf bij, verbonden met wat ik ben en met de dingen om me heen. Ik zie Tommy, Juan en Lola voor me. Ik zie hun gezichten, verbazingwekkend echt in hun details, en de lege hulzen beginnen zich te vullen met een sterke, levendige emotie.

Ik druk het gaspedaal verder in. Al snel ben ik bij mijn huis. Ik doe de deur open en krijg het gevoel dat ik hier een eeuw geleden ben weggegaan, zoveel is er de laatste dagen, de afgelopen uren gebeurd. In het amberkleurige licht van de hal is geen geluid te horen.

Alsof ik een film terugspoel, ga ik terug in de tijd, op zoek naar de gevoelens die me met Juan verbonden, en ik ontdek dat ze er nog zijn, gekneusd maar levend. Heel duidelijk zie ik het eerste beeld voor me dat ik van hem heb, de bescheiden, serieuze man die Edith redde. Ondanks zijn beheerste gebaren straalde Juan een kracht en een zelfverzekerdheid uit die de ruimte vulde en ons kalmeerde. Ik herinner me hoe hij naar mijn twee maanden zwangere buik keek, hoe hij toen hij me omhelsde rekening hield met dat wezen tussen ons in en het in zijn armen sloot.

Ik loop naar zijn werkkamer. De bloemen in de vazen zijn

verwelkt en een beginnende geur van verrotting verspreidt zich door de gang. Ik doe de deur open. Juan zit in zijn draaistoel voor het raam met de telefoon aan zijn oor. Als hij me hoort binnenkomen draait hij zich om. Ik wil hem omhelzen, maar de minachtende uitdrukking op zijn gezicht houdt me tegen. Ik begrijp het niet. Toch loop ik op hem af. Hij staat op uit de stoel en beduidt me met een handgebaar dat ik even moet wachten. Hij keert me de rug toe en praat verder. Er hangt een zware, weeë geur in de lucht. Het zonlicht golft over de ruggen van de boeken in de boekenkast.

'Bedankt. Ik zal je op de hoogte houden,' besluit hij, en hij hangt op. 'Hallo. Ik wilde net weggaan.'

Hij kijkt me verward aan, maar meteen daarop maakt hij met een grimas duidelijk dat hij haast heeft.

'Heb je al iets gehoord?' informeer ik.

'Nee. Nog niet. Ik ga naar het huis van mijn vader.'

'Goed, laten we gaan.'

'Dat is niet nodig. Ik heb liever dat je hier blijft.'

'Ik ga met je mee, Juan.'

'Ik ga alleen.' Hij klinkt geërgerd.

'Waarom?'

'Hoezo waarom? Ik zit hier al een hele nacht mijn hersenen te pijnigen, bang dat er iets met *míjn* zoon is gebeurd, en ik ben heel goed in staat daar nog een tijdje mee door te gaan.'

Hij beent met een naargeestige onstuimigheid door de kamer en veegt met de rug van zijn hand krachtig over zijn mond. Zijn ogen glinsteren koortsig, alsof hij ziek is. Agressiviteit is zijn manier om zich te verweren tegen emoties die hij niet kan beheersen. Ik heb hem dit honderden keren zien doen, en elke keer raakte ik verder van hem verwijderd. Maar vandaag niet. Deze keer kan ik zijn hart zien, alsof het uit zijn lijf is gerukt.

'Het spijt me. Ik wil met je mee... Vergeef me,' zeg ik. En als ik deze laatste woorden uitspreek, krijgt mijn stem een valse ondertoon.

'Wat moet ik je vergeven?' Hij houdt op met heen en weer lopen en kijkt me recht aan, met een onderzoekende en angstaanjagende uitdrukking op zijn gezicht. Zijn oogleden worden rood.

'Dat ik niet hier was toen je me nodig had, dat ik mijn mobiel in de auto heb laten liggen, dat ik zo laat ben...'

Juan barst in een luguber schaterlachen uit en zegt dan: 'Laat maar zitten.' Hij schuift me met een handgebaar opzij, draait zich om en loopt de gang op.

Ik volg hem. Juan loopt naar boven, gaat onze slaapkamer binnen en doet de deur achter zich dicht. Ik ga naar de keuken om Yerfa gedag te zeggen. Terwijl ik op hem wacht, drink ik een kop koffie. Yerfa zit hardnekkig gebeden te prevelen. Ik pak de koffiemok met beide handen vast en druk hem tegen mijn borst. Ik denk aan Tommy's eenzaamheid, aan zijn teleurstelling. Ik had nooit gedacht dat ik iemand van wie ik zoveel hou zo zou kunnen kwetsen.

Ik heb mijn koffie op, neem afscheid van Yerfa en ga naar buiten om op Juan te wachten. Als hij verschijnt, loop ik naar hem toe. Ik voel de aandrang zijn gezicht te strelen, zijn ongerustheid te verlichten, maar nog voordat ik het gebaar heb gemaakt, verstijf ik bij zijn verbeten en tegelijk afwezige gezichtsuitdrukking, alsof hij in de ban is van een bepaalde gedachte. We blijven roerloos tegenover elkaar staan. Ik verzamel kracht, steek mijn hand uit en raak zijn wang aan. Juan knijpt zijn ogen tot spleetjes en kijkt me aan, zoals je tegen het licht in een vreemde kamer in kijkt. Ik voel een plotselinge vlaag van angst. Het gebeurt heel snel, ik heb geen tijd om te reageren. Juan grijpt me bij mijn pols en knijpt er hard in. Het doet pijn. Heel even denk ik dat het zo slecht nog niet is, hij heeft tenminste zijn onverschilligheid doorbroken. Hij laat me los en zonder zijn met agressie geladen ogen van me los te maken, schreeuwt hij tegen me: 'Raak me niet aan. Hoor je? Raak me niet meer aan.'

'Wat heb ik je gedaan?' vraag ik zonder hem aan te kijken. Mijn stem klinkt dof.

Juan geeft geen antwoord. Ik herhaal met nadruk: 'Wat heb ik je gedaan?'

Ik voel nog het contact van zijn krachtige hand.

'Je hoeft niet langer tegen me te liegen. Ik weet het.' In zijn woorden klinkt een enorme, duistere woede door.

'Wat weet je?' waag ik te vragen.

Juan antwoordt niet. Mijn hoofd begint op volle snelheid te werken, zoekend, redenerend, gravend in mijn herinnering, totdat ik plotseling stuit op Tommy's opname in Los Peumos. Juan moet die op een bepaald moment hebben gehoord. Hij zegt nog steeds niets, kijkt me niet aan, volledig ingekapseld, en ik kan het hem niet kwalijk nemen. Hoe zou ik?

'Het is de moeite niet waard, Alma, niet nu. Ik heb hier geen tijd voor. Ik moet Tommy zoeken,' zegt hij, terwijl hij naar zijn auto loopt.

Ik volg hem, stap in en ga naast hem zitten. Ik knijp mijn ogen dicht. Ik kan niet huilen. Het zou zinloos zijn.

'Laat me hier niet buiten. Ik moet Tommy zien, ik moet weten waar hij is, hoe het met hem gaat,' zeg ik bruusk, onder druk van een beklemmend gevoel in mijn borst.

'Waarvoor?' Hij brengt zijn hand naar zijn voorhoofd. Ik weet dat hij spijt heeft dat hij een kiertje in zijn vesting heeft geopend.

'Het is ook mijn zoon.'

'Alsjeblieft niet, Alma. Echt, hou op. Ik wil niet met je praten, ik wil niet bij je zijn, je aanwezigheid staat me tegen, het enige wat ik nu nodig heb is dat ik al mijn energie kan richten op het vinden van Tommy,' zegt hij, en hij slaakt een geërgerde zucht.

'Goed. Maar laat me dan tenminste met je meegaan. Ik smeek het je.'

Hij blijft zwijgen, zonder de auto te starten. Allebei zijn handen liggen op het stuur en hij kijkt strak voor zich uit naar de lege straat. Plotseling zucht hij en zonder zijn blik van het trottoir af te wenden, hoor ik hem zeggen: 'Zelfs als dit allemaal niet was gebeurd, dat met Tommy, bedoel ik, zou ik je er niet naar vragen. Ik wil het niet weten. Ik hoop dat ik duidelijk ben. Zo'n man ben ik niet.' Er klinkt geen enkele nuance door in zijn stem. Hij richt zich tot me als tot een onbekende.

'En wat voor man ben je dan?'

'Dat is iets wat voor jou van nu af aan volkomen onbelangrijk is,' zegt hij kortaf.

Dat Juan me niet recht in mijn gezicht zegt wat we allebei weten, dat ik verantwoordelijk ben voor de verdwijning van zijn zoon, lucht me niet op, maar geeft me juist zo'n beklemmend gevoel dat ik bijna niet meer kan ademhalen. Wat zou ik graag met hem willen praten. Nu pas begrijp ik de zin van biechten. Het is een manier om je te bevrijden van gevoelens waar je niet tegen bent opgewassen. In de zwijgzame seconden die volgen, valt er iets volledig uiteen in een hoek van de auto. Ik kijk opzij naar het verstrakte profiel van Juan en zie zijn uitgedoofde liefde.

'Alsjeblieft, ga weg. Jij maakt hier geen deel van uit. Niet meer.' Er ligt een eenzame en ondoorgrondelijke uitdrukking op zijn gezicht.

Ik open het portier van de auto en stap uit. Juan start de motor en binnen een paar seconden is hij uit het zicht verdwenen.

50.⌛

Ik ga niet naar het huis van mijn vader; eigenlijk ga ik nergens heen. Ik rij alleen maar rondjes en ben niet in staat stil te blijven zitten of met een ander mens te praten zolang deze vervloekte mobiel niet overgaat en iemand me vertelt dat Tommy veilig is. En terwijl ik rij, verliezen de straten en de mensen steeds meer samenhang en betekenis, alsof ik de wereld door röntgenstralen zie en tot de ontdekking kom dat er achter hun zichtbare gezicht helemaal niets zit. Een schors zonder sap. De wereld en de holle mensen. Mijn mobiel gaat over. Ik kijk op het schermpje. Het is een nummer dat ik niet heb opgeslagen. Mijn hart begint sneller te kloppen.

'Spreek ik met don Juan Montes?

'Ja,' antwoord ik.

'Goedendag. U spreekt met luitenant Ríos, ik was gistermiddag bij u thuis.'

'Goedendag.'

'Als u me niet kwalijk neemt, don Juan, kom ik meteen ter zake. We hebben aan de kust het lichaam van een jongen gevonden, een kilometer of twee ten noorden van Los Peumos. Afgaande op de beschrijving van de verantwoordelijke korporaal ter plaatse gaat het om een jongen van hoogstens een jaar of acht, wat niet zou passen bij uw zoon.'

'Mijn zoon heeft het postuur van een jongen van acht,' prevel ik. Er komt bijna geen geluid uit mijn keel.

'Hij draagt ook geen schooluniform. Uw zoon droeg een uniform,' gaat officier Ríos verder.

'Wat had hij dan aan?' vraag ik met een dun stemmetje.

'Een spijkerbroek en een rode fleece trui. Geen schoenen. Die zijn waarschijnlijk meegevoerd door het water. We hebben de foto die u ons gegeven heeft opgestuurd, maar het gezicht van de jongen is verminkt door de klap van de val, en ze hebben zijn identiteit niet kunnen bevestigen.'

'In Los Peumos is het huis van zijn grootvader en het graf van zijn moeder,' mompel ik. De officier praat door zonder naar me te luisteren.

'Volgens mijn informatie gaan de kinderen uit het dorp die spijbelen vaak naar die omgeving. Het is een gevaarlijke plek en het is niet de eerste keer dat zoiets gebeurt. Het gaat vermoedelijk om een kind daar uit de buurt, maar omdat de school nog niet uit is, heeft niemand tot nu toe aangifte gedaan van vermissing. Een paar maanden geleden lag het lichaam van een meisje tot het eind van de middag in het mortuarium zonder dat iemand het opeiste. Dat heb ik van de verantwoordelijke korporaal. Ik vertel het u zodat u er niet meteen van uitgaat dat het uw zoon Tomás is, zo heet hij toch? Goed, ik wilde u vragen daarnaartoe te gaan. Om alle twijfel uit te sluiten.'

'Waar is hij?' vraag ik kortaf.

'Op dit moment wordt het lichaam overgebracht naar het San-Benitoziekenhuis in Los Peumos.'

'Hoe hebben ze hem gevonden?' informeer ik.

'Don Juan, maakt u zich nu niet meteen zorgen, het meest waarschijnlijke is dat het niet om uw zoon gaat.'

'Het meest waarschijnlijke,' zeg ik zonder enige overtuiging. Terwijl we praten, rij ik in de richting van het vliegveld.

'Als u in het San-Benitoziekenhuis aankomt, vraagt u dan naar korporaal Rojas. Hij wacht op u.'

'Ik ben er over veertig minuten,' besluit ik, en ik hang op.

Ik rij op volle snelheid door de drukke straten van Santiago. Ik haal een Mazda in en daarna een Fiat, ik rij door een oranje stoplicht op het moment dat het op rood springt, ik passeer een bestelbusje en een schoolbus. Terwijl ik doorrij en doorrij, zie ik ergens vanuit een verre, roerloze plek in mezelf een stad die me vreemd is, aan me voorbijtrekken.

⌛

Ik draai de benzinekraan open, start de motor, taxi de startbaan op, wacht op toestemming om op te stijgen, trek de stuurknuppel naar me toe, zodat de neus van het vliegtuig omhoogkomt, en even later ben ik in de lucht. Boven de bomen en de daken voert de oplichtende hemel me naar gele bergtoppen. Ik vlieg door een front van lage wolken en duik weer op in een strook licht. In het zuiden drijven grijs omrande wolken. Ik doorklief de lucht met constante snelheid. De motor maakt een monotoon geluid dat de tijd verpulvert. De hoogte werkt als een plaatselijke verdoving.

En dan verschijnt er in mijn hoofd een kind. Het moet wel het product zijn van mijn verbeelding, want het is onmogelijk dat Tommy op de plaats van de copiloot zit. Toch is alles aan hem echt: zijn dromerige en tegelijk doordringende blik die op me rust, zijn handen met de dunne vingers, zijn witte huid, zijn voeten die van de te hoge stoel naar beneden bungelen, en dat voor hem zo kenmerkende gebaar van het krabben op zijn hoofd om kracht te verzamelen als hij op het punt staat iets te gaan zeggen. Maar Tommy zal niets zeggen, want Tommy is het jongetje dat ze in Los Peumos hebben gevonden. Ik zou me het liefst loodrecht in zee storten. Niemand kan me vertellen dat lijden en dood eigen zijn aan het leven, niemand kan me wijsmaken dat het bestaan anders onvolledig is. Tommy is dood, dood… en dat is zo zinloos.

Een schreeuw baant zich vanuit mijn maag een weg naar buiten. Het is een kreet met een vreemde, diepe klank die losbarst en dwars door me heen gaat en in al zijn intensiteit blijft natrillen. Uit mijn lichaam is een wezen van een vormeloze, gehavende materie opgedoken, dat bang is en alleen.

51. ♒

Terwijl ik koffie zet, observeert Maná me met een van haar afschuwelijke gezichtsuitdrukkingen van een wijze vrouw. Onderweg naar haar huis heb ik haar gebeld om te vertellen dat Tommy vermist wordt. De rest kon ik niet zeggen. Dat zou hetzelfde zijn als mijn wapens aan de vijand overhandigen. Ze vraagt me ook niet waarom ik hier ben in plaats van met Juan op zoek te zijn naar Tommy. Aan haar keukentafel wacht ik totdat ik Lola kan ophalen van school. Ik wil mijn dochter in mijn armen sluiten. De tas die ik heb meegenomen naar het huis van Maná staat op mijn knieën. Lola's pyjama met appeltjes steekt boven de halfopen ritssluiting uit. Ik voel de aandrang hem eruit te halen en naar mijn neus te brengen, maar ik beheers me.

De tafel staat vol met doosjes kraaltjes, waarmee Maná een figuur borduurt bestaande uit een menselijk bovenlichaam, de kop van een kip en twee slangen als benen. Ik dwaal met mijn blik over de hoeken van haar huis, over haar houten meubelen die tientallen manden en potten herbergen. Ik probeer me hun geschiedenis voor te stellen, maar het is zinloos, ik krijg Tommy niet uit mijn hoofd. Maná gaat naast me zitten. Ze schenkt twee koppen koffie in en spreidt een geborduurde lap uit over haar schoot.

'Het is Abraxas. Een godheid die het goddelijke en het duivelse verbindt. Weet je waarom ik hem borduur?'

Ik schud mijn hoofd.

'Om een basisprincipe niet te vergeten. Dat ik de duisternis in mij moet accepteren als ik een minimum aan innerlijke rust wil bereiken. Dat was een van de grote thema's van Jung,' legt ze uit. Ze zwijgt als ze merkt dat ik nauwelijks luister.

Tommy heeft eens tegen me gezegd dat Maná hem deed denken aan goede heksen. Ik wilde weten wat hij bedoelde, en hij antwoordde dat het heksen waren die zowel het goede als het slechte konden doen, een behendigheid die ze dubbel machtig maakte. Maná pakt een paar gouden kraaltjes en rijgt ze aan een naald. Haar bewegingen zijn beheerst en aandachtig. De ochtendwolken beginnen op te lossen en hier en daar ontstaan al blauwe gaten. Van tijd tot tijd kijkt Maná op van haar werk en observeert me. Mijn blik blijft rusten op haar grijze haar en op de rimpeltjes rond haar ogen, die haar eerder een vredig dan een verwelkt voorkomen geven. Je zou bijna zeggen dat ze ze zelf op haar gezicht heeft aangebracht. Ik had er nooit zo op gelet, maar Maná mist die zweem van berusting die vrouwen vol rimpels en een slappe huid zoals zij meestal hebben. We horen de echo van een auto in de verte. De rest is stilte. De rust van haar keuken en haar wereld.

En dan gebeurt het. Het waterhuis stort in. Ik kan me nergens meer verstoppen. Ik barst in huilen uit en mijn lichaam schokt hevig. Ik vouw dubbel en begraaf mijn hoofd in mijn handen. Ik huil, voorovergebogen, alsof er een gif uit mijn lichaam moet worden verdreven. Mijn moeder slaat haar armen om me heen en drukt me tegen haar borst. Ik hoor haar hartslag in mijn oor. Ik weet niet hoelang ik zo blijf zitten, snikkend in haar armen, voordat ik in staat ben me los te maken van haar doorweekte bloes. Ik til mijn hoofd op en wrijf met mijn handen over mijn gezicht.

'Ik heb alles verpest,' zeg ik fluisterend.

'Dat is onmogelijk. Kijk eens hoe ik mijn best heb gedaan om alles te verpesten en jij zit hier toch maar mooi.'

'Mij is het gelukt. Ik heb alles gedaan wat ik kon om anders te zijn dan jij. Ik heb gezworen dat ik nooit iemand zo zou kwetsen als jij me hebt gekwetst.'

Maná vouwt haar handen, drukt ze stevig tegen elkaar en brengt ze naar haar lippen.

'Ik heb alles zorgvuldig opgebouwd. Ik dacht dat het me zou lukken. Ik dacht dat het me was gelukt...' Ik maak een moedeloos gebaar en mijn stem stokt.

Maná haalt diep adem. Ik had haar nog nooit op deze manier aangevallen. Me losmaken van haar invloed was ook een ontkenning van de verantwoordelijkheid waar ze in mijn leven recht op had.

'Alma, soms...' mompelt ze, maar ze maakt de zin niet af. Ze kijkt uit het raam en houdt haar adem in, dan slaakt ze een zucht die de ruimte lijkt te vullen. 'Soms, hoe we ook ons best doen, gaat het leven aan ons voorbij. Ons gedrag en onze gevoelens zijn niet helemaal van onszelf. Ze worden ook bepaald door wat anderen ons geven of afpakken, door wat ze voor ons verzwijgen, wat ze tegen ons zeggen, door onze geschiedenis. Zoveel dingen...'

'Als ik zou geloven wat je zegt, zou ik dat verdomde schuldgevoel kunnen verzachten, maar verdriet, hoe verlicht je verdriet?'

'Er bestaat een ruimte, een heel kleine ruimte die wél van ons is. En daar zit de kern van ons wezen. Die maakt ons tot wat we zijn, stelt ons in staat de loop van de reis te veranderen. Net als de zeilen van een fregat. Soms is een onzichtbare beweging al genoeg om de dingen te veranderen.' Ze praat op een afgewogen en profetische toon die me op de zenuwen werkt.

'Wat een pech, want die heb ik ook verbrand,' val ik haar in de rede.

'O, nee. Die niet. De zeilen zijn onverwoestbaar. Die blijven zelfs nog flapperen als je dood bent, in de herinnering van de mensen die van je gehouden hebben.'

Ik kan niet geloven dat ze zulke onzin zegt, en dat ik naar die goedkope beeldspraak van mijn moeder zit te luisteren.

'Maná, terwijl Juan onbeschrijflijk veel verdriet had om de verdwijning van Tommy, was ik bij een andere vent. Dáár heb ik het over. Niet over die stompzinnige zeilen of over je bootjes. Snap je dat?!' schreeuw ik. 'Terwijl hij me steeds weer probeerde te bellen, was ik gelukkig en lag ik op het strand te neuken. Tommy had het allemaal door, daarom is hij weggelopen. Juan weet het ook. Begrijp je het nu? Over die klotezooi heb ik het.' Ik wend mijn blik af om de draaikolk van woede en angst die me overvalt onder controle te krijgen.

Maná slaat haar ogen neer en knijpt in mijn vingers. Ze probeert me te kalmeren. Ik veeg met de rug van mijn hand langs mijn neus en haal diep adem.

'Als Tommy is weggelopen, dan was dat niet de reden, tenminste niet de enige reden,' zegt ze voorzichtig.

'Hoe kun je daar zo zeker van zijn?' vraag ik angstvallig.

'Omdat dingen nooit op zichzelf staan. Tommy is een heel gevoelig jongetje, iets waar zijn vader trouwens aardig aan bijdraagt, maar bovendien was hij slachtoffer van agressie op school.'

'Hoe weet jij dat?'

'Dat weet ik omdat de moeder van een van zijn klasgenootjes, die bij mij meditatielessen volgt, het me heeft verteld. Blijkbaar heeft een van de kinderen spijt gekregen en tegen zijn moeder gezegd wat er aan de hand was, en zo is het een aantal ouders ter ore gekomen, onder wie de vrouw die ik ken.'

'Waarom heb je dat niet tegen me gezegd?'

'Ik weet het pas sinds een paar dagen en wachtte op het juiste moment om het tegen je te zeggen.'

'Iedereen weet het, behalve wij.'

'Tommy wil vast niet dat jullie het weten. Het is ontzettend vernederend.'

'En wat weet je nog meer?' vraag ik verbitterd.

'Dat de dingen nooit zijn wat ze lijken. Niet helemaal, tenminste. En dat we doen wat we kunnen, hoewel dat vaak niet genoeg blijkt te zijn.' Haar ogen knijpen samen, alsof ze elk moment kan gaan huilen.

'Waar heb je het over?'

'Wat ik nu ga zeggen is niet bedoeld als een soort schuldbekentenis. Laat dat duidelijk zijn. Ik wil alleen dat je de dingen vanuit een ander standpunt kunt analyseren, dat is alles. Weet je nog dat ticket naar Barcelona? Waar denk je dat dat vandaan kwam?'

'Van jou?'

Maná knikt. Plotseling herinner ik me de ansichtkaart van Edith die ze had gekregen. Zij was het die mijn gegevens aan Edith heeft gegeven en haar heeft gevraagd me aan te nemen. Ze moet haar hebben leren kennen tijdens haar omzwervingen voordat ze met mijn vader trouwde. Mijn reis en Edith, de twee grote wonderen die mijn leven hebben gered en die ik toeschreef aan mijn eigen inspanningen, daar is zij verantwoordelijk voor. Een fijn ondersteuningsnetwerk dat zij achter mijn rug om heeft opgezet. Dan ontbreekt alleen nog Juan. Juan kwam naar het restaurant omdat iemand een briefje met mijn naam en een culinaire kritiek uit *El País* bij zijn ticket had gestopt. Ik herinner me vaag dat ik Maná wel eens heb horen zeggen dat ze bij een reisbureau had gewerkt. Ik vraag het haar.

'Een tijdje, ja. Maar dat is jaren geleden.'

'Dus dan heb jij Juan naar Ediths restaurant gestuurd.'

Maná schudt ontkennend haar hoofd en slaat haar ogen neer om een kraaltje te pakken. Ik weet dat ze liegt. Gisteren zouden de onthullingen van mijn moeder mijn fundamenten nog onder me hebben weggeslagen. Maar wat doet dit er allemaal nog toe nu Tommy wordt vermist.

'Wat we hebben gedaan of niet hebben gedaan, het goede en het slechte dat je van ons hebt meegekregen, is de erfenis die we je hebben nagelaten. Nu is het jouw beurt.'

'Ik kan Tommy niet uit mijn hoofd zetten, ik moet de hele tijd denken dat hij misschien lijdt, dat ik niet weet waar hij is. Ik weet niet hoe ik dat moet doen, *mama*...' beken ik, het onuitspreekbare woord uitsprekend.

'Ik ook niet. Daarin zijn we alleen, Alma. Je hebt geen idee hoe graag ik...' Haar kin trilt en de tranen beginnen over haar wangen te rollen. Toch verbergt ze haar gezicht niet.

Ze huilt om mij. Dit is misschien een van die veranderingen waar ze het over had. Ondanks haar zekerheden is Maná minder bang voor de ironie van het leven en de vragen zonder antwoord.

We kijken allebei naar buiten, naar het rechthoekige stuk hemel dat door het raam te zien is. Blijkbaar is dit de manier waarop vergiffenis tot stand komt, niet met de bombarie van de grote onthullingen, maar heimelijk binnensluipend via het keukenraam.

52.⧗

De kou bekruipt me in deze kamer zonder ramen. Ik wacht op korporaal Rojas. De buitenwereld is ver weg. Mijn vader, mijn broers, mijn patiënten, het ziekenhuis; heel dat minutieuze leven vol schijnbaar onmisbare rituelen. Plotseling komt er met zoveel helderheid een vraag in mijn hoofd op dat ik een huivering niet kan onderdrukken: 'Waarom heb je de vogels vrijgelaten?'

Het was nog niet bij me opgekomen dat Tommy misschien wel een reden had om te doen wat hij heeft gedaan. Ik had het hem moeten vragen. Ik had moeten luisteren naar wat hij te zeggen had. En in plaats van die preek die ik in zijn kamer tegen hem heb afgestoken, hadden we rustig met elkaar kunnen gaan zitten praten. Misschien zou ik zijn antwoord niet leuk hebben gevonden, was ik gekwetst geweest of kwaad geworden, en zou ik zijn kamer niet hebben verlaten met het tevreden gevoel dat ik een taak had volbracht, maar dan zou ik me die middag nu niet herinneren als een zoveelste stap in de keurige opvoeding van mijn zoon, of als een van de vele vergelijkbare gesprekken die we hebben gevoerd, maar als een zuiver en wezenlijk moment.

Mijn mobiel gaat over. Het is Yerfa.

'Don Juan, ik heb net een briefje van Tommy gevonden.'

'Wat staat erop?'

'Er staat: "Maken jullie je geen zorgen om mij, ik ben mama gaan opzoeken in Los Peumos, vandaag is het haar sterfdag. Ik kom met de bus van zes uur terug. Een heleboel kusjes voor iedereen. Tommy."'

'Waar heeft u het gevonden?'

'In de voorraadkast, toen ik rijst ging halen voor de lunch.'

'In de voorraadkast?'

'Ja, precies. Ik snap niet waarom hij het daar heeft verstopt.'

'Zodat we het niet te snel zouden vinden.'

'En waar is hij dan, don Juan, waar is mijn jongen?'

'Daar komen we nog wel achter, maakt u zich nu maar geen zorgen.'

Korporaal Rojas opent de deur en kijkt om zich heen, het lijkt wel of hij vijandig gebied betreedt.

'Bedankt, Yerfa. Ik bel later wel terug.'

Rojas geeft me een krachtige handdruk. Ik voel het contact met zijn ruwe huid. Al zit zijn uniform slordig, het is een man die prijs stelt op goede manieren. We lopen een gang op vol mensen die zitten te wachten tot ze geholpen worden. Een jongen met zijn gezicht onder de blauwe plekken kijkt me in het voorbijgaan uitdagend aan. We lopen door zonder een woord te zeggen. De koelruimte is aan het eind van de gang.

⧗

Korporaal Rojas draait zich om. Het is niet moeilijk Tommy te herkennen in dit zwaar gehavende lichaam. Ik kijk naar de gespleten jukbeenderen van mijn zoon, zijn kapotte lippen, zijn open, gekneusde ogen, zijn gezwollen bovenlichaam en armen. Een van zijn voeten is losgeraakt van de rest van zijn been en zit alleen nog met kraakbeen vast aan zijn lichaam. Het bot van zijn heup steekt door het witte vlees heen. Zijn oren daarentegen zijn ongeschonden, evenals zijn blanke, gladde hals. Zijn gitzwarte haar glanst nog. Ik ga met mijn vingers langs de omtrekken van zijn ijskoude lichaam. Aan de andere kant van de deur lacht iemand. Mijn lippen trillen en uit mijn keel ontsnapt een kreunend geluid dat ik snel onderdruk. De man die het witte laken omhooghoudt, vraagt: 'Voelt u zich wel goed?'

'U kunt hem weer toedekken,' antwoord ik.

53. ♒

'Wat is er, mama?' hoor ik Lola vragen. Ze heeft rimpeltjes in haar neus en haalt haar schouders op.

We zijn in haar kamer, en terwijl ze het speelgoed dat ze had meegenomen naar het huis van mijn moeder weer op zijn plaats zet, kijk ik naar haar. Tommy wordt nu vierendertig uur vermist. Lola vroeg naar hem zodra we binnenkwamen en ik antwoordde dat hij met Juan mee was. Ze vond het jammer dat ze niet hier was om met hen mee te gaan. Terug in huis voel ik me als een eenzame soldaat, verschanst achter een struik, wachtend tot er iets gebeurt. Ik pak Lola bij haar middel en draai haar om op bed.

'Dat heb ik nou zomaar ineens, dat ik zin krijg je helemaal op te eten, als een biggetje.'

'Maar mama, ik ben toch geen biggetje,' spreekt ze me tegen, terwijl ze zich aan me vastgrijpt.

'Dat ben je wel.' Ik geef haar kusjes in haar hals, dat zachte plekje dat nog iets van haar vroegste jeugd heeft behouden.

'Nee. Dat ben ik niet, ik ben een konijntje, dat weet je best,' zegt ze, zich stevig tegen mijn bovenlichaam aan drukkend.

'Dat weet ik wel, maar konijntjes zijn lang niet zo lekker.'

We rollen heen en weer op bed, met onze lichamen dicht tegen elkaar. Als we bij de rand komen, rollen we terug naar de andere kant; de bewegingen worden steeds sneller, totdat we bij een van onze draaiingen in elkaars armen op de grond vallen. Er ligt een ondeugende schittering in haar ogen en ze lacht als een personage uit een tekenfilm. Het zijn schrille, afgebroken geluidjes die ons nog meer aan het lachen maken.

Het verbaast me dat ik op deze manier kan lachen en tegelijk kan voelen wat ik voel. Ik weet nog dat ik zo met Tommy speelde toen hij kleiner was. Als Juan ons dan betrapte, waarschuwde hij altijd dat ik voorzichtig met hem moest zijn, en daarna deed hij de deur weer dicht. Ik denk dat hij zelf ook graag zo met zijn zoon had gespeeld, alleen wist hij niet hoe hij tot die onbevangen omhelzingen moest komen. Nu is Tommy groter en hebben ze allebei deze ervaring voorgoed gemist. Misschien zitten Juan en ik, zonder het te weten, gevangen in wat Maná 'de erfenis' noemde. Er is een deel van ons waar we ons niet zomaar van kunnen losmaken, zelfs als het ons pijn doet, en dat ons leven zo sterk bepaalt dat we het liever negeren. Zodra we het maar even vluchtig zien, doen we instinctief de deur dicht – zoals Juan deed als hij me zag in omstrengeling met het lichaam van zijn zoon – en denken we dat wij het zijn die ervoor gekozen hebben hem dicht te doen. Ik druk Lola nog steviger tegen me aan.

Ik moet weer denken aan de slang die, na langs de scherpe stenen te zijn geschuurd om zijn huid af te werpen, ontdekt dat de wonden niet verdwenen zijn. Ik ben verbaasd dat ik daar niet eerder aan heb gedacht: die wonden genezen is niet iets wat je alleen doet, het houdt niet alleen verband met mij. Nu zie ik dat zo duidelijk dat ik het wel zou willen uitschreeuwen.

'Blijven we ons hele leven op de grond liggen?' vraagt Lola.

In mijn handtas gaat mijn mobiel over. Ik sta op en zoek wanhopig voordat ik hem vind. Op het schermpje verschijnt Leo's naam. Ik heb het gevoel dat er een hele tijd verstreken is sinds ik hem vanmorgen achterliet. Lola gaat op bed zitten en richt haar bruingrijze ogen op me, zich bewust van mijn gespannenheid.

'Wacht even, oké? Het is een belangrijk telefoontje van kantoor.'

Ze trekt een grimas met haar mond open, alsof ze wil vragen: 'Sinds wanneer geef je mij een verklaring voor een telefoontje?'

Ik ga mijn kamer binnen en zie mijn reistas halfopen op de grond liggen. De rest van de kamer ziet er keurig opgeruimd uit, alsof ik er tijdens mijn afwezigheid uitgezet ben.

'Alma, ben je daar?'
'Ja.'
'Hebben ze Tommy al gevonden?'
'Nee.'
Leo valt even stil. Op de achtergrond is het motorgeluid van een passerende auto te horen.
'Dat spijt me.'
'Het is afschuwelijk, Leo.'
'Je bent thuis, hè?'
'Hoe weet je dat?'
'Ik sta buiten, recht voor jouw auto.'
Door de bladerrijke boom voor mijn raam kan ik hem niet zien.
'Waarom ben je teruggekomen naar Santiago?'
'Het had weinig zin dat ik bleef. Ik wil met je praten.'
'Ik kan nu moeilijk weg.'
Leo zegt niets. Ik besef dat hij niet van plan is op te geven.
'Wacht, ik kom naar buiten,' zeg ik.
Vanuit de deuropening zie ik Leo aan de overkant van de straat staan. Zijn aanwezigheid, zo dicht bij mijn wereld, ontroert me. Ik open het portier van mijn auto en beduid hem in te stappen: 'Kom, vlug, voordat het een schandaal wordt.'
Leo steekt de straat over en springt in de auto. Terwijl ik zo snel mogelijk de wijk uit rij, legt Leo zijn hand op mijn dij. We zwijgen. Ik voel een dodelijke vermoeidheid. Ik rij zonder bepaald doel, maar vermijd de hoofdstraten. Ik draai het raampje open, het is zacht buiten.
'Kunnen we niet ergens heen?' zegt hij plotseling op scherpe toon.
Ik zou nu niet een openbare gelegenheid binnen kunnen gaan en zien hoe anderen gewoon hun leven leiden, terwijl ik niet weet waar Tommy is. Ik stop zomaar ergens op een hoek, we stappen uit en beginnen te lopen. Het is een straat met keurige huizen, sommige nog onbewoond. In de verte zie ik een brede

laan met overgeplante palmen en een aantal donkere gebouwen. De verdwijnende namiddag heeft de textuur van het glazen huis: die van een fictieve wereld buiten de tijd. Een wereld waarvan ik geen deel uitmaak.

'Er is sinds vanmorgen zoveel gebeurd,' besluit ik eindelijk te zeggen.

'Dat kan ik me voorstellen,' zegt Leo begrijpend. Ik hoor behoedzaamheid in zijn stem.

We lopen door zonder elkaar aan te raken. De rust om ons heen verdicht zich, als een knevel.

'Het spijt me, Leo.' Ik zie de donkere schaduw die over zijn gezicht trekt. 'Het spijt me echt.'

'Je hoeft nu niet te beslissen, ik kan wachten.' Zijn verslagenheid en nederigheid ontroeren me. 'Ik heb geen haast,' voegt hij eraan toe.

Ik druk me stevig tegen hem aan. Leo kust me, het contact met zijn huid doet me pijn. Ik kan er niet tegen en maak me van hem los.

'Het is je schuldgevoel, hè?' vraagt hij.

'Nee. Het is niet mijn schuldgevoel. De kans is groot dat ik straks spijt heb. Als jij weer in Bogotá zit, met een andere vrouw, ben ik alleen.'

Ik kan hem niet uitleggen wat er met Juan is gebeurd.

'Weet je nog wat je tegen me zei toen we elkaar ontmoetten op de bruiloft van Julia?' vraagt hij.

'Nee.'

'Je zei dat je al tevreden was als je je niet alleen voelde. Daar lijk je nu anders over te denken.'

'Nee, dat denk ik nog steeds.'

'Voel je je bij mij soms alleen?'

De dagen met Leo lijken ver weg, komen me zelfs vreemd voor.

'Geef eens antwoord, voel je je alleen bij mij?'

'Soms.'

'En bij Juan?'

'Bijna altijd.'
'Dus?'
'Voel jij soms niet hetzelfde, vraag jij me soms niet samen te gaan leven omdat je die eenzaamheid moe bent en de illusie hebt dat we die samen op de een of andere manier kunnen verlichten? Was jij het niet die zei dat mensen verbonden worden door wanhoop? Dat maakte je heel duidelijk de eerste nacht dat we samen waren, zodat er geen misverstanden zouden ontstaan.'
'Ik ben van mening veranderd. En weet je waarom? Omdat ik me bij jou niet wanhopig voel. Ik dacht dat jij hetzelfde voelde. Maar ik heb me geloof ik vergist.'
We komen bij de plek waar de palmen staan. Niets van dit alles heeft zin zolang Tommy niet terug is. Toch praat ik door: 'Na een tijdje zullen we nog eenzamer zijn. Als we het geprobeerd hebben en falen, zullen we nog veel eenzamer zijn.'
'Luister, Alma, gebeurtenissen op zich betekenen niet zoveel, die zijn net zo fortuinlijk of onfortuinlijk als de dingen die nooit gebeuren. Het enige verschil is dat als ze plaatsvinden, we de keus hebben ze zin te geven. Dat is wat ik je voorstel, dit wat ons overkomt voor ons allebei zin te geven.'
Ons gesprek komt me voor als een pantomime, een nabootsing van de werkelijkheid. Ik krijg de aanvechting hard weg te rennen.
'Ze zin te geven...' fluister ik.
'Precies,' bevestigt Leo. In zijn mondhoeken schemert een glimlach door.
'Sorry, maar op dit moment heeft niets zin, ik weet niet eens wat ik hier doe. Tommy is verdwenen, er kan hem iets verschrikkelijks zijn overkomen, ik weet niet waar hij is, en ik zweer je dat ik aan niets anders kan denken dan aan hem.'
Er valt een stilte.
'Ik begrijp het.'
'Alles is veranderd, Leo,' zeg ik huiverend.
'Voorgoed?'

De duisternis neemt bezit van de hemel en ik voel me wegzinken. We hebben niets meer om met elkaar te delen. Leo pakt mijn hand en knijpt erin, alsof hij een veelomvattend en tegelijk laatste gevoel tot uiting wil brengen.

54·⌛

Ik kijk naar de foto van Soledad die met een steen tegen haar zerk staat. Haar donkere ogen kijken naar de zee, naar de plek waar Tommy gevallen moet zijn. Hij heeft die foto hier achtergelaten. Op haar door blauwe plekken overschaduwde gezicht ligt een vredige, zelfs heldere uitdrukking. In de spleetjes van haar ogen glinsteren haar pupillen. Een flits baant zich een weg door het compacte weefsel van mijn lichaam. Ik huil. Beneden slaan de golven stuk op de rotsen. Ik zie Tommy, zijn trefzekere blik dringt door me heen en opent me. In die blik meen ik het beeld te zien van een man die vervreemd is van de dingen buiten hem, een man die de werkelijkheid nog maar vaag waarneemt, via korte oplevingen van zijn bewustzijn. Al mijn zekerheden verdwijnen, zelfs die ik nu formuleer. Tommy. Ik herinner me zijn tekening van de Minotaurus, de tekening die ik altijd te vrouwelijk heb gevonden. Ik kan hem net zo duidelijk zien als wanneer hij voor me zou liggen. Ik ga het labyrint in. Ik begeef me op de smalle paden van Tommy's bewustzijn, zijn uitgestrekte wereld waar ik nooit het lef heb gehad binnen te gaan, uit onhandigheid, uit angst op zijn verdriet te stuiten, op de herinnering aan zijn moeder die zelfmoord probeert te plegen. Hoe jammerlijk waren mijn inspanningen, en hoe vals. Ik heb hem alleen gelaten in het labyrint, en hij heeft, op zijn manier, de uitgang gevonden.

Ik moet terug. Maar hoe? Ik kijk naar de zee. Het grijze water schuurt over de rotsen, en aan de hemel spreiden de wolken zich uit als een inktvlek. Ik herinner me ineens dat mijn mobiel in mijn zak zit. Ik neem een foto van het water, en nog een, en nog een, in een poging zijn vluchtige schittering te vangen. Het water dat mijn Tommy heeft meegenomen. Misschien kan ik, door de ogenblikken te bevriezen, de smalle opening vinden, de nietige lichtkrans die de uitgang van het labyrint aangeeft.

Ik denk aan Alma. Of eigenlijk is het eerder haar beeld dat voor me verschijnt, alsof het heeft gewacht op het moment om zichtbaar te worden. Ik herinner me de woorden van Tommy. Er is niemand anders in de wereld tegen wie ik kan zeggen dat hij dood is, dat ik zijn gehavende lichaam heb gezien en dat er op datzelfde ogenblik iets in mij is gestorven; er is niemand anders in de wereld wie ik kan bekennen dat ik nog nooit zo bang ben geweest.

Ik toets het nummer van haar mobiel in en hoor meteen haar stem: 'Juan? Juan, Juan...' herhaalt ze gespannen.

'Tommy is dood,' zeg ik.

Ik word bevangen door een onwerkelijk gevoel, alsof dit een andere man overkomt, ergens op een andere plek.

'Hij is gestorven in de zee bij het graf van Soledad,' leg ik uit.

Alma antwoordt niet. De stilte overvalt ons, een stilte met op de achtergrond het ruisen van onze ademhaling. Ik weet dat ze huilt, dat ze haar ogen dichtknijpt in het vurige verlangen te ontsnappen aan het gevoel van afschuw dat haar beheerst. Dat is tenminste wat ik doe.

'Juan, waar ben je?' vraagt ze. Haar stem klinkt behoedzaam. Haar woorden lijken gefilterd te worden door een doek dat elk moment kan scheuren.

'Op het kerkhof van Los Peumos.'

'Met wie ben je daar?'

'Ik ben alleen.'

'Juan, je wacht toch op me? Wacht je op me?'

Ik begin weer te huilen. Ik doe geen poging mijn snikken te onderdrukken.

'Dit is wat we doen. Jij wacht op me en intussen praten we. Afgesproken?'

Ik zeg: ja, afgesproken.

'Ik hang niet op voordat ik daar ben, hoor je me? Ik ga nu weg.

Ik zit in mijn auto en start de motor. Ik laat je niet in de steek, Juan. Ik laat je niet los. Ik doe nu mijn oortelefoon in, zodat we gewoon kunnen blijven praten, wacht even. Oké.'

Ik weet dat ze haar raampje heeft opengedraaid en dat haar rode haar opwaait in de wind.

'En terwijl ik rij, kun je tegen me praten, zodat ik niet in slaap val. Wat je maar wilt.'

Ik weet dat ze herhaaldelijk met de rug van haar hand langs haar neus wrijft, dat ze een vastberaden uitdrukking op haar gezicht heeft en dat ze haar voet stevig op het gaspedaal gedrukt houdt.

'En als je niet wilt praten, dan geeft het ook niet...' zegt ze.

Ik kan haar op haar lippen zien bijten tot het pijn doet.

'Alma,' zeg ik eindelijk, 'jij bent de draad.'

'Waar heb je het over? Ik ben een draad? Meer niet? Een armzalig draadje?' Ik hoor haar lachen; het is een schorre lach.

'Dat ben je allemaal. Jij bent de draad die Tommy voor me heeft achtergelaten om uit het labyrint te komen, omdat ik het alleen niet kan. Weet je nog?'

Mijn dank gaat uit naar:

Carlos en mijn oude vrienden, voor hun adviezen en hun onvoorwaardelijke steun.
Carola Schutte en Andrés Guelfenbein, omdat ze de tekeningen van Tommy hebben gevonden.
Carmen Martín Gaite, die haar ideeën over literatuur met Alma heeft gedeeld.
Vicente Huidobro, in wiens *Últimos poemas* ik de regels 'Ik denk aan hen, de doden' heb gevonden.
Jorge Aguiló, chirurg, voor het met me delen van zijn kennis.